就是女人的

京协和医院妇产科教授 马良坤

吉林科学技术出版社

推荐序

《子宫就是女人的根》从女性的各个健康细节入手，将很多女性朋友关注的话题娓娓道来，涉及月经及分泌物的基本知识、女性常见的各种不适及处理、女性常见疾病的表现及处理等多个方面。本书的各个部分编排合理，图文并茂，系统、全面地将一系列女性健康知识呈现给读者，其内容充实、丰富，并且对许多生活和保健的细节都有贴心和具体的提示，非常适合女性朋友在日常生活中采纳应用。

值得一提的是，本书中有许多教女性朋友如何自我保健的技能，以及跟家人、医生沟通交流的技巧，是有些类似的科普以及医学专业书籍中所不具备的，但是这些保健和交流技巧却是女性朋友们十分需要了解的内容，它们可以提高女性的自我保健水平，使女性更容易获得家人的支持和理解，与医生进行更高效的沟通，做出更明智的决断。

书中没有拘泥于各种晦涩的医学术语，而是以直白、通俗的方式向读者描述和传达相关知识，语言生动、活泼，用词清新、自然，没有医学专业书的生涩难懂，非医学专业的读者也可以很容易接受和掌握其中的理念和观点。翻开本书，仿佛就踏上了一条轻松愉快的女性健康之路，不知不觉就能收获很多实用又有趣的健康生活知识。关注自身健康，做自己的保健医生，从阅读《子宫就是女人的根》开始。

中国疾病预防控制中心妇幼保健中心

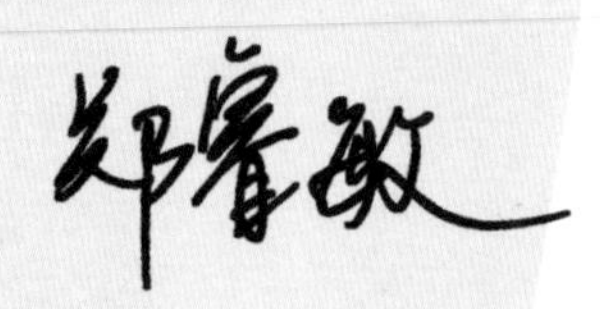

作者序

呵护子宫要像保护生命一样，因为它是提供孕育生命的场所。子宫健康可以让一个女人身体舒适，幸福美丽。更重要的是，可以孕育可爱的生命，做一位幸福而又美丽的妈妈。

呵护子宫首先要从儿童期开始，儿童期是身体各个机能发育的高峰期，为了让子宫发育良好，每天要做好三件事：合理安排三餐、睡眠充足、增强体育锻炼。其次是青春期，当月经第一次来潮，标志着子宫发育基本成熟，但是切记要了解基本的生理知识和避孕知识，不要一时冲动，早婚早孕。再次是生育期，夫妻生活要有节制，做好计划生育，避免做人工流产，每一次流产都是对子宫的伤害。最后是绝经期，虽然绝经但不代表子宫不会出现问题，近年宫颈癌、子宫内膜癌的发病率逐渐上升，更应该引起注意。各个年龄段女性都要注意维持合适的体重，保持良好的心态，关注自己的子宫和身体，这是生活幸福的基本前提！

如果子宫真的有疾病，要等到医生做出诊断，结合你的实际情况、生育要求提出建议，再决定是否切除子宫。有的女性切除子宫后产生自卑心理，认为自己是不完整的女人，单位集体体检不敢参加，生怕别人知道自己已经没有子宫了，在过夫妻生活的时候也十分痛苦，很多时候不敢尝试过夫妻生活，总是拒绝丈夫的要求，生活中没有了快乐，脾气也变得十分暴躁，甚至影响了夫妻感情。实际上，这是不良心态在作怪。接受过手术的女性要端正态度，摆平心态，你只是患病接受治疗而已，不会影响你的日常生活，你依旧是有魅力的女人！

还没有认识到子宫重要性的女性真的要引起重视了，我们女性除了每年进行身体检查之外，在日常生活中还要多了解如何呵护子宫，保护子宫免受伤害，这对维护你的幸福健康是十分重要的。《子宫就是女人的根》给你需要了解关于子宫、卵巢、月经、白带等等的相关知识，希望对你有所帮助。

北京协和医院妇产科

马良坤

Contects

Chapter1 月经 生命之泉…17

Chapter2 疼痛 原来是子宫在求救...73

Chapter3 不孕 子宫的危机警报...145

Chapter4 保养 调理健康生活...233

月经 生命之泉

原来月经是这么回事

经期常见的求救信号

每月如期而至的月经、
日常的分泌物，
对于这些东西，有时确实十分恼人，
但是实际上，它们是了解子宫、卵巢、
雌激素等是否正常的重要指标，
本章介绍的就是有关这些内容，
教你该如何与这些“朋友”相处，
轻松过好每一天。

经期你所遇到的痛苦

重视起你的月经不调

原来月经是这么回事

月经是生理上的循环周期，是具有生育能力的女性的特征。育龄女性每隔一个月左右，子宫内膜发生一次自主增厚、血管增生、腺体生长分泌以及子宫内膜崩溃脱落并伴随出血，这种周期性子宫出血现象，称为月经。

经期你所遇到的痛苦

在来月经的那几天特殊日子里，几乎所有女性都会出现不适感，其中腰酸背痛和下腹部疼痛是最常见的症状。经期由于盆腔充血，胞宫经血下行，血室开放，身体抵抗力减弱，容易产生情绪波动，这一系列现象容易导致妇科疾病的发生率增加。

月经紊乱

▶ 月经是由雌激素的周期性变化而引起的，因为指示分泌激素的脑垂体同时也是自主神经的中枢所在。压力过大、过度减肥等易损害自主神经平衡的行为会引起月经不调，甚至停经。

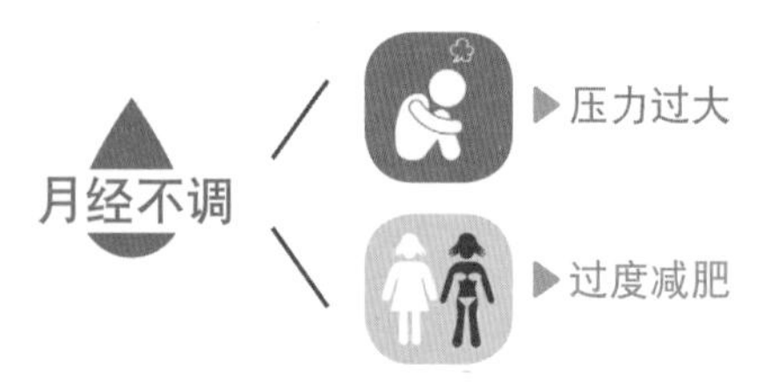

月经期的 4 个周期变化

▶ 每月来月经前，体重多少都会增加，心情烦闷。月经刚结束时，肌肤较干燥。因此，月经周期和生理、心理都有密切的关系。了解影响心情和生理的月经周期规律，就能轻松应对每一天。

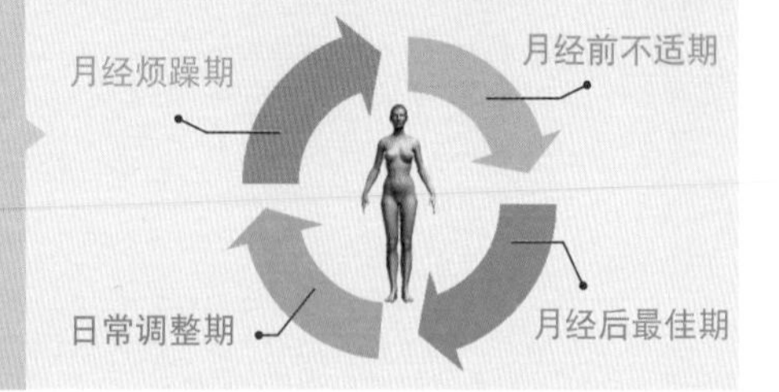

月经的组成

月经后 ≫　　受激素的影响，卵细胞开始发育

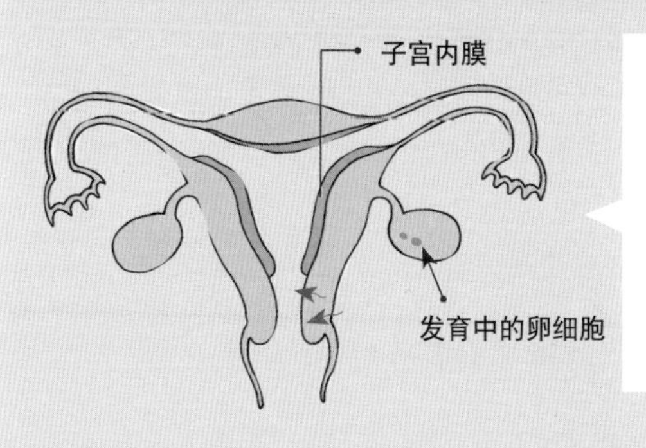

▶ 月经结束以后，大脑指示分泌激素，卵巢中的一个或几个卵细胞开始发育成卵子。这些卵细胞会分泌雌激素，受激素的影响，子宫内膜开始充血，为受精做好准备。

月经期 ≫　　卵子排出，子宫内膜充血完成

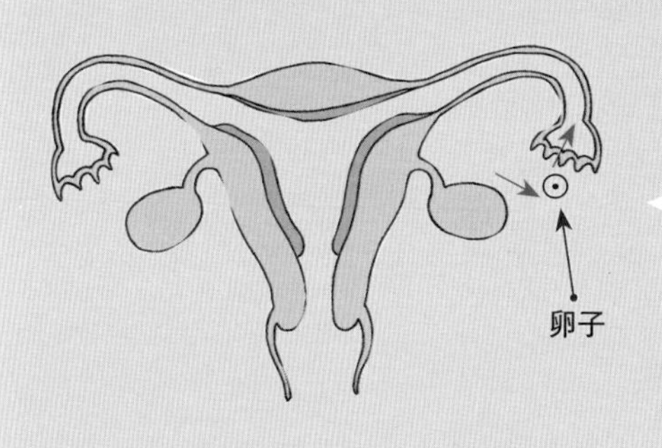

▶ 子宫的各个部分准备好以后，就开始排卵。排出的卵子进入输卵管，准备受精，而排出卵子的卵细胞这时就变成黄体，开始分泌黄体激素，这些激素能使子宫内膜完成充血，为受精卵的着床做准备。

月经前 ≫　　如果未受精，子宫内膜就开始萎缩、脱落

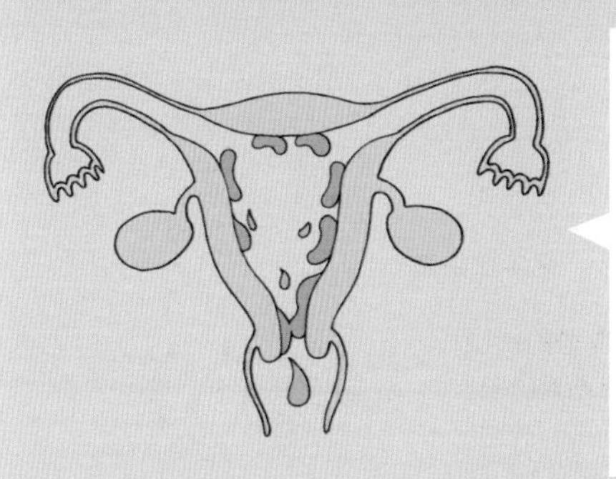

▶ 排卵两周之内如果没有受精，子宫内膜就失去作用，开始萎缩脱落，和血液一起排出体外，这就是月经。为了使经血顺利排出，子宫就会收缩，出现痛经等不适症状。如果患有子宫肌瘤等疾病，子宫内膜的表面积就会增大，经血量就会增多。

受雌激素和黄体激素的影响

▶ 通常以四周为一个周期，中间的第二周至第三周排卵。月经期结束，准备排卵的时期，女性肌肤状态好，心理状态也健康向上，感觉十分充实。此时的女性更有魅力，更吸引男性。另外，排卵结束后，黄体激素就会分泌，等候受精卵的来临，为受孕做准备。因此，这时期体重会增加，轻微水肿、便秘、心情烦躁、腰疼等现象也开始出现。

应了解的生理功能

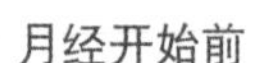

卵细胞

月经开始前，大脑开始分泌促使排卵的激素，受此影响，卵巢中的一粒或多粒卵细胞开始孕育。

分泌雌激素

准备中

雌激素

孕育的卵细胞开始分泌雌激素，受此影响，子宫内膜开始充血，为受精卵的着床做准备。

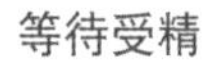

卵子排卵

内膜准备好后，大脑再次下达激素指令，孕育的卵细胞排出，形成卵子，进入输卵管，等待受精。

分泌黄体激素

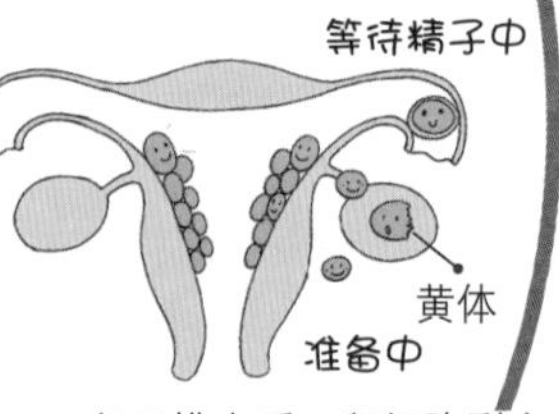

卵子排出后，卵细胞剩余部分开始分泌黄体激素，再次使子宫内膜充分充血，为受精卵着床做准备。

如果未受孕

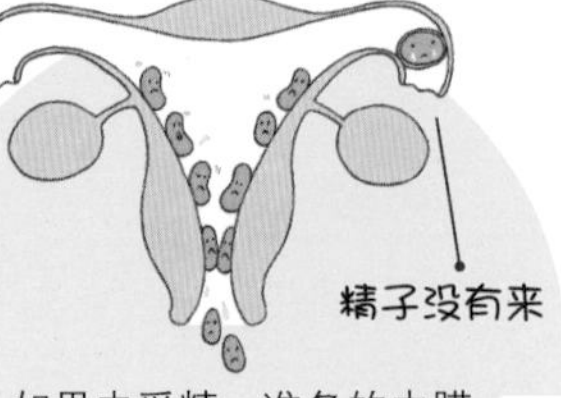

如果未受精，准备的内膜就没有用处，将逐渐脱落，随着血液排出体外。同时，黄体也消失。

如果受孕

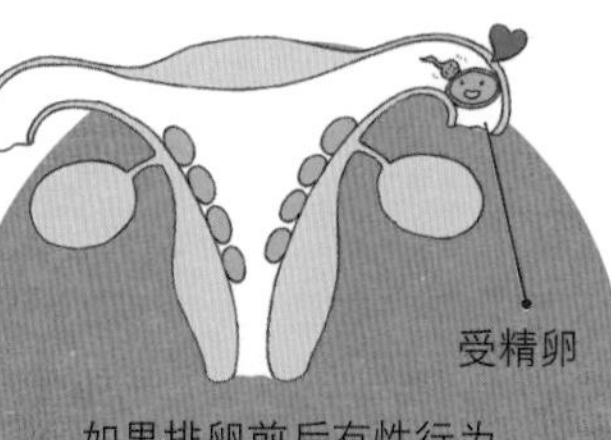

如果排卵前后有性行为，精子和卵子结合，成为受精卵，在子宫内膜上着床。

子宫与月经的关系

子宫是产生月经的器官，是女性的象征。分泌促使形成月经周期的雌激素的是卵巢，并不是子宫。子宫的内部有内膜，是胎儿生长的温床，每月都会充血，如果没有受精，那么废弃的内膜就会脱落，从而形成月经。

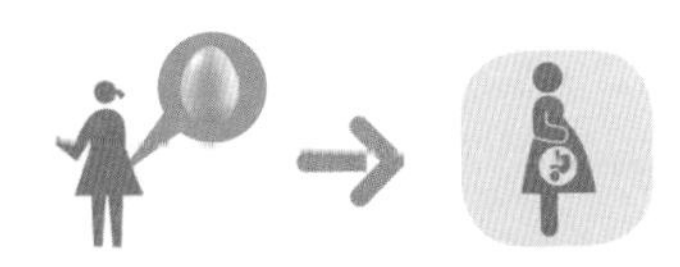

平时只有鸡蛋大的子宫，到了分娩的时候，可以容纳3千克左右的婴儿和羊水，足以说明肌肉的收缩性很强

子宫结构示意图

子宫

子宫是孕育受精卵的地方，如鸡蛋大小，位于盆骨的正中央，随着胎儿的成长，可增大 20～30 倍。子宫的下面 1/3 的部分叫宫颈，上面 2/3 的部分叫宫体。

卵巢

同鸽子蛋大小，位于子宫左、右两侧，是产生卵子的卵细胞的聚居地。卵巢的作用是排卵和分泌雌激素。

子宫内膜

覆盖在子宫内部的绒状黏膜，在非经期时充血，经期脱落。月经血的大部分就是子宫内膜。

子宫肌层

形成子宫的 1～3 厘米厚的肌肉层，柔韧，伸缩性强。

输卵管

位于子宫左、右两侧的细小管体，卵子和受精卵通过这里到达子宫。

输卵管伞端

呈葵花状。排出的卵子就是从这里进入输卵管。

阴道

阴道是由子宫开始向外阴部延伸，总长为7～8厘米的具有伸缩性的通道，是性交时男性生殖器进入的地方，也是婴儿出生的通道。

掌握月经周期规律，轻松度过生理期

由于受雌激素的影响，女性的身体总是呈上述周期性变化。在以后的页面中，我们会更详细地介绍有关的情况。了解自身规律，对我们大有好处。比如，能更好地安排约会日期，调整心理状态，减少不必要的冲突等。

烦躁期更好地应对情绪

合理安排约会日期，减少不必要的冲突

月经周期表

根据月经周期，女性的身体、心理也会呈周期性变化。

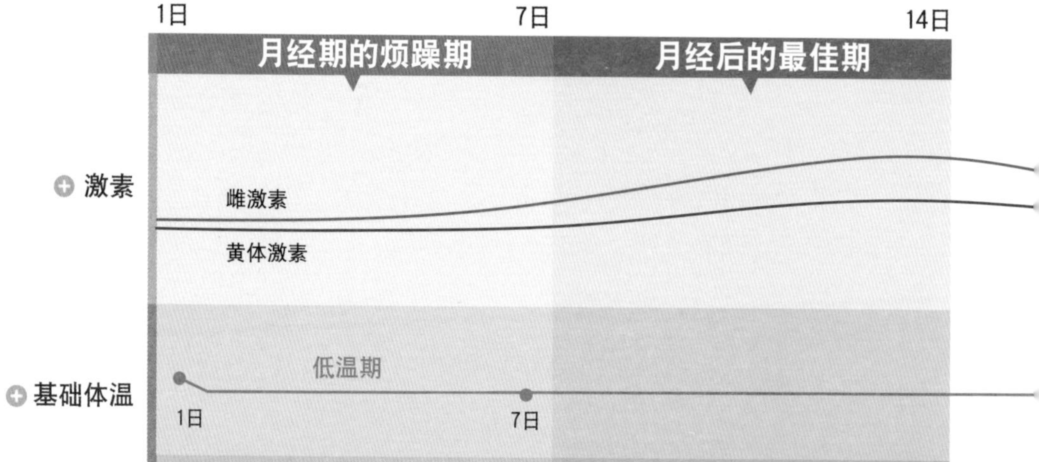

1日 7日 14日

	月经期的烦躁期	月经后的最佳期
激素	雌激素 黄体激素	
基础体温	低温期（1日—7日）	
身体状况	由于黄体激素的减少，体温下降，血液流动不畅，可能伴有痛经、头痛、胃痛、呕吐等现象，甚至会贫血等。四肢易酸软无力，有些人还会腹泻，易长粉刺。	处于排卵前期，雌激素分泌增多。身体状态较好，水分排泄通畅，身体水肿消失，体重减轻，但是由于排卵期临近，分泌物呈透明、黏稠状，自主神经平衡，交感神经运动良好，身心较为放松。
心理状态	月经前几天，有时会伴有痛经，受黄体激素的影响，易怒，郁闷，变得神经质，易过敏。随着月经的结束，这些现象会减轻，心情也会好起来。	雌激素最旺期，易吸引男性，属于动情期，愿意向外人展示自己。女性魅力增强，性欲增强，精神稳定，自信心也较强。
皮肤状态	在月经前，受黄体激素的影响，分泌物增多，肌肤易干燥，毛孔张开，皮脂分泌旺盛，肌肤易过敏，易患湿疹等。	受雌激素的影响，交感神经活跃，血液畅通，肤质最好。皮肤光泽有弹性，易受瞩目，而且没有粉刺等烦恼。

以下表格是以 28 天为周期的女性的生理变化制作的。

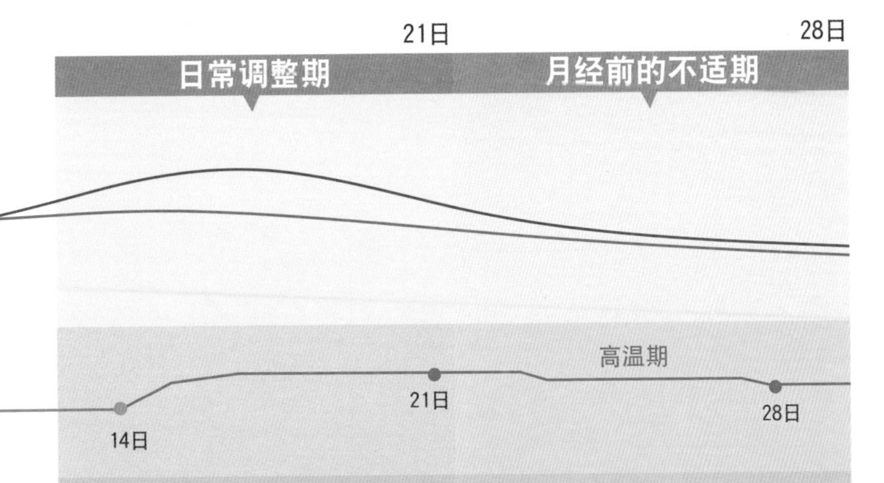

受黄体激素影响最强的时期。较少排出水分，易水肿，肠蠕动缓慢，易便秘，是最烦恼期。同时，神经易紧张，易腰酸腿疼，月经前综合征的不适集中出现。胸部胀痛，体温上升，易发困，但睡眠不好。

没有太大的不适感，随着黄体激素分泌的增多，子宫内膜的分泌物增多，开始充血。下腹会感到稍有不适，易出鼻血，受伤时流血也较多。身体会有水肿，便秘，肩腰酸痛，食物中的脂肪不易燃烧。

易烦恼、不安，心理最不稳定时期。易怒，易向人发火，情绪低落。因此需注意调整，不要因为这样的心情而暴饮暴食，导致消化不良等。

受黄体激素的影响，交感神经处于最佳状态，心理、身体最活跃，但同时也会增加神经上的不安感。因此，会喜怒无常，情绪波动也较大，是心理两面性的调整时期。

受黄体激素的影响，皮脂分泌过旺，易长粉刺等。因身体等待受精卵的到来，肌肤黑色素沉淀较快，自主神经的平衡被打破，血液颜色加深，易过敏，易长痤疮等。

随着雌激素减少，肌肤略干燥，但黄体激素分泌加快，皮脂分泌强。因此肌肤抵抗力增强，可以自然保湿。但这个时期，如果疏忽肌肤清洁，下一时期会多长粉刺，应注意！

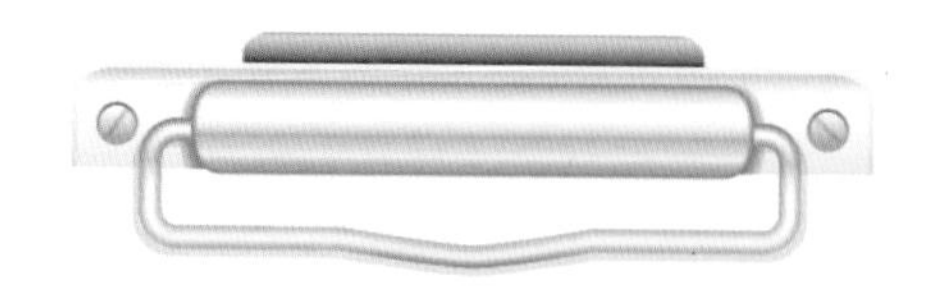

月经期的烦躁期怎样应对 1～7

□ 做做面膜和按摩，促进皮肤血液循环

▶ 这个时期皮肤的颜色不太好，可以好好做做面膜，做做按摩，以促进皮肤的血液循环。血液循环不畅，可能会导致贫血。过于敏感和郁闷的心情要到经期后期才能消除。

做面膜可以促进血液循环

如果皮肤很敏感，就应该控制护肤，同时，不要用过于刺激的香水

□ 多补充蛋白质、铁元素，多吃暖性食物

▶ 这个时期，由于体力消耗很大，身体容易发寒，因此，应该多吃肉类、蔬菜、豆腐、紫菜等含蛋白质、铁元素的食物。还应该多吃含碳水化合物、脂肪等利于增加热量的食物。

□ 不要吃生冷的食物

▶ 经期由于子宫收缩，容易有腹泻的现象，这样的人群，应该避免吃不易消化、粗纤维等加重肠胃负担的食物，同时，不要吃冰激凌等生冷的食品。

□ 开始测量基础体温的好机会

▶ 月经周期，是指从月经的第一天开始计算，到下一次的月经前一天的时间。所以，经期其实是月经周期的开始，也是测量基础体温、掌握自身规律的好时机。

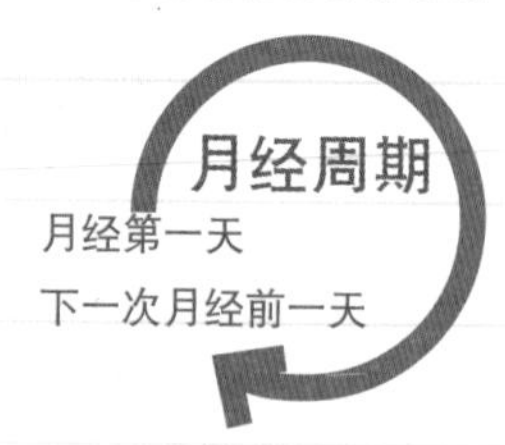

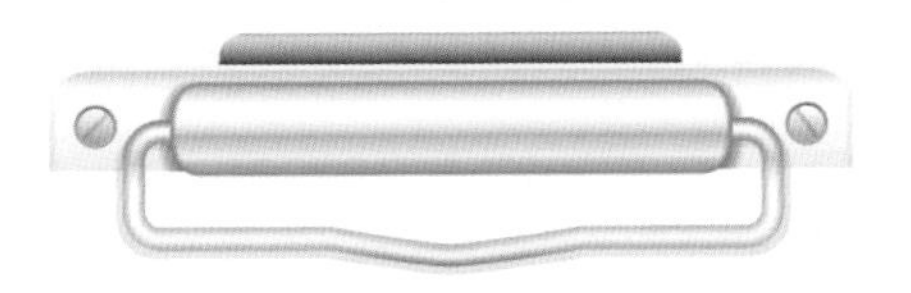

月经期后的最佳期怎样利用 7～14

□ 减肥开始的最佳期

▶ 和月经期相比较，这个时期对食欲的控制比较容易，便秘、水肿的情况也会改善，心情比较平稳，由于水分和废弃物的排泄比较顺利，体重也会下降，是减肥的最佳时期。

☑ 水分和废弃物的顺利排泄有利于瘦身！

□ 肌肤湿润有光泽

▶ 肌肤本身有光泽，湿润度也好，就算不用化妆，也同样迷人。但是，在空调房间里感到有点干燥的人群，还是建议用点保湿霜。

□ 去黑鼻头的好时机

月经期后

▶ 去掉皮肤的油脂、除毛、去黑头等对肌肤刺激很大的行为，在其他 3 个时期做是不合适的，只有在这个时期，由于细胞激素的分泌，肌肤比较好，这些小动作才被允许！

□ 尝试用新的化妆品

▶ 尝试新的化妆品的话，强力推荐这个时期！肌肤的条件比较好，受化妆品的刺激也会减少。

☑ 月经前和月经期间，即使是低刺激性的化妆品有时也会出问题，一定要注意！

□ 保持心情好

▶ 心情好，身体也舒服，有什么旅行的计划，就赶紧实施！而且这个时期的判断力最高，有什么重要的合同契约，就赶紧决定！

□ 努力工作，张弛有度

▶ 这个时期，精力十分旺盛，偶尔加班也没有关系，只要之后稍作调整，就可以恢复。利用好这个时期，做点事情！

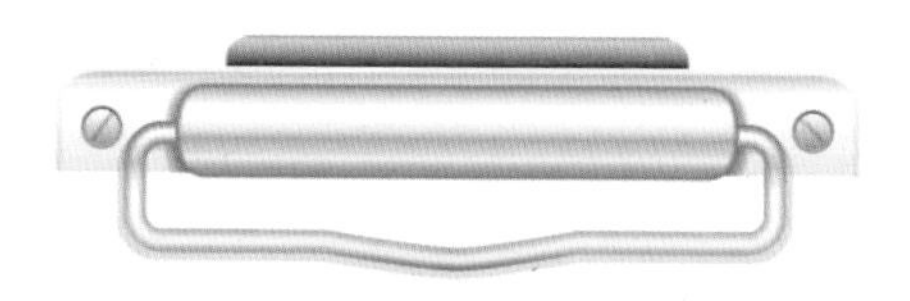

日常调整期怎么做 14～21

□ 维生素和矿物质的补充

▶ 和下个周期相比较，食欲还是容易控制的。为了补充月经时流失的维生素、矿物质等，此时应多吃一些海藻类或鱼类食品，这些对消除紧张情绪也有帮助。

□ 食欲缺乏时更应选择对口的食物

▶ 此时受黄体激素影响，体温上升，容易四肢无力，食欲缺乏，这时吃点凉的果冻之类的比较适合，既可以安神，也可以增加食欲。

□ 为防便秘，多吃维生素

▶ 这时胃肠蠕动较缓，易便秘，因此多吃点蔬菜对身体有益，同时多喝水、多运动，也有利于轻松度过下个时期。

□ 注意力不集中，应更加小心

▶ 紧张与不紧张相交替，身心动摇严重的微妙时期。这个时期易心慌，判断力减弱，注意力不够集中，工作效率低下。应和平时就合不来的人保持距离，避免发生不必要的冲突。

□ 不要太执着，放轻松

▶ 不要太执着，轻松一点才对身体有好处。因为交感神经处于紧张状态，所以四肢会酸痛，腰肩也会酸痛，应注意不要太疲劳。

□ 脂肪易堆积

▶ 由于受黄体激素的影响，身体为怀孕做准备，因此会堆积脂肪。所以这个时期应减少对糖、脂肪的摄入。

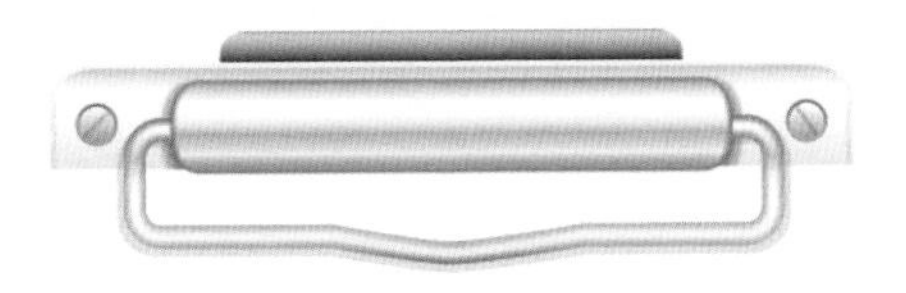

月经前的不适期怎样度过 21～28

□ 注意防晒

▶ 因为处于受孕的关键期，身体的防御力最强。肌肤色素沉淀较快，易长雀斑，因此要注意防晒。

□ 心态不稳，减肥应停止

▶ 这个时期心理不稳定，如果控制饮食只会增加烦躁情绪，是最难控制饮食的时期，因此建议停止减肥。

□ 肌肤干燥，易长粉刺

▶ 这个时期肌肤干燥，毛孔张开，因此不宜使用新的化妆品，以减少对皮脂的刺激。

□ 注意不要酗酒

▶ 这个时期由于摄入体内的酒精、水分不易排出，而且特别易醉，建议少喝酒或不喝酒。

□ 可以稍微放纵自己吃甜食

▶ 从这个时期开始到月经期，会非常想吃甜食，这是为了摄取更多的糖分，使情绪更加稳定，因此，可以稍微放纵一下自己！

□ 不宜烫发，染发等

▶ 肌肤变得敏感，连日常的化妆品都可能产生过敏。因此不建议这个时期去烫发、染发等。等过了这个时期再说吧！

□ 注意不要下重大的决定

▶ 这个时期易怒，易发生口角，因此话不要说得太绝对，应避免签合同等重大的事件。无论是心理还是生理都会有很多麻烦，建议不要尝试新事物。

☑ 一定要等到月经期后的绝佳时期再决定。

□ 用喜欢的香味减轻烦恼

▶ 这是交感神经紧张的时期，因此建议少与人产生摩擦，独处也不错。将喜欢的香水等加入到浴缸中好好泡澡，不失为减轻压力、放松心情的好方法。

重视起你的月经不调

月经的量、颜色、周期等出现异常变化，均可称之为月经不调。导致月经不调的原因可能是器官病变或功能异常，预示着女性正常生理过程发生了变化。长期如此，会使容颜衰老，还会导致妇科炎症。

你的月经周期紊乱吗

月经是由于雌激素的周期性变化而引起的，因为指示分泌激素的脑垂体同时也是自主神经的中枢所在，因此压力过大、过度减肥等易损害自主神经平衡的行为也会引起月经不调甚至停经。

月经不调的原因

月经周期的正确计算方法是月经的第一天开始到下次月经的前一天，这是一个周期。一般为25～38天，1周以内的变化都是正常的。周期小于24天的，称为频发月经，大于39天的，称为稀发月经，两种情况都应该注意。3个月以上的停经称为继发性闭经，会造成不孕，需要去医院检查。

一般为
25～38天
月经的
第一天开始
一个
周期
下次月经
前一天为止

初潮后几年和停经前几年的月经周期不准是正常的

由于日常饮食，工作压力，季节、环境的变化等因素，雌激素分泌受影响，也会造成暂时的经期紊乱

月经形成的过程

1.女性进入青春期后，在下丘脑促性腺激素释放激素的控制下，垂体前叶分泌卵泡刺激素和少量黄体生成素促使卵巢内卵泡发育成熟，并开始分泌雌激素。在雌激素的作用下，子宫内膜发生增生性变化。

2.卵泡渐趋成熟，雌激素的分泌也逐渐增加，当达到一定程度时，又通过对下丘脑垂体的正反馈作用，促进垂体前叶增加促性腺激素的分泌，且以增加黄体生成素分泌更为明显，形成黄体生成素释放高峰，它引起成熟的卵泡排卵。

3.在黄体生成素的作用下，排卵后的卵泡形成黄体，并分泌雌激素和孕激素。此期子宫内膜，主要在孕激素的作用下，加速生长且机能分化，转变为分泌期内膜。

4.由于黄体分泌大量雌激素和孕激素，血中这两种激素浓度增加，通过负反馈作用抑制下丘脑和垂体，使垂体分泌的卵泡刺激和黄体生成素减少，黄体随之萎缩因而孕激素和雌激素也迅速减少，子宫内膜骤然失去这两种性激素的支持，便崩溃出血，内膜脱落而月经来潮。

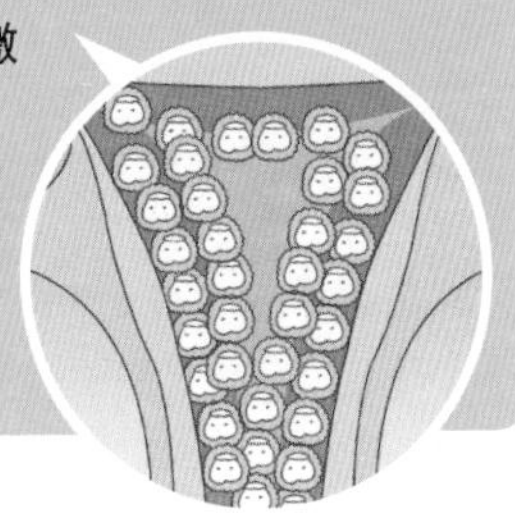

月经不调可能引起的疾病

女性经常会出现月经不调的现象。但很多人并没有认识到月经不调的危害。月经不调的症状主要是月经周期或出血量的异常。月经不调的危害是很大的，长期月经不调，如果不及时进行治疗，就会对身心健康造成危害，甚至引起更多的疾病，或导致不孕。许多妇科疾病的根源就是月经不调。

月经不调引起的疾病！

- 无排卵月经
- 卵巢囊肿
- 激素分泌过多
- 子宫肌瘤
- 宫颈糜烂
- 子宫癌
- ……

无排卵月经

▶ 月经不调，周期过长，即使有月经也有可能是无排卵月经。年轻女性由于压力过大或是过度减肥等造成卵巢功能下降，会影响激素的正常分泌。

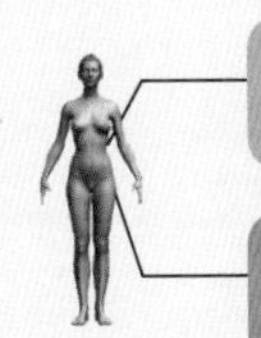

- 有排卵的话，体温就有高温期和低温期之分
- 如果没有，可能就是无排卵月经，不及时治疗，会影响生育

甲状腺功能障碍

▶ 甲状腺的功能出现异样之后，会对雌激素的分泌产生影响，造成月经不调。

卵巢囊肿

▶ 卵巢出现囊肿之后，功能下降，激素的分泌也下降，造成月经不调或停经的现象。

子宫肌瘤

▶ 子宫肌瘤主要症状就是月经量增多、经期延长或者周期缩短。

宫颈管息肉

▶ 由于息肉很容易出血，在两次月经之间就会发生非正常出血，和月经相混淆的话，就会误认为周期缩短。

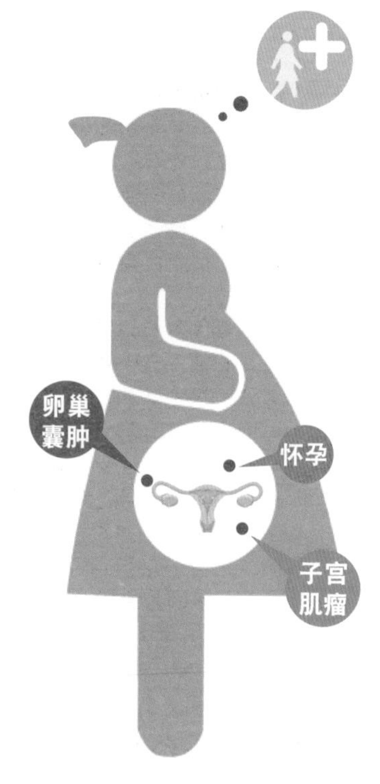

怀孕

▶ 这个虽然不是疾病，但也需要注意。

激素分泌过多

▶ 促使乳汁分泌的激素分泌过剩后，就会有怀孕或是哺乳的假象，造成排卵停止，月经停止。

怀孕假象　　月经停止

继发性无月经

▶ 成熟女性在非怀孕和哺乳的情况下 3 个月以上没有月经，称为闭经。其中有初潮后停止的就称为继发性闭经。原因是生殖器、卵巢、性染色体等出现异常，或是减肥过度造成营养失调、激素分泌失衡。

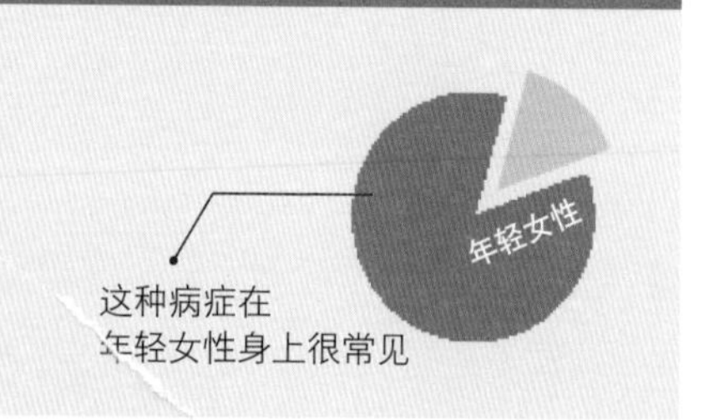

宫颈糜烂

▶ 由于糜烂部位很容易出血，所以经常发生非正常出血，这和月经相混淆，就会误认为经期缩短。

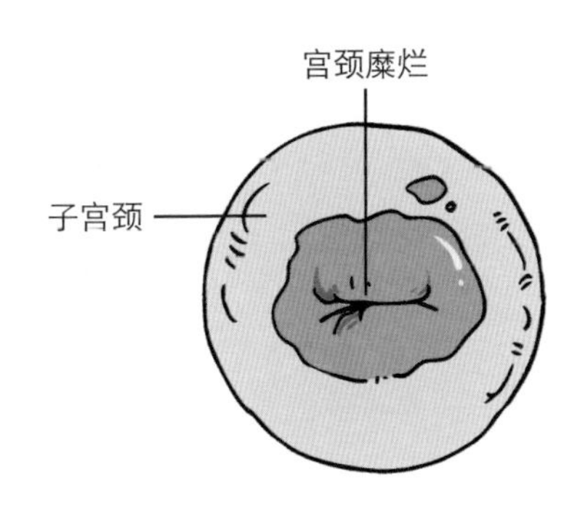

子宫癌

▶ 子宫癌前期没有症状，慢慢会发生非正常出血，在白带中也能发现血丝。1个月内来两次月经，也有可能是子宫癌的非正常出血，一定要注意。

贴士

有的女性在经期，不只是痛经，还会头痛、腰痛等，有的人还会出现恶心、呕吐、水肿等症状，这些都是由于子宫收缩引起的。经期如果受凉、压力过大、紧张的话，这些现象还会比平时更加严重，可能引起的疾病是子宫内膜异位症或子宫肌瘤症。

问1. 卫生巾多长时间更换比较合适?

妇科专家解答：因为现在的卫生巾质量较好，吸收性好，不愿意经常更换的人为数不少。据调查研究，经血量少的时期比经血量多的时期异味、瘙痒等症状更多，这些直接和卫生巾的更换频率有关。卫生用品是杂菌生长的温床，因此不管量多量少，更换频度都应该在两个小时之内。

问2. 经血是由什么组成的?

妇科专家解答：每次月经排出的血液为15～130克，平均50克。主要的组成部分是脱落的子宫内膜、血液、阴道和子宫的分泌物，由于没有受精而废弃的黏液，还有防止血液凝固的酶。之所以叫作经血，是因为其中血液的含量在1/10左右，基本上都是脱落的子宫内膜。

经期烦恼一扫空

“很担心经期的异味”、“那个地方有点痒，有问题吗？”虽然是实际问题，但总是不好意思问出口。为了解决这个困难，我们特意咨询了妇科专家，彻底解决了很多实际问题！

问3. 经血的量多少算合适？

妇科专家解答：经血的流量，需要看每月子宫内膜充血的程度。雌激素分泌旺盛的人子宫内膜就厚，经血也就会比较多。但如果每两个小时就更换卫生巾还是会侧漏或经血中有拇指大的血块的话，就要考虑是不是子宫内膜异位症或是子宫肌瘤等疾病，应该及早去医院检查治疗。

问4. 卫生棉条非人人适用?

妇科专家解答：阴道不是笔直的通道，前后都有点生理弯曲，弯曲的方向也是因人而异的。卫生棉条插入不进去了，上下动一动，轻换一下插入的角度，腰扭一扭也有作用。虽然阴道的内部是没有感觉神经的，但是外阴和阴道口是十分敏感的。如果有异物感就是放置不够深。如果是初次使用，建议在量多的那几天用，这样经血也可以起到润滑剂的作用。

问5. 卫生棉条拿不出来了？

妇科专家解答：如果卫生棉条的小条被弄断，或是长时间忘记取出来的时候，就容易出现这样的状况，但平时的使用是不用担心的。吸收了经血的棉棒会膨胀，取出时有抵抗感，那也是正常的。稍微用力点，放心，小条是不太容易被扯断的，只要慢慢取出就可以了，如果实在取不出来，就只有上医院了。

问6. 经期真的有异味吗?

妇科专家解答: 刚排出体外的经血是没有气味的。“可以从气味上辨别是否是经期吗?”这样问的人虽然不少，但实际上，即使是专业的妇科医生，也不能单从气味上辨别是不是处于经期。只是由于经血暴露在空气中后细菌生长，才会有异味的产生。只要更换卫生巾就可以解决。如果更换了还是有异味，就要考虑是不是有什么炎症等疾病，应该尽早去医院检查。

问7. 如何防止瘙痒和炎症?

妇科专家解答: 预防的关键是清洁，及时更换卫生用品，勤洗澡，注意重点部位的清洁。说月经期洗澡会导致细菌入侵是没有根据的。而且也不必担心由于水压的原因经血不易排出。如果担心经血会弄脏浴盆等，建议即时使用卫生棉条。温暖的水温也可使血液通畅，使经血顺利排出，最近流行的带洗浴功能的坐便器，对缓解瘙痒也有帮助。

问8. 有炎症起疹子怎么办?

妇科专家解答: 最好的方法就是清洗。但在工作或外出的时候，清洗总会不方便。在这种情况下，可以用湿巾轻擦外阴部也可以减轻不适。有专用的卫生湿巾是最好的。但千万不能使用含酒精的产品，这样会使炎症恶化。推荐使用婴儿用的湿巾，成人用的都含有酒精、香味等，不适合外阴部的清洁。此外，也可以将药店卖的脱脂棉剪成适合的大小，铺在卫生巾的上面增加弹性，减少摩擦，效果也不错。

问9. 使用卫生棉条时应注意什么?

妇科专家解答: 即使是血流量较少时，也应该2个小时更换一次，和卫生巾的更换频率应该是一样的。阴道内部的平均温度是36℃～37℃，跟夏天的气温差不多，如果长时间不更换，细菌就很容易繁殖，会导致局部感染。再加上尿液等的污染，大肠里面的细菌也可能会传播到棉条中。因此，必须在上完厕所或洗完澡的时候及时更换。同时，为了不给身体造成负担，如果不是必要的时间，建议不要长时间地使用卫生棉条。

问10. 为什么会发痒和有炎症产生呢?

妇科专家解答: 经血在刚排出的时候是清洁的，但一接触空气，细菌就会繁殖。卫生巾上即使没有多少残血，也会布满了分泌物、尿液等，如果以为看起来很干净而长时间不更换，就给了细菌繁殖的大好时机。再加上卫生巾和皮肤表面的摩擦，这样瘙痒、炎症就产生了。市面上很多的卫生巾为了防止侧漏，都会增加隔水材料，这样一来，就会妨碍通风，而且如果卫生巾表面和皮肤不相适应，这种情况更明显。

经期常见的求救信号

如果你的身体哪里出了状况，身体会发出求救信号，一定不要忽视这些信号，细心观察，积极面对与治疗。例如生理痛可能是疾病的信号，严重的还可能是患子宫肌瘤或子宫内膜异位症。

痛经

经期时，为了排出经血，子宫会收缩，就会引起痛经，严重的甚至会感觉像生小孩一样疼。可以说，每次痛经都像是为以后分娩时抵御阵痛做演习。如果每次都痛得很厉害，应该去医院检查一下。

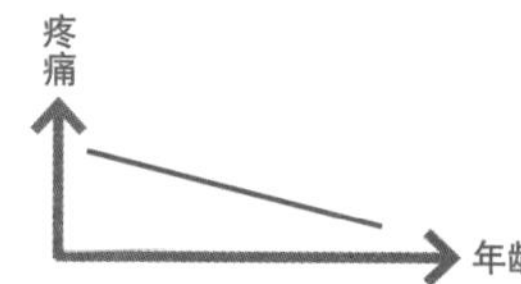

痛经与来月经早晚没有因果关系，随着年龄增长，疼痛会有所减轻

受雌激素和黄体激素的影响

经血流动通道狭小

▶ 也许有人会认为痛经是由于子宫内膜收缩引起的，其实正常的子宫内膜收缩是没有疼痛感的，一般痛经产生都是因为经血排出的通道——宫颈管过于狭窄。正因为如此，年轻的女性和没有分娩过的女性痛经才会比较严重。

☑ 生完小孩以后，由于宫颈管变得成熟、变粗，会更加柔软，痛经也就会得到缓解。

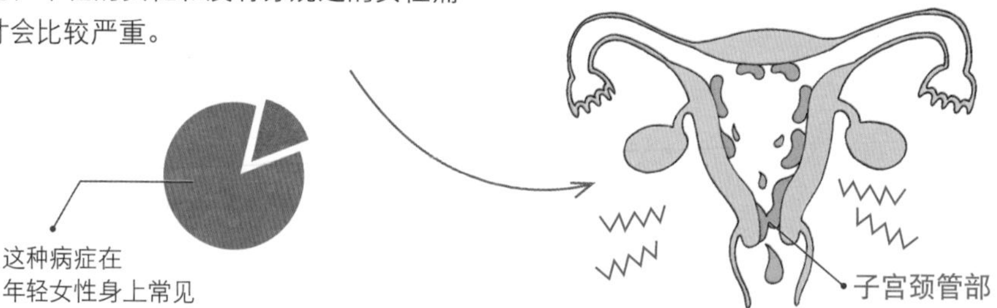

收缩力过强

▶ 像前面所说的，为了排出经血，子宫内膜会分泌另外一种激素，在这种激素的作用下，子宫就会开始收缩。有的人这种激素分泌过多，给子宫的压力就会过大，所以就会产生类似于阵痛的疼痛感，严重时还可能会伴有头痛、恶心、呕吐、胃痛、腹泻等症状。

激素分泌过多导致的疼痛感等状况，服用一些抑制该激素产生的药物，疼痛就会缓解

受凉或压力过大

▶ 经期受凉、经血流通不顺的话也可能引起痛经。如果受凉了，上面提到的激素分泌量也会增多，这样就容易痛经。而且受凉的话，会导致骨盆内血液不易排尽，这也会成为疼痛的原因，使疼痛不断增强，因此，经期一定要避免受凉。还有，一些心理方面的原因，比如抑郁、排斥月经等，也会感到痛经更加严重。但如果这两个原因都不是，痛经却越来越严重，吃药也没有什么作用的话，就有可能是有什么疾病，应该尽早去医院检查。

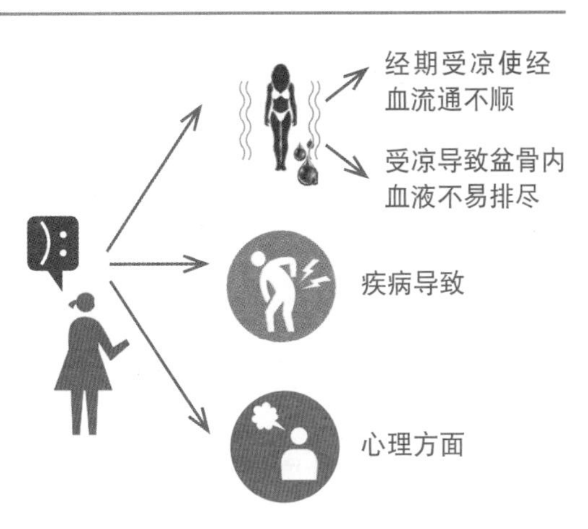

痛经也可能是患病了

子宫内膜异位症

▶ 子宫内膜异位症是子宫内部的内膜生长到了其他部位。处于子宫外部的内膜也会充血，在月经期脱落，但是由于没有排出的通道，会一直积聚在原地，形成血液肿块等，每月破裂的时候就会疼痛。一旦脱落的血块和其他器官相粘连，就会在排便或性交时产生疼痛，严重时还会引发子宫痉挛等。

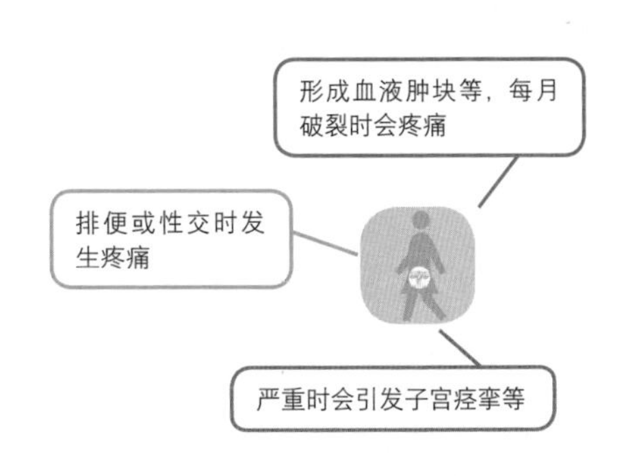

子宫肌瘤

▶ 生长在子宫内壁或内侧、外侧的良性肌瘤。肌瘤大小不同疼痛感也不同，长得小的几乎没有感觉，有严重疼痛感的则是肌瘤长在子宫内部、体积比较大的缘故。

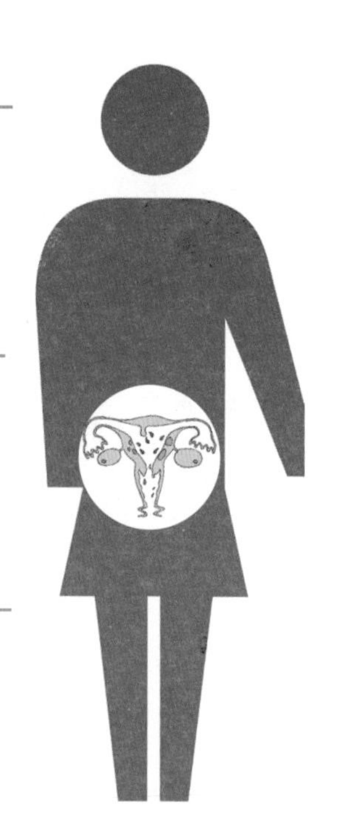

卵巢囊肿

▶ 卵巢囊肿是指生长在卵巢中的良性肿瘤，不易察觉。只有在肿瘤增大的情况下才会在经期压迫子宫产生痛经、下腹坠痛或在排便的时候产生疼痛感。

性病等其他炎症

▶ 由于非淋菌性感染症、淋病等性病（STD）、真菌性阴道炎等引起宫颈管、子宫内膜、腹膜等部位发生炎症的话，就会引发痛经、下腹疼痛等现象。

贴士

缓解痛经的方法 >>

保暖法

▶ 如果双脚、腰部暖和了，就可以促进全身的血液流动，疼痛自然会减轻。可以使用暖宝之类的药物。寒冷的冬天，还可以在腰部裹上一圈，也能达到很好的保温效果。

也可以在浴缸里面放满温水，身体放松泡在里面。

轻度运动

▶ 坐在地板或椅子上，左右轻微地扭动腰部，或是去外面散步等，走步可以促进腿部和腰部的血液循环，缓解疼痛。

仰面躺在床上，双手抱膝，保持 10 秒以后再将腿伸直，这样重复 10 次对缓解痛经也很有好处。

经期过长或过短

经期在 3～7 天内都算正常，如果 1～2 天就结束，或每天一点点地持续 10 天以上，就应该注意了，这可能是某种疾病的信号。通常来说，我们把超过一般范围的月经称为“经期过长”，反之，则称为“经期过短”。

☒ 1～2 天就结束

☒ 每天一点点地持续 10 天以上

经期过长或过短的原因

▶ 雌激素对压力等因素十分敏感，平时不注意饮食，过分减肥或超重肥胖的话，很容易影响激素的分泌，造成经期过长或过短，造成经血流量的变化。女性过了 30 岁以后，月经量会逐渐减少，时间也会缩短，随后停经。但如果是长期服用避孕药等药物的人群，也会使子宫内膜充血减少。如果不是以上两种原因却出现相同的状况，就有可能是其他疾病的前兆，需要注意了。

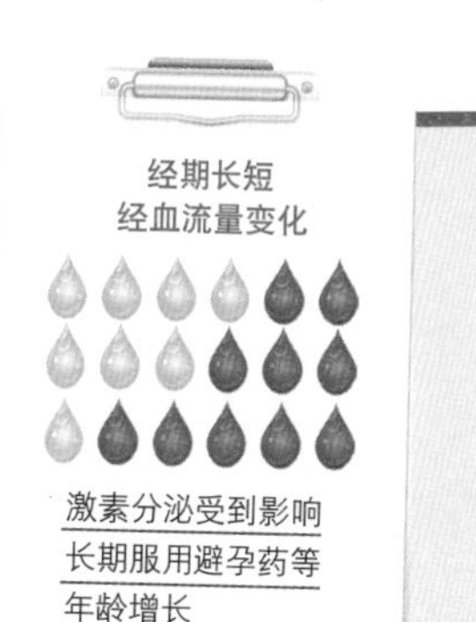

可能会引起的疾病

子宫内膜异位症

▶ 原因是子宫内部的内膜生长到了其他部位。处于子宫外部的内膜也会充血，在月经期脱落，但是由于没有排出的通道，会一直积聚在原地，形成血液肿块等，每月破裂的时候就会疼痛。而且，一旦脱落的血块和其他器官相粘连，就会在排便或性交时发生疼痛，严重时还会引发子宫痉挛等。

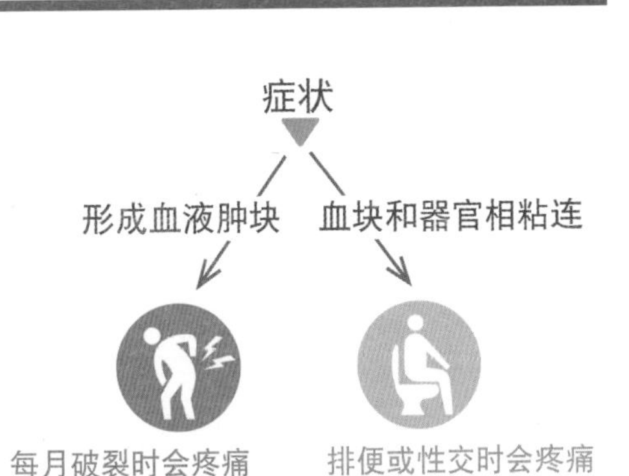

子宫肌瘤

▶ 生长在子宫内壁或是内侧、外侧的良性肌瘤。肌瘤大小不同疼痛感也不同，长得小的几乎没有感觉，有严重疼痛感的则是肌瘤长在子宫内部、体积比较大的缘故。

宫颈管息肉

▶ 子宫下面的细小颈管的黏膜上长息肉的话，容易充血和破裂，经常在非经期出血或经期出血，也可能经期以后出血，因此，经血增多，或淋漓不断，可能就是这个原因。

流产

▶ 经血比平常多，时间长，自己认为是月经，但有可能是意外怀孕而后又意外流产，尤其是下腹疼痛、流血不止的时候更要注意。如果胎儿、胎盘等一部分留在了子宫内，一定要去看医生。

宫外孕

▶ 月经推迟，而且流量增大，这有可能是宫外孕。宫外孕指的是受精卵在子宫以外的地方着床，主要是在输卵管里面。输卵管受到挤压破裂的话，会发生大出血和腹部疼痛。

血液疾病

▶ 皮肤容易淤青，就可能是血小板减少，是属于自我免疫功能疾病的一种。尤其常见于 20～30 岁的女性。血小板减少的话，血液不容易凝固，也会造成经血增多，时间增长。急性白血病也是同样的症状。

卵巢功能不全

▶ 压力过大或过分减肥或超重肥胖，会破坏激素的平衡，造成卵巢功能降低，经血量减少，经期变短。这是由于卵巢的激素分泌功能衰退造成的，应该尽早去医院检查。经血少还有可能是无排卵月经，不及时治疗会造成不孕，是很严重的。

甲状腺功能障碍

▶ 甲状腺是分泌促进新陈代谢的激素的腺体之一，位于喉部。分泌过多的话，就可能造成心慌、气短、烦躁；过少的话，又会畏寒、无力。这些也会影响雌激素，进而影响到月经。

非正常出血

▶ 月经流量过少，时间变短，还有可能它本身就不是月经，是非正常出血。引起的原因还是激素平衡遭破坏，或者是子宫癌、子宫肌瘤、宫颈糜烂等疾病的前兆。应该尽快去医院，确定一下准确的原因。

卵巢囊肿

▶ 卵巢里面出现囊肿的话，正常的组织遭到破坏，造成卵巢功能降低，使经血减少，时间变短。

激素分泌过多

▶ 脑垂体瘤或其他原因使催乳素等激素分泌过多，对月经造成影响，使经期变短，或是流量减少，还可能造成无排卵月经。

经期常见的疾病及症状

就像每个人面容都不相同一样，月经也是因人而异。前面已经就月经的时间、流量、疼痛程度等做了大概的介绍，大家没有必要拿自己和别人相比较，自寻烦恼。重要的是确定自己是否是健康的，有疑问，最好去医院咨询一下医生，并且在平时注意测量自己的基础体温，了解自己的身体状况，一旦有了异常，也好及早发现，及早治疗。下面是一些常见疾病的症状及原因，对你应该会有所帮助！

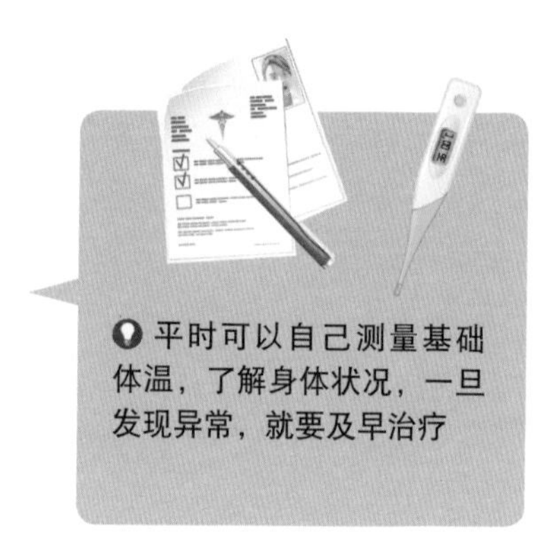

平时可以自己测量基础体温，了解身体状况，一旦发现异常，就要及早治疗

子宫内膜异位症

由于某种原因，子宫内膜在输卵管、卵巢、腹腔等子宫以外的地方生长，随着月经周期充血、脱落而引起的疾病。但由于脱落的血液没有出口排出，造成积压或粘着在周围的脏器上，出现痛经、腰痛、排泄痛等症状。如果是子宫腺肌症，就会引起月经时间过长、流量少等，而子宫肌瘤类的则表现为月经流量增多。

通过月经表现的症状！

子宫腺肌症类：

- 痛经严重
- 流量多
- 时间持续长
- 伴有头痛和恶心

卵巢巧克力囊肿类：

- 持续时间短
- 经血少

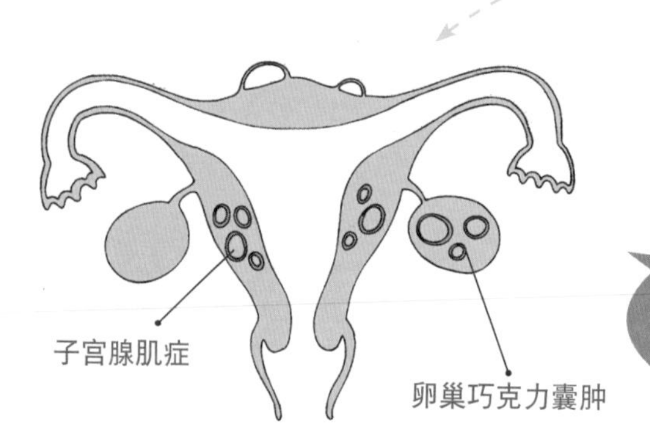

根据内膜生长的位置的不同，可以分为子宫腺肌症类和卵巢巧克力囊肿类等

子宫肌瘤

▶ 子宫壁上生长的良性肌瘤。肌瘤的引发基因自出生就有，受到遗传、身体素质等因素的影响，再加上激素的作用，就会开始发育。因此，在雌激素分泌旺盛的 20～30 岁期间发病最多。根据肌瘤位置的不同，还可以分为不同的 3 类：肌壁间肌瘤、黏膜下肌瘤、浆膜下肌瘤。前两种会导致子宫内膜面积增大从而使经血增多，经期增长。此外，还会引发经血过多性贫血，或者造成血液流通不顺、脚跟痛、身体酸软等。小的浆膜下肌瘤几乎没有症状。

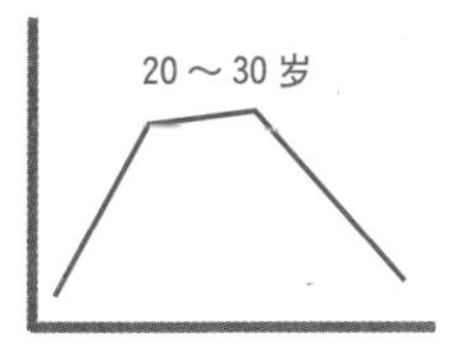

在雌激素分泌旺盛的20～30岁期间，子宫肌瘤的发病最多

通过月经表现的症状！

- 经血增多
- 天数增加
- 血块增加
- 月经周期变短
- 痛经严重

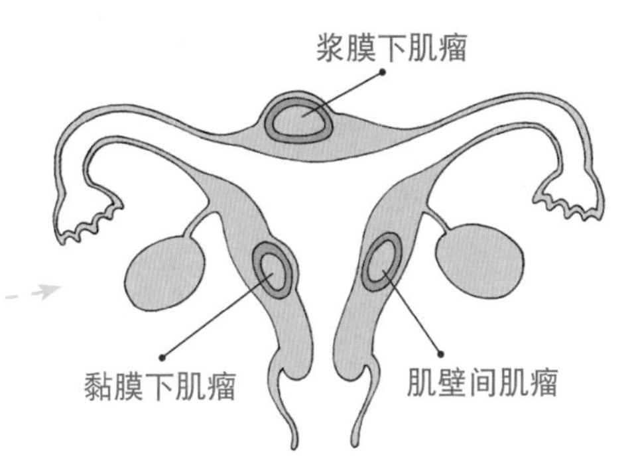

卵巢囊肿

▶ 卵巢内部生长的良性囊肿。开始时无症状，随着体积的增大，开始出现尿频、腹痛等症状。但由于卵巢有两个，一个出现问题另一个会提供帮助，所以症状不容易发现。但随着病情的严重，卵巢功能会下降，出现排卵障碍、激素功能降低、月经停止或是经血减少等症状。

卵巢内部的肿瘤可按液体多少分为：卵巢囊肿和实性肿瘤，虽然多为良性，但也有会向恶性转化的交界性囊肿，需要注意

通过月经表现的症状！

- 经血少
- 持续时间短
- 不来月经

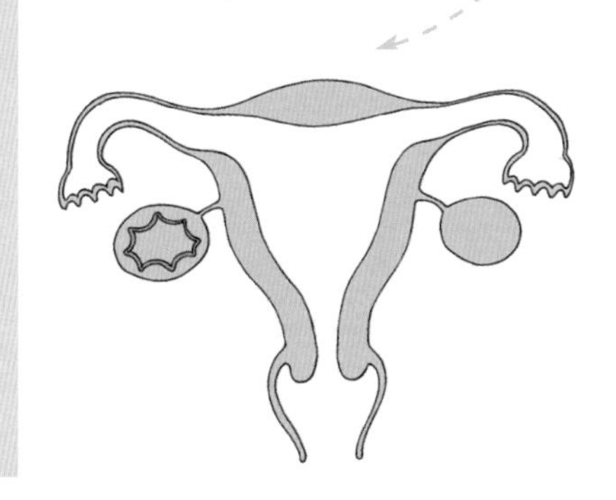

宫颈管息肉

▶ 宫颈管的黏膜增殖，产生豆大的突起物，并且延伸至阴道口附近。除了分泌物多，基本上没有疼痛感，但表面的黏膜还是会在性生活或其他运动中出血。而且随着体积不断增大，不但会阻碍血液流通，而且组织坏死以后还会导致非正常出血，所以会感觉经期时间加长。

息肉本身不会转化成癌，但是癌的前期却和息肉的状况相似，因此还是有必要检查一下

通过月经表现的症状！

- 月经时间增长或减短
- 经血减少或增加
- 月经不畅

子宫癌

▶ 子宫癌分为子宫颈癌和子宫体癌。前者多见于30～50岁的女性，但是最近在年轻女性身上也有发生。后者的发生和雌激素的分泌关系密切，在50岁以上的女性中发病较多。而且早期症状不明显，因此定期的健康检查十分必要。病情加重以后，会发生非正常出血，有白带恶臭、下腹疼痛等症状，容易和月经相混淆。

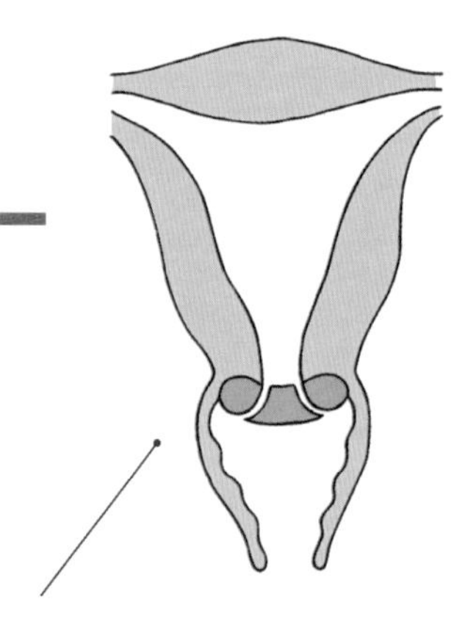

由于子宫癌的早期症状不明显，要定期做健康检查

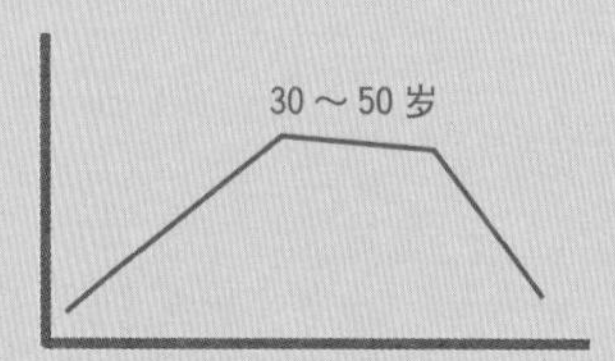

子宫颈癌多见于30～50岁的女性，近几年子宫癌趋于年轻化

通过月经表现的症状！

- 经血量少
- 经期变短
- 月经周期变短
- 茶色的经血淋漓不净

宫颈糜烂

▶ 虽说是糜烂，但不是真正的溃烂，只是宫颈管内的组织增殖至宫颈的阴道部，看起来是红色，类似于糜烂而已。只是糜烂部分十分敏感，很容易出血、受到细菌感染而产生炎症。

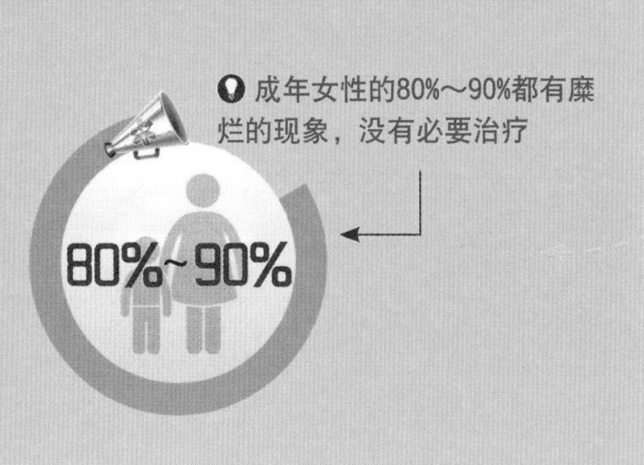

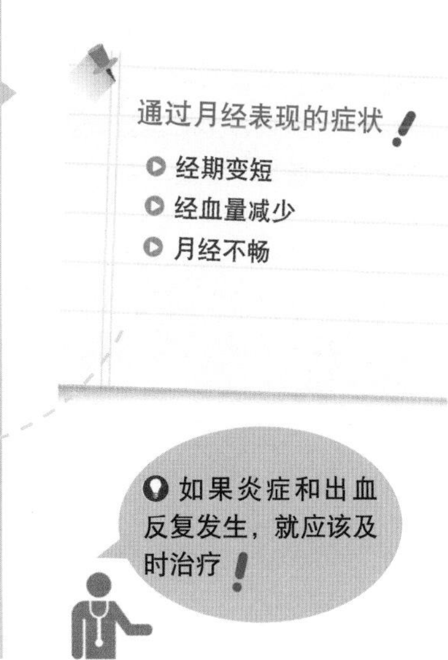

继发性闭经

▶ 是指有初潮来临，后来却因某种原因，在未怀孕和衰老的情况下，3 个月以上没有月经的状态。相对地，18 岁以后还没有月经初潮的话，称为原发性闭经。年轻女性由于过度减肥、激素分泌受影响，很容易造成继发性无月经，即使是还没有到达停经的程度，月经流量也很少，经期也不长。这种情况持续下去，会使子宫萎缩、卵巢功能衰退，造成卵巢功能不全症，很难治愈。因此一定要及早治疗。

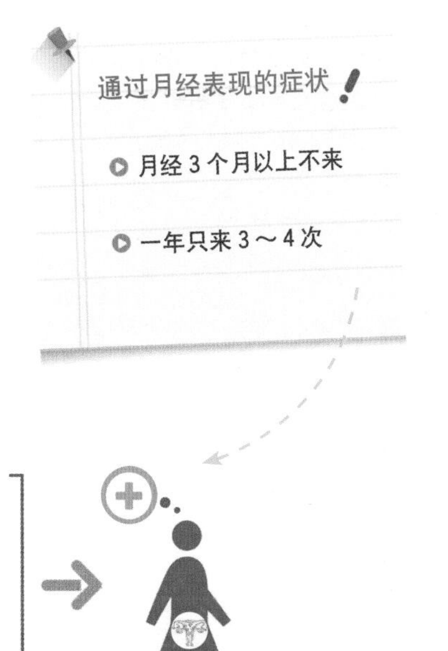

18岁以后还没有来月经的话，称为原发性闭经

年轻女性过度减肥，很容易影响激素分泌，导致继发性无月经，严重时会造成子宫萎缩等

其他激素异常

▶ 促进新陈代谢的甲状腺功能下降，促进乳汁分泌的激素也分泌过多。雌激素受此影响，造成经期缩短、经血量少等经期问题。促进母乳分泌的激素过多的话，会造成乳汁分泌、胸胀等怀孕的假象，影响排卵，严重时会引发不孕。

通过月经表现的症状！

- 经期变短
- 非正常出血
- 经血量少
- 不来月经

- 甲状腺功能亢进会引起心悸、气短等病症
- 甲状腺功能下降的话，会使身体疲惫、易寒、水肿等

无排卵月经

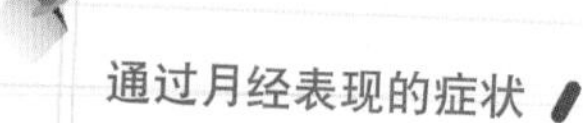

▶ 指的是虽然有月经，但是不发生排卵现象。正常的情况下，体温在排卵前为低温期，然后升温，但是如果没有排卵，体温就会一直处于低温期。原因是平时压力过大，或过分减肥，或超重肥胖，造成激素分泌失调，卵巢功能下降，病症严重时还会引发卵巢功能不全，不及时治疗有可能导致不孕，因此不能大意。

通过月经表现的症状！

- 月经不调
- 经血量少
- 经期时间段过长或过短

无排卵月经不及时治疗有可能导致不孕

由于性传播引发的炎症

▶ 是指通过性生活传染的淋病、真菌性阴道炎、子宫内膜炎等疾病。由于内膜受损，受激素影响的周期变化也开始紊乱，很容易出现非正常出血，同时还可能伴有腹部疼痛、腰痛。

通过月经表现的症状！

- 经期时间段过长或过短
- 经血量少
- 月经不调

严重时还会引发输卵管、盆腔等的炎症，最后导致不孕，因此一定要尽早治疗

什么是痛经

很多女性都有痛经的经验吧？除了疼痛以外，有的人还会有恶心、呕吐、目眩、腰酸头痛等症状，实在是很难受。但是如果每次痛得都很严重，严重影响到了正常的学习和生活的时候，我们就称之为痛经，可以去医院寻求医生的帮助。

由于每个人对疼痛的感觉不一样，而且痛经会受当时的精神状态和身体素质的影响，到底什么程度的疼痛是正常的，实在很难界定。但是

如果疼痛突然增加

并且连续几个月都这样

就有可能是子宫或卵巢疾病，一定要注意了。

痛经的两种分类

▶ 痛经从总体上可以分为两种。一种是由于子宫或卵巢疾病引起的，我们称之为器质性痛经；另外一种没有特别的疾病隐患，只是由于日常的生活习惯、身体素质和过分的心理压力造成的，我们称之为功能性痛经。

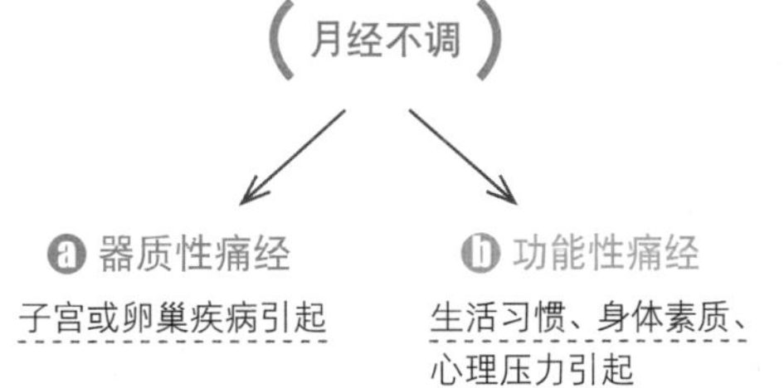

功能性痛经的原因

原因一　激素分泌过多

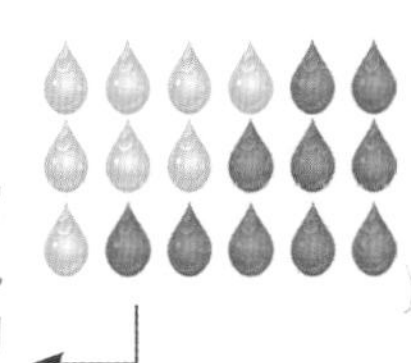

如果在患有子宫内膜异位症或子宫肌瘤等疾病时，月经的流量也会增加

这种激素特指由子宫内膜分泌的激素，从排卵后 1 周开始分泌，在月经来临前达到顶峰，能收缩子宫，促进经血的顺利排出。具体的分泌量因人而异，但是如果分泌过多，则会使子宫收缩过于强烈，产生痛经，同时还会打乱自主神经的平衡。血管收缩的话，会给肠胃的运动造成影响，导致腹泻、恶心等症状。

原因二 子宫或卵巢发育不成熟

没有经历过分娩的年轻女性经血不容易排出

生完孩子的女性经血排出会比较顺畅

生完孩子的女性，处于阴道入口处的宫颈管会比较粗，经血排出也会比较顺畅，但是没有分娩经历的年轻女性，宫颈管比较僵硬，比较长，因此经血就不容易排出，需要子宫的强烈收缩，这样的话，痛经就会比较严重。而且和经血量相比较，卵巢分泌的能促进血液溶解的酶数量较少，经血就容易凝固，这也给顺利排出造成困难。

原因三 日常压力过大

日常压力过大的话，会破坏自主神经的平衡，造成血液流通不畅，产生疼痛。加上月经期子宫收缩对血管也产生压迫，疼痛感就更加明显。如果平时还担心突然停经或是不孕等问题，心理压力大，甚至排斥月经的话，经期的不适感更会感觉强烈。

自主神经不平衡、心理压力大等都会造成血液流通不畅，增加经期的不适感

原因四 受冷

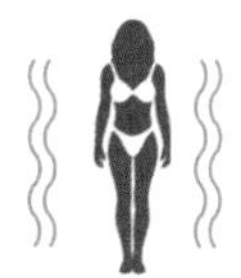

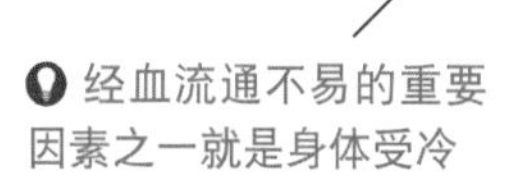

经血流通不易的重要因素之一就是身体受冷

身体受冷的话，骨盆内的血液会流动不畅造成瘀血，从而使月经期间的经血流通不易。这种情况下，子宫就会加剧收缩来促进排血，疼痛也就会更加严重。同时，瘀血本身也能造成疼痛，这同手指被挤压产生瘀血而感觉疼痛是一个道理。

原因五 心理和性格

同样的疼痛，不同人感觉也不同，有的人很能忍，有的人很怕痛。而且有对自己的疼痛不吐不快的人，也有人对月经的气味、会不会弄脏衣服等很在意，这样也会增加痛感。有的女性从小看着母亲每月因月经而难受，产生了心理阴影，从而会更加排斥月经及疼痛。

原因六 **生活习惯**

习惯双腿交叉的姿势、衣裤过于紧身，都会导致痛经

工作的时候总是站着，坐着的时候喜欢把腿交叉起来，类似于这样的习惯会使下身血液流通不顺，痛经加重。另外，穿紧身的衣裤等也会导致血液流通不畅引起经期疼痛。

原因七 **骨盆的歪斜**

骨盆歪斜会导致血管压力增大，引起瘀血，产生痛经！

骨盆的歪斜是由全身的歪斜引起的，例如，如果总负重一侧肩膀的话，就会对骨盆产生影响，导致左右不一，这样一来，一侧的血管受到的压力就增大，容易引起瘀血，导致强烈的痛经。

器质性痛经的原因

原因一 **子宫肌瘤**

肌瘤增大还会使痛经加剧，产生比平常更严重的腰痛等

长在子宫内壁的肌肉上，是良性的肿瘤。肌瘤的大小和生长的具体位置不同，症状也不同，但多数情况是由于肌瘤使子宫内膜的面积增大、子宫收缩困难，导致经期变长，流量增多，经血中的血块也增多。

原因二 **子宫内膜异位症**

除了经期，子宫内膜异位症导致的疼痛还会发生在排便、排尿或性生活过程中

子宫内部的内膜会随着月经周期而不断更新，脱落的废弃物也会随着经血排出体外。子宫内膜异位症就是子宫内膜生长到了子宫以外的部位，比如子宫肌肉外侧、卵巢里面、输卵管、直肠附近等，虽然也随着月经期脱落，但是由于没有出口排出，淤积在原地或粘着在其他脏器的表面，产生强烈的疼痛。

性生活过程中容易造成子宫内膜异位症、阴道炎

原因三 **阴道炎、输卵管炎**

阴道炎是指阴道受感染而产生炎症，一方面是在性生活过程中受感染的，另一方面是由于平时压力过大、身体抵抗力差，受到阴道口周围的大肠杆菌等的感染而发病。炎症蔓延到输卵管的话，就成为输卵管炎。哪一种炎症都会引起痛经、排尿痛等，有时还有非正常出血的现象。

原因四 **卵巢囊肿**

肿瘤长到一定程度

子宫内膜异位症发生在卵巢中

当肿瘤长到一定程度的时候，下腹就会胀痛，产生排便痛或是尿频，痛经也会加剧。子宫内膜异位症发生在卵巢中，也是卵巢囊肿的一种，表现是在卵巢中出现褐色的血块，可引发强烈痛经。

原因五 **盆腔腹膜炎、阑尾炎**

盆腔腹膜炎、阑尾炎会引起经期的强烈疼痛！

受阴道炎、输卵管炎感染，会引发盆腔腹膜炎（覆盖在子宫、卵巢、肠表面等的薄膜），如果延伸到了阑尾，可变成阑尾炎。这些炎症会引起经期的强烈疼痛。

痛经的其他症状

痛经的难受之处不单单是腹痛，还有头痛、恶心、呕吐、目眩等等。其中某些症状还是一些疾病的前兆。让我们一起来看一下吧！

身体倦怠无力

▶ 血管的收缩、肠胃的蠕动都是受各自的自主神经控制的。如果加速血管的收缩，肠胃蠕动的激素分泌过多，自主神经的平衡就会受到破坏，白天应该休息的自主神经（副交感神经）开始发生作用，人就会觉得倦怠无力。

自主神经的平衡受到破坏使人感觉倦怠

心情郁闷

▶ 即使疼痛忍住了，但是心情还是一样的郁闷。加上激素分泌过多，自主神经失调，使精神不安定，心情也会更加郁闷。

自主神经失调，会使精神不安定，心情不好

没有食欲

▶ 激素分泌过量的话，给肠胃蠕动造成很大压力，导致呕吐、恶心等现象，食欲当然会下降。加上自主神经失调，肠胃功能减弱，也会影响食欲。

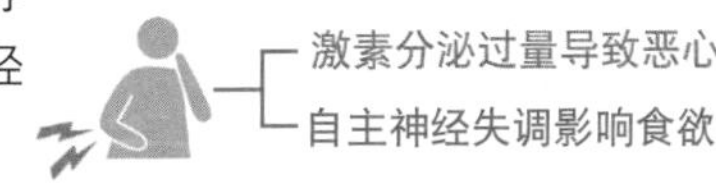

腹泻

▶ 如果使肠胃蠕动加速的激素分泌过量的话，还会引发腹泻现象。

饮食过量

▶ 有人食欲下降，但也有人为了缓解疼痛、郁闷，将注意力转移到食物上来，造成饮食过量。还有人从月经前开始，为了消除月经前的烦恼，就开始暴饮暴食，这种状态一直延续到经期。

目眩

▶ 自主神经的平衡被破坏之后，如果碰到突然起立时，会有目眩的现象。这种现象被叫作起立性低血压，是由于心脏供血压力不足，导致大脑暂时缺氧引起的。还有一种可能就是子宫肌瘤造成的贫血，致使大脑供血不足。

自主神经失衡导致的起立性低血压

子宫肌瘤造成的贫血

烦躁

▶ 经期由于自主神经失调，很容易引起精神上的不安和烦躁。

月经前的烦躁有可能一直持续到月经期

发热

▶ 激素分泌过量，造成自主神经失调，体温就会上升。如果这时下身受凉、产生瘀血，就会导致“上热下冷”的现象产生。

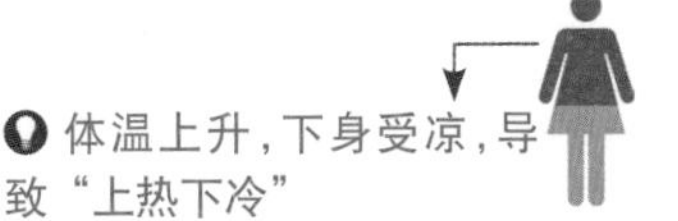

呕吐

▶ 促进子宫收缩的激素也可以加强肠胃的蠕动作用，因此，这种激素如果分泌过多，肠胃就会强烈收缩，产生胃痛、恶心、呕吐等症状。

激素分泌过多导致胃痛等不适

肩酸

▶ 激素分泌过多的话，血管的收缩也会增强，容易引起肩酸。受凉或压力过大还会使肩酸加剧，盆骨的歪斜也会使肩膀、颈部压力过大，引起肩酸。

激素分泌过多、受凉、压力大等造成肩酸

腰痛

▶ 激素分泌过量会导致盆腔内血液流动不顺，造成瘀血，引发腰痛。受冷或是盆腔歪斜也可能造成瘀血而导致腰痛。另外，子宫肌瘤压迫神经或是子宫内膜的粘着也会造成腰痛。

激素分泌过量、受冷、盆腔歪斜、子宫肌瘤导致腰痛

头痛

▶ 激素不但可以使盆腔内的血管收缩，还可以使全身的血管收缩，因此分泌过量的话，可以引起头部血管收缩，引发头痛。其他方面，如压力过大、紧张、骨盆歪斜等也会造成血液流通不畅，引起头痛。

激素分泌过量、紧张、盆腔歪斜引发头痛

白天发困，夜里不易入睡

▶ 自主神经失调的话，白天活动的自主神经（交感神经）和夜里活动的自主神经（副交感神经）相互影响，就容易白天发困，夜里难以入睡。

自主神经失调导致生物钟紊乱

贫血

▶ 月经流量多的话，也会导致贫血，尤其是患有子宫肌瘤等疾病的人群。由于有肌瘤，子宫内膜的面积就会增大，经血就会增多，而且肌瘤会导致血液流动不畅，延长月经时间。

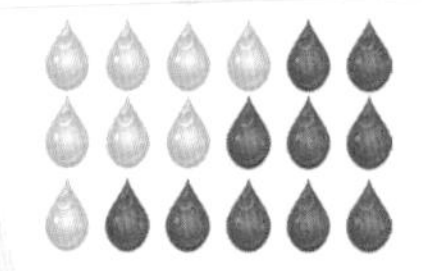

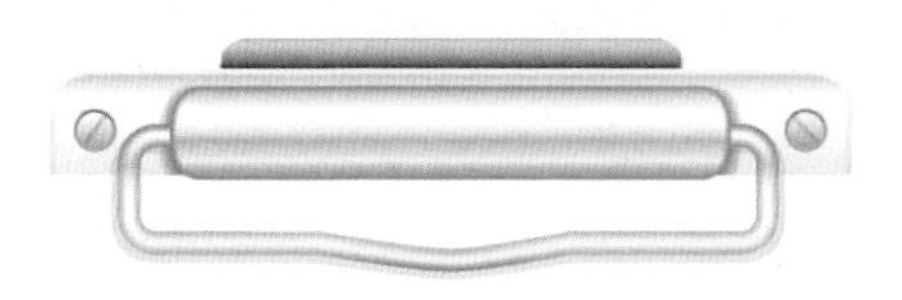

痛经需要接受治疗

寻求医生帮助！

月经不调可能隐含了某种疾病，最好还是先去医院检查。即使没有疾病，在医生的帮助下缓解一下经期的疼痛和烦恼，也是十分有益的！

去妇科检查之前应做的准备

▶ 想一进医院就一口气将自己的病症说明白并不是一件很容易的事情。

一定要事先把自己的情况做一下记录。

- ☐ 都有什么症状？
- ☐ 疼痛会持续多少天？除了痛经以外有其他的疼痛吗？
- ☐ 有没有在吃止痛片？每次吃多少片？一天吃几次？吃多少天？
- ☐ 每次经期都要休息多少天？
- ☐ 每次月经用多少卫生巾？
- ☐ 月经每次持续多少时间？
- ☐ 经血量减少是从哪天开始的？
- ☐ 有没有被确诊患有贫血？

痛经治疗的门诊顺序

挂号

第一步先去挂号，妇科门诊，如果有医保卡，用医保卡直接挂号。

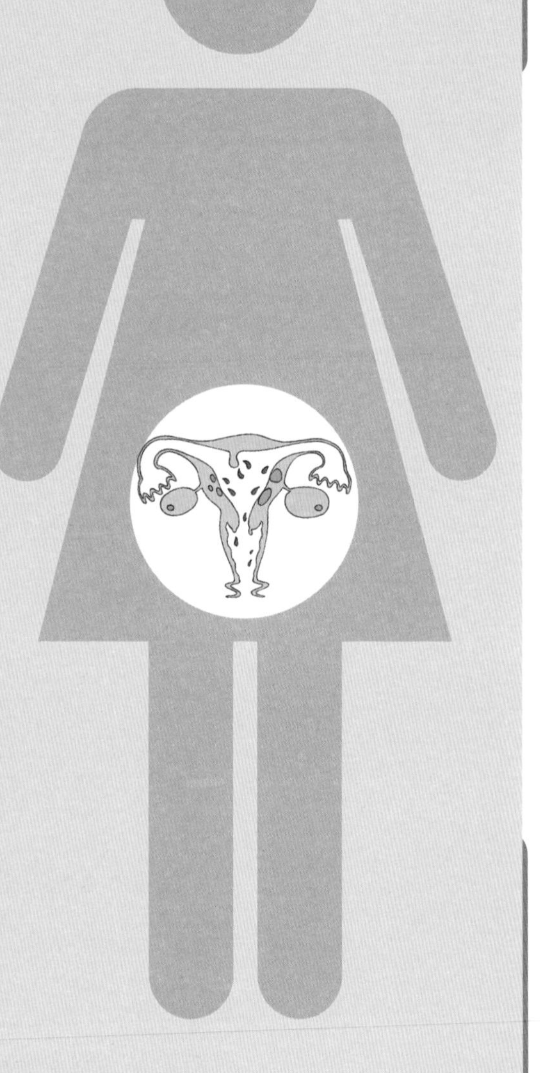

询问

医生会先询问你的病情，如实告知，例如直接要求做妇科常规检查，有没有性生活史，这个很重要。

内诊

接下来需要脱掉内裤。内诊分检查外阴部和用接触方式检查阴道内部。医生使用阴道窥器观察阴道内部，检查白带和阴道内的状态。首先会一边用一只手轻按腹部，一边了解子宫的位置、大小、硬度、活动情况、卵巢和子宫附件的状态等。

几种典型妇科疾病的治疗方法

检查结果，如果发现月经不调也由某种疾病引起的，就应该及时加以治疗。我们来了解一下几种典型的妇科疾病的治疗方法。

妇科疾病是月经不调的诱因，一旦发现就要及时治疗

子宫内膜异位症

▶ 治疗的方法有药物治疗和手术治疗两种。药物治疗又具体分为“假绝经疗法”和“假孕疗法”，方法都是通过调节激素的分泌阻止月经产生，从而抑制子宫内膜的充血和增殖。如果用药物治疗效果不明显或者是症状反复发作，可以考虑采用手术方式。手术也分为两种：开腹手术和腹腔镜手术。但除非是把子宫和卵巢全部切除，任何方法都有复发的可能。

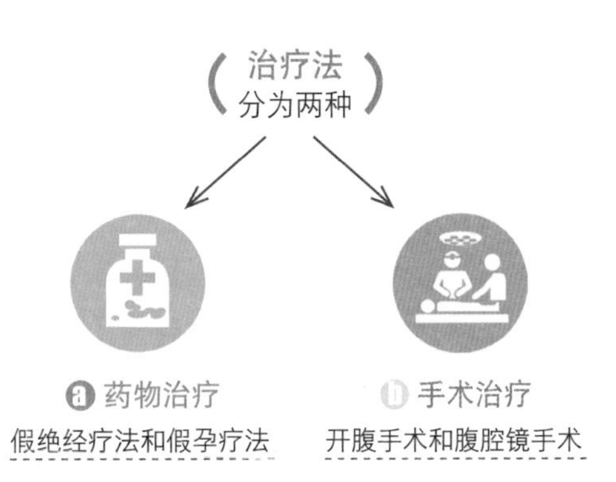

子宫肌瘤

▶ 如果肌瘤较小，症状不明显的话，只要每 3 个月或是半年进行一次检查就可以。如果需要缓解症状，针对贫血，可以补充铁元素；如果疼痛，可以服用止痛片。还可以通过假绝经疗法来使肌瘤体积减小。手术方式分为两种：肌瘤摘除和子宫切除。如果发现及时，可以不用开腹，直接在下腹部开小口利用腹腔镜进行手术。

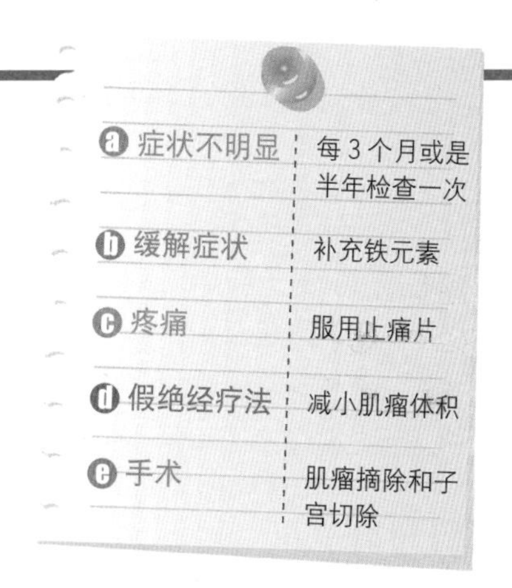

卵巢囊肿

▶ 如果囊肿直径在4厘米以下，每3个月或是半年进行一次检查就可以。如果症状比较严重就需要进行手术治疗。可以根据年龄和生育情况，选择卵巢部分切除和单侧卵巢整体切除两种方式。

囊肿直径小于4厘米，需要每3个月或半年复查一次

症状比较严重时，需要进行手术治疗

阴道炎、输卵管炎、盆腔腹膜炎

▶ 治疗阴道炎主要是清洗阴道和使用对应的抗生素、栓剂和软膏。治疗输卵管炎和盆腔炎也是使用相应的抗生素，但是一定要等到医生说可以了才结束治疗，千万不可以在症状消失以后马上停药。

阑尾炎

▶ 如果是发病初期，可以用抗生素等药物进行治疗。到了严重的时候，就只能采取手术切除。

发病初期
用抗生素等药物

严重
手术切除

妇科疾病治疗的药物有哪些

治疗妇科疾病的药物有很多。要在医生的指导下进行治疗，治疗需要对症下药。为了缓解疼痛等妇科疾病，医生会使用很多相应的中药、西药进行治疗。如果是精神紧张或是压力过大导致的疼痛加剧，医生还会建议你使用一些安神类的药物。

如果女性炎症在急性期没有得到彻底治愈，转为慢性炎症后，往往经久不愈、反复发作，不仅造成小腹隐痛、腰痛、白带增多等身体不适，而且还容易引发癌变、不孕症等其他并发症

止痛片

▶ 在治疗月经不调的时候，有的药物是通过减少激素的分泌来缓解疼痛（疼痛不仅包括痛经，还有头痛、腰痛等）、恶心、呕吐等现象。止痛片的种类有很多，医生会根据你的具体症状，比如疼痛开始的时间、持续的时间等给出不同的建议。

▶ 根据疼痛开始、持续时间选择止痛方式。

中药

▶ 西药只是对某一种症状采取治疗，而中药是对整个身体进行调节，它可以针对每个人的体质有针对性地用药，从整体上调节激素分泌，从而达到缓解疼痛的效果。因此，中药的即时效果不好，需要长期服用，但它对缓解女性的痛经、皮肤干燥，甚至是便秘都十分有效。

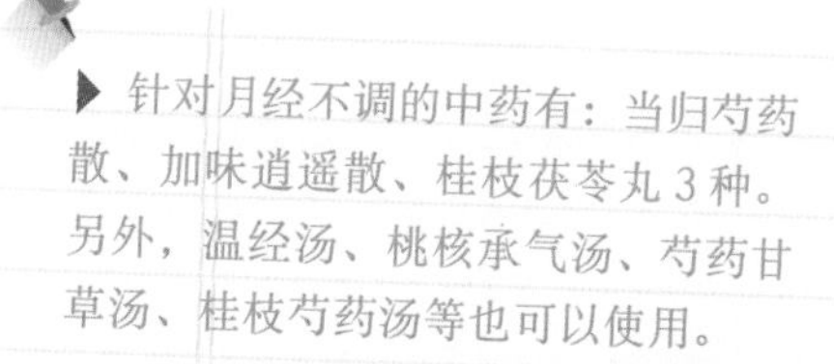

▶ 针对月经不调的中药有：当归芍药散、加味逍遥散、桂枝茯苓丸 3 种。另外，温经汤、桃核承气汤、芍药甘草汤、桂枝芍药汤等也可以使用。

避孕药

▶ 避孕药其实是雌激素和黄体激素的综合体，可以用来避孕。通过制造假孕状态来阻止排卵，减少经血流量，减轻经期痛苦。根据所含黄体激素数量的多少，有的人服用后有呕吐的现象，因此必须根据症状服用。通常是连续服用 21 天后停 7 天，在这 7 天内月经来临。这样一来，在缓解疼痛的同时，还可以调节月经周期，而且费用也很低廉。

▶ 长期服用避孕药可能会加大血栓、乳腺癌的发病率，因此也要在医生的指导下服用。

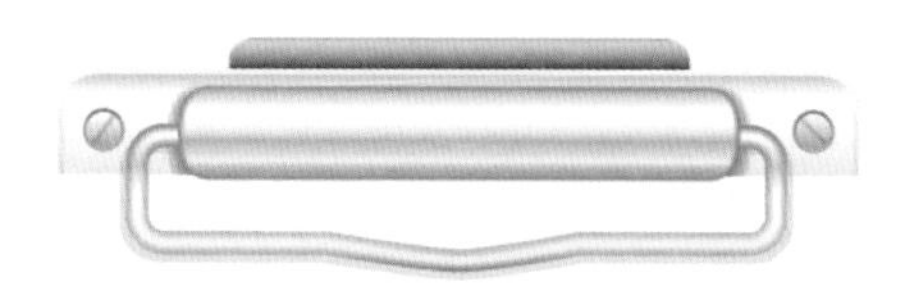

缓解痛经的小窍门

痛经，每个月都十分难受。有没有什么办法可以缓解一下呢？即使一点点也是好的，可以让生活和工作轻松一点！答案是肯定的，下面，就介绍一些在日常生活中缓解疼痛的小窍门！

□ 注意保暖

▶ 方法很简单，就是用携带方便的暖宝温暖腰部和腹部，这样可以使血液循环更加顺畅，进而缓解疼痛，用热水袋也可以起到同样的效果。

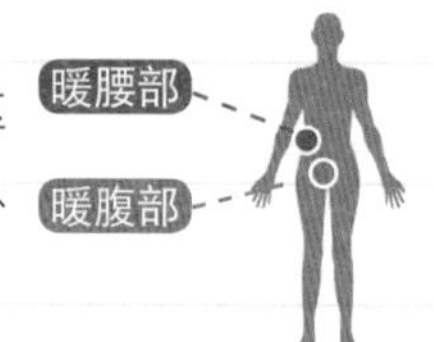

□ 适当进行足浴

▶ 可以把身体浸泡在温水里面，既可以取暖，又可以改善血液流通，对缓解痛经十分有效。足浴是指在盆里面注满热水（41℃～42℃），将整个脚泡在里面 15～20 分钟，还可以另外再准备一盆开水，随时加进去，保持水温。即使是痛经严重的时候，一边看杂志、电视，一边泡脚也是很不错的选择。

□ 做体操

ⓐ 放松骨盆

▶ 双脚分开同肩宽，双手放在骨盆突起的地方，然后环绕整个腰部进行按摩，还可以轻扭腰部。这样可以放松骨盆，同时促进骨盆内部的血液循环，达到缓解疼痛的目的。

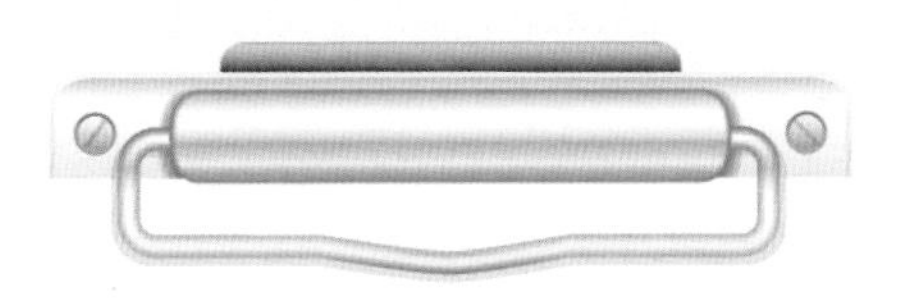

ⓑ 使下身血液畅通

▶ 全身放松地坐在椅子上，脚跟着地，脚尖向上，脚背与地面成 90°，连续做 5 次，再放松。然后脚尖努力向前伸，同样重复 5 次。这样整套动作反复做 5 次，可以使下身血液流动顺畅，还可以减轻水肿。

▶ 全身放松地坐在椅子上，脚跟着地，脚尖向上，脚背与地面成 90°，连续做 5 次，再放松。然后脚尖努力向前伸，同样重复 5 次。

□ 饮食疗法

▶ 平时注意多吃一点有助于血液流通的食物，这样不但可以驱寒，还可以减轻月经不调的症状。坚果类的食物、芝麻、南瓜、鳗鱼等含有丰富的维生素 E，可以促进血液循环。另外，葱、蒜、韭菜、生姜也对促进血液循环十分有好处，要多吃一点！

丰富的维生素 E

芝麻 ✓ 南瓜 ✓ 鳗鱼 ✓

促进血液循环

生姜 ✓ 葱、蒜 ✓ 韭菜 ✓

□ 香熏和精油

▶ 利用从植物中提取的香精进行香熏，可以缓解紧张情绪、减轻痛经。只需一滴就可以使整个房间充满香气。也可以在洗澡的时候加进水中，能起到放松精神、缓解疼痛的作用。你可以选择自己喜欢的类型进行香熏，不同的香精作用不同，女性用的基本上可以分为缓解疼痛型的、解除疲劳型的、安神型的等等，可以根据需要进行选择。

▶ 薰衣草、洋甘菊精油具有调经的功效，可以促使月经周期正常或增加经血流量。经期前的妇女每天做 15 分钟的精油按摩，经期各种不适感将减少 50%。

服用止痛片小问答

长期服用止痛药并不是治本之策，且会造成人体对药物的依赖，对于痛经症状不能缓解的女性，还应当及时到妇科就诊。

问1. 一直使用，疗效会不会减小？

妇科专家解答：止痛片本身不会因为持续服用而药效降低，出现这种情况，就只能是自己的身体出现了问题。原因可能是身体疲劳、压力过大，但也有可能是其他疾病的前兆，需要去医院接受检查。

问2. 止痛片和中药一起服用可以吗？

妇科专家解答：一起服用没有关系。由于中药的作用，还可以适当地减少剂量或是不服用。但是也不能长期盲目服用中药和止痛片，如果症状一直没有减轻，应该去医院接受检查。

问3. 有什么缓解的方法？

妇科专家解答：可以服用B族维生素，特别是维生素B_6对经前紧张症有很好的疗效，它能稳定情绪，帮助睡眠，并能减轻腹部的疼痛。另外，平时要注意不吃辛辣生冷食物，不要熬夜，也可以服用当归丸和益母草活血，缓解痛经。

问4. 何时服用比较合适？

妇科专家解答：这必须根据自己的疼痛状况而决定。如果疼痛是从第一天开始的，那么就从那一天开始服用，直到量最多的2～3天结束；如果只是在量多的那几天疼，那么从第二天开始服用就可以；如果是月经前疼痛，就可以根据自己的基础体温，确定月经来临的具体时间，提前服用就可以了。

问5. 服用多少片就可以了？

妇科专家解答：这得根据药效来定，但只要根据医生的说明，在规定的剂量之内就没有什么问题。有的人疼痛比较严重，可能就需要药效强一点、持久一点的止痛片，但有的人只是轻微的疼痛，就没有必要服用强效的，甚至可以不服用。

摆脱经期焦虑症

每次来月经之前，总觉得哪里不对劲，不像平常的自己，老是烦躁、郁闷，还喜欢吃甜食。这些其实都是月经前的表现，很多女性都有这种现象，是特有的经期烦恼。

经前期紧张综合征越来越普遍

在某女性杂志对女性进行的问卷调查中显示，在经期的各种烦恼中，最普遍的是心情烦躁、头痛，近一半的女性有这种现象，比痛经还要普遍。你是不是也有这样的情况呢？虽然由于月经引起的很多问题几乎每个女性都无法避免，但是有时候确实很严重，给周围人也造成了影响，有的人还因此变得异常暴躁。

女性经前期心情烦躁、头痛，这种现象比痛经还要普遍

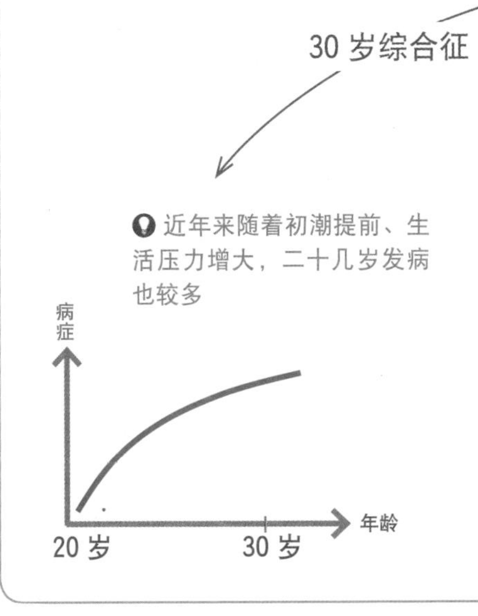

近年来随着初潮提前、生活压力增大，二十几岁发病也较多

经前期紧张综合征这种病症以前称为“30岁综合征”，原来在处于性成熟期，忙于怀孕、生育、抚养小孩的女性人群中十分普遍，近年来却有年轻化的趋势，二十几岁的女性发病也比较多。这和初潮的提前、各种生活压力的增大有很大的关系，而且，还因为随着就业环境的日益严峻，在原来的工作压力下没有感觉出来的PMS开始表现出来，并且在失恋、婆媳关系不融洽等各种心理的、环境的因素下更加激化，症状更加明显。

什么是经前期紧张综合征（PMS）

PMS 是指出现在月经前 1 周的身体上的不适。这一问题早在 2000 多年前希腊的医学家皮古拉提司的时代就开始受到关注，长期以来困扰着众多的女性。因为在月经来临之后症状就会消失，有的人不是太在意，但一说起来，每个月的那几天都会烦躁、郁闷等，这几乎是每个女性都有的经验。有的人症状十分严重，以至于影响到了家人和自己的工作。

出现在月经前 1 周的身体不适

经前期紧张综合征可能的原因

▶ 引起 PMS 的原因有十多种，但是具体的原因还不十分清楚。这里只介绍一种比较科学的说法。

激素平衡突变，导致大脑中枢无法对应

从右侧的图表可以看出，排卵期过后，两种雌激素的分泌量都开始上升，如果没有受孕，激素就不能发挥作用，分泌量就会减少。对于这种突变，大脑的中枢（下丘脑）无法及时做出应对，因此引发了PMS的各种不适症状。这是现在最普遍的说法。

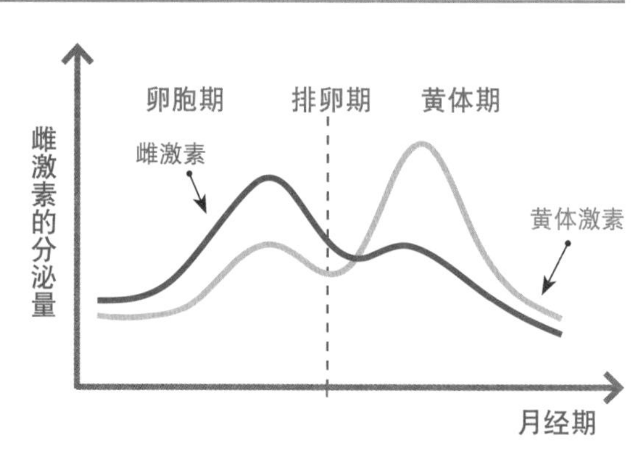

ⓐ 自主神经失衡
引发肩酸、头痛

ⓑ 影响到感情中枢
导致烦闷、紧张

ⓒ 肠胃受影响
引起便秘或腹泻

下丘脑不但是促进激素分泌的中枢，同时也是自主神经的中枢。如果下丘脑无法及时做出反应的话，自主神经的平衡也会受到影响，导致血液流通不畅，引起肩酸、头痛，进一步影响到肠胃功能，导致便秘或腹泻。同时还会导致食欲下降、对气味敏感等，如果还影响到了感情中枢，则会表现为烦躁、郁闷、不安等症状。

身体代谢功能下降，引起水肿或饮食过量

黄体激素有使营养和水分等贮存于体内，为怀孕做准备的功能，因此很容易造成月经前身体的代谢能力下降，这是因为身体在为像妊娠和月经这样需要大量消耗体力的过程做准备，因此，这个时期水分代谢缓慢，易发生水肿，而对糖分的贮存使血糖降低，因而有的人在这个时期尤其喜欢吃甜的食物。

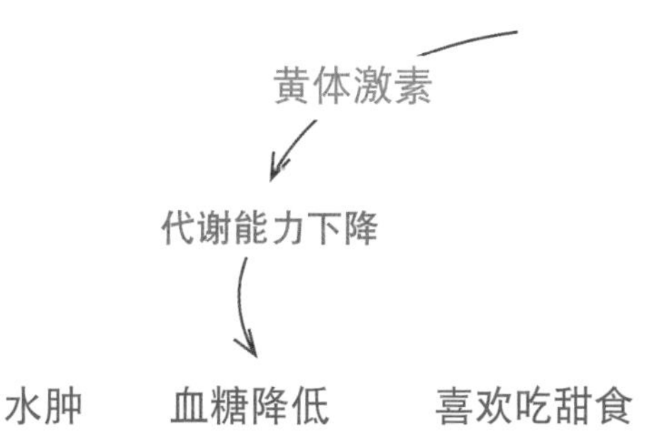

大脑内部物质分泌下降，导致烦躁不安

有人认为，由于激素的变动，大脑内部某种物质的分泌下降也是引起 PMS 的原因之一。大脑内的这种物质类似于大脑的激素，对神经间的信息传递方面发挥作用。月经来临时，这种物质的分泌下降，所以会引起烦躁不安的情绪。

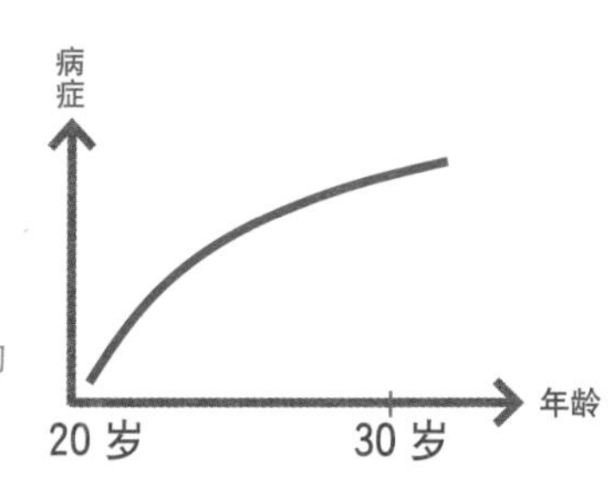

来月经时大脑内部某种物质分泌下降引起烦躁

其他有关激素的说法

也有人认为可能是受排卵以后卵巢分泌的激素的影响。这种激素能促进子宫收缩，使月经来临。受此影响，排卵后到月经来临，体内的血管收缩，就会引发肩酸、头痛等症状。另外，肾上腺分泌的激素增加，会导致身体水肿，致使促使乳汁分泌的激素分泌过量，所以胸部会胀痛。

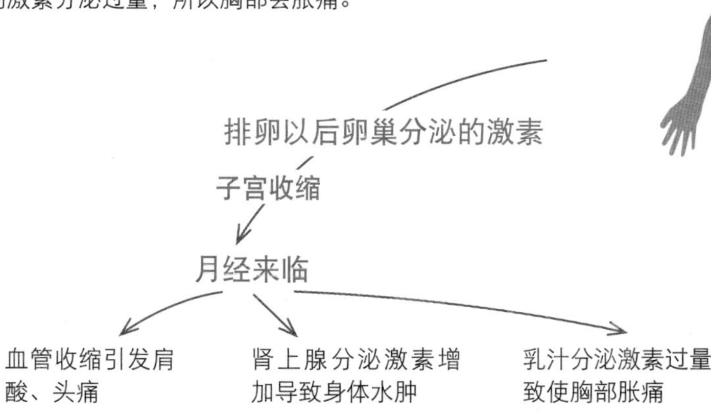

贴士

神奇的卵细胞激素 >>

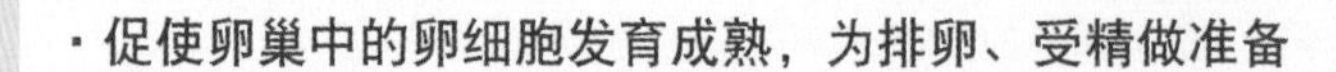

- 促使卵巢中的卵细胞发育成熟，为排卵、受精做准备
- 使受精卵着床更容易，促使子宫内膜充血
- 使女性身体更加饱满
- 激活自主神经、调整体态、安神
- 促进皮肤血液流通，使肤色红润
- 使皮肤更加有光泽
- 使骨骼更加健壮
- 使血管保持年轻，防止动脉硬化

经前期紧张综合征的表现症状

PMS 有各种各样的症状，总体上来说，可以分为生理上、心理上和行为上 3 个方面。但是每个人的表现也是不一样的，很多人是 3 个方面同时都有。而且心理上的情绪低落等现象可以使身体的不适更加严重，这一点是肯定的。

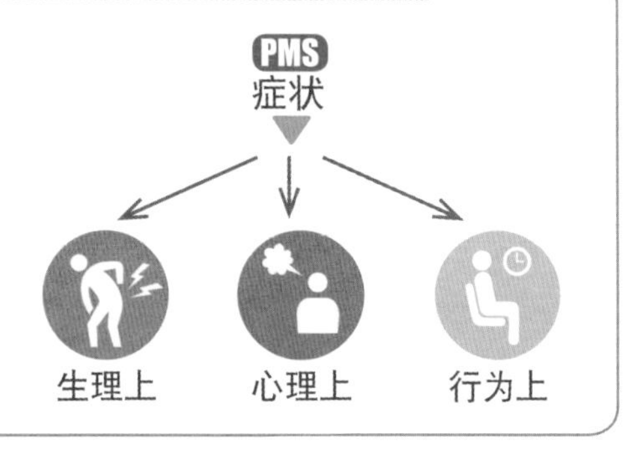

行为上的症状

☐ 效率低下，注意力不能集中

工作和学习的过程中很容易出现错误，效率低下。很容易发生交通意外。数据显示，因为交通事故住院的女性中有一半是处于月经前。

工作、学习效率低且易出错

因交通事故住院的女性中有一半处于月经前

☐ 交往能力下降

对别人的话过于敏感，容易发生口角，容易在语言上攻击他人。

☐ 对家人和朋友态度恶劣

面对自己的家人和朋友，或是亲密的恋人的时候，态度总是很激烈，用很严厉的语言攻击他人，造成关系紧张。

☐ 喜欢整理东西

平时很随便的人，到了月经前却十分喜欢收拾，喜欢做一些没有什么必要的家务和工作等。

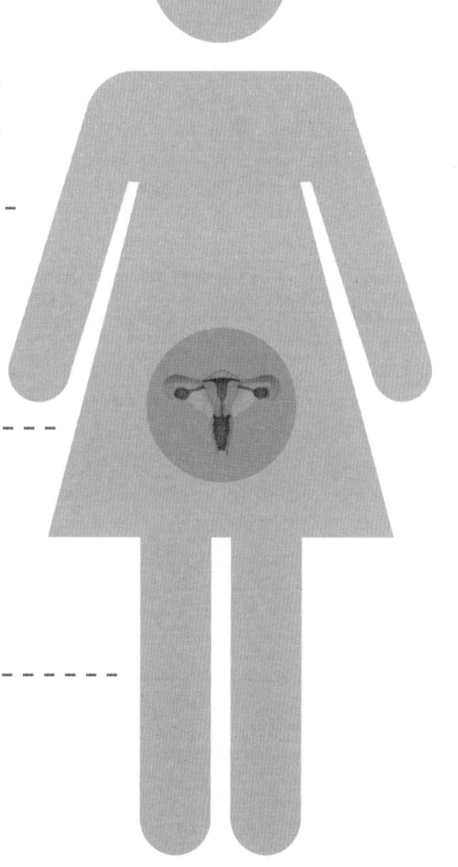

☐ 买些计划外的东西

总是会买一些不必要的家具、衣服等，过后很容易后悔。买根本不喜欢的东西实际上表明自身对颜色、大小、形状的认识水平的暂时性下降。

☐ 其他

容易落东西，容易和他人发生争吵，总觉得周围人都不理解自己，而且味觉也会下降。

生理上的症状

□ 乳房肿胀

乳房有胀痛感，体积会有所增大。有的人连走路时的颤动都感觉疼痛，不得不穿大一号的内衣。

□ 头痛、肩酸

自主神经的平衡受到破坏，造成全身血液流动不顺畅，表现为头痛、肩酸、腰酸，有时还会恶心和呕吐。

□ 腰痛、下腹疼痛

为月经做准备，子宫周围的血液会增加，产生瘀血，子宫本身的重量也会增加，因此会引起腰痛和下腹疼痛等不适症状。

□ 身体发冷

子宫周边的血液流动不顺，造成手足、下腹寒冷，不得不一直抱着暖宝。

头痛
肩酸
胸部胀痛
腹痛
发冷

生理方面的各种症状

□ 水肿

身体为了给月经做准备，会在血液里面储存大量的水分，出现水肿的现象。有的人会感觉平时的鞋子变得挤脚，体重也会增加。

□ 便秘、腹泻

月经前由于黄体激素的影响，肠运动会减弱，产生便秘，但也有人因为体内另外一种激素的作用，肠胃蠕动减弱，出现腹泻。

☐ 容易疲劳

感觉容易发困，睡多久都不够，容易疲劳。这是由于黄体激素的催眠作用引起的。

☐ 体温上升，发热

身体或是脸发热、出汗不止等，这都是由于激素的变化引起的，在更年期尤其明显。

☐ 出现粉刺，皮肤干燥

受黄体激素的影响，皮脂分泌过旺，容易引起粉刺和皮肤干燥等现象，而且色素也容易沉淀，容易晒黑。

☐ 白带增多

为了给怀孕做准备，防止身体受到感染，白带的分泌量也会增多，黏性增强，气味变浓。

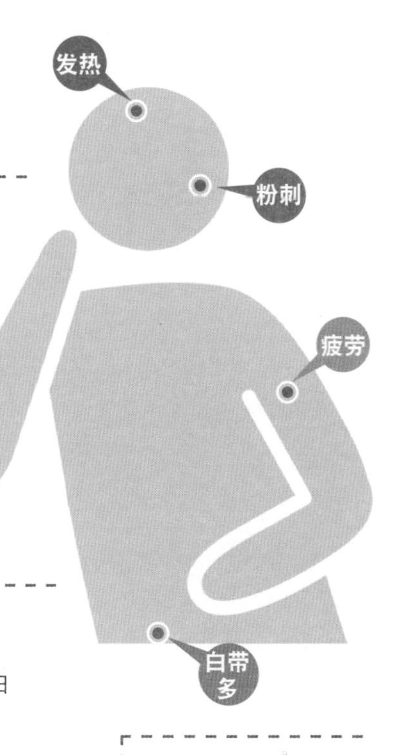

贴士

PMS和犯罪 >>

· 莫名其妙地感到烦躁

· 做些自己都觉得不可思议的事情

月经前的这些反常举动，有时还可以引发犯罪！

▶ 有一个案例，据说在英国，有位妇女在购物中心和丈夫发生争吵，然后在购物的过程中就被发现有偷窃行为而被逮捕，在法庭上，她丈夫证明，每次月经之前，她都会有一些很反常的行为。

其他还有很多因为PMS引发的犯罪类型，比如打骚扰电话、放火、破坏公物、虐待儿童，甚至于杀人。有的国家还对因为PMS而犯罪的女性采取减刑政策。

心理上的症状

□ 烦躁

是典型的月经前紧张综合征的症状，很容易因为一点小事情而莫名其妙地发火，与家人和朋友的关系紧张。

□ 情绪低落

郁闷，感到情绪低落，觉得心里难受，容易掉眼泪，经常莫名其妙地感到绝望。

□ 无力

身体感觉无力，动作缓慢，平时很轻松就能完成的任务现在却觉得十分艰巨，对自己感到很没有信心。

□ 无原因地感到不安

感到无来由地不安，为了缓解不安情绪，容易沉迷于某一件事情。

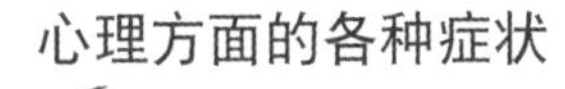

□ 饮食过度

喜欢吃甜食，食欲比较旺盛，难以控制，因而容易饮食过度。

□ 酗酒

有的人喜欢用喝酒来排解郁闷的情绪，因此发生酗酒行为。而月经前后身体对酒精的分解速度减缓，因而很容易醉酒。

□ 性欲增强或是减弱

有的人在月经来临之前，性欲会突然增强；但有的人却正好相反，在这个时候很反感性生活。

产生 PMS 症状的因素是什么

每个女性都有 PMS 的症状，但有的人可以轻松地度过这个时期，而有的人却十分难受。导致这种现象产生的因素有三个。第一个是身体状态，如果本身的抵抗力比较弱，激素、自主神经的平衡受到破坏的话，PMS 的症状就会表现得更加明显。第二个是环境方面，如果受到的压力很大，也会使症状更加明显。

每个女性的PMS症状轻重程度因人而异

第三个是性格因素。即使是同样的压力下，性格如果比较内向，不能很好地调节情绪的话，症状也会更加严重。
比如说一个身体很好、性格也十分外向的女性，
如果和婆婆的关系不融洽，那么她的 PMS 症状也会越来越明显。具体表现为:

PMS 产生因素

身体状态

- ☐ 对感冒等疾病的抵抗力下降
- ☐ 体力下降
- ☐ 疲劳累积
- ☐ 自主神经功能低下
- ☐ 月经不调，有痛经症状
- ☐ 有子宫肌瘤等疾病

性格因素

- ☐ 做事追求完美
- ☐ 很注意身体变化
- ☐ 即使疲惫了也不休息
- ☐ 对不适采取忍耐的方式
- ☐ 情绪容易低落

环境因素

- ☐ 刚参加工作或换工作
- ☐ 有调动工作的情况
- ☐ 和婆婆一起生活
- ☐ 刚失恋或是离婚
- ☐ 刚结婚或是搬家
- ☐ 突然因为工作或是孩子开始忙碌

PMS 和更年期的关系

▶ 对女性来说，激素的每月的周期变化过程和一生的变化过程很相似，进入青春期，激素分泌开始提高，迎来月经稳定期，然后经过高峰期开始回落，最后进入更年期开始减退。无论是更年期障碍还是 PMS，都是发生在激素分泌的低谷期，很容易暴露自身的弱点。女性能习惯每月的 PMS，并且能轻松应对的话，实际上就是为更好地度过更年期做准备。

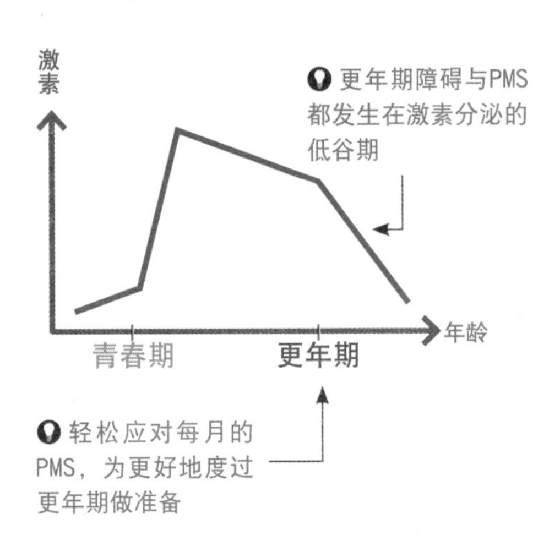

PMS 和不孕症

▶ 在接受不孕症治疗的女性当中，很少有向医生提及 PMS 的。这主要是由于怀孕心切，对每月的激素的变动采取了肯定的态度。同时，我们也可以认为，在这些女性意识中，每月的这个时期，与其说是月经前的不适期，倒不如说是希望怀孕、希望月经不要来的心理期望期，因而对 PMS 的感觉就变得十分迟钝。

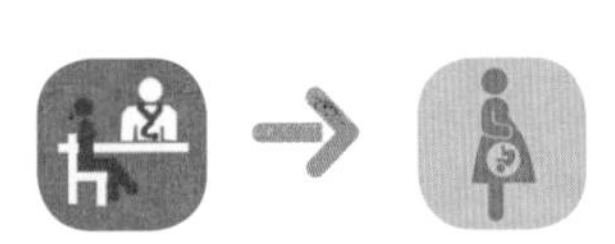

很多有不孕症的女性会因怀孕心切而忽视PMS的存在

自我减轻 PMS 症状的方法

症状

心情烦躁，对周围的事物感到厌恶，情绪也越来越低落。即使明白这些事情，但总是不能避免进入恶性循环的状态，身体情况也越来越糟糕，不适感也越来越强烈。为了应对以上的这些情况，我们应该掌握一些有效的方法，来使自己在这个时期变得轻松、愉快一点。

提前向周围的人说明，寻求理解

▶ 及时把这个时期的不适情况向家人和朋友说一说，能起到很好的放松效果。在公司也是一样，提前和同事或是上司说明，请求他们在自己出现错误的时候及时指正或是提醒自己注意说话的方式等，这样也可以减少问题的发生。

只要提前说明则可以避免一些不必要的冲突和麻烦

正确认识月经周期，掌握 PMS 症状

▶ 正确认识月经周期，把握 PMS 的规律，努力不要和亲近的人发生冲突，好好休息，这样可以很容易地度过这个特殊时期。

把握PMS规律首先就是要测量基础体温

如果觉得测量很麻烦，也可以只记录一些平日的身体状况、乳房的肿胀程度、所服用的药物等等，了解自己身体的节奏，也对应对PMS有帮助

避免给自己增加新的压力

▶ 这个时期应该尽量避免给自己制造新的压力。这个时期身体对糖分的需求很多，因此不应该节食、减肥等，不要过分责备自己，否则会使情绪更加低落。“这样吃没有问题的”“原谅自己好了”“等月经来了以后就好了”等，多采用这样的暗示来使自己更加放松。

控制盐分和酒精的摄入

▶ 盐分摄入过多的话，细胞对水分的要求也会增多，容易导致身体出现水肿。另外，这个时期喝酒很容易醉，而且不容易清醒，这样只会使身体更加不舒服，因此应该控制。

这个时期，对身体的水肿特别在意的女性就应该在饮食方面多加注意

彻底放松身体

▶ 洗澡时间是放松的最好机会，可以在水中加一点花瓣、药草等，调理一下皮肤，还可以加入几滴植物精油，在淡淡香气中放松身心。建议使用一些可以调节激素分泌、缓解不安情绪的精油，效果会更好。

对自己好一点

▶ 这个时期是自己最需要安慰的时期，不如做一些平时想做而没有做的事情，让自己放松一下。同时，还可以多吃一点甜食，如巧克力、蛋糕等，补充一下身体的糖分！心情好了，不适的感觉也会减轻！

一整天都待在自己的屋子里，吃自己喜欢的东西，听听音乐和朋友聊聊天，都不错

减轻自我压力

▶ 月经前的情绪低落和烦躁不安对女性来说是十分正常的，因此不必强迫自己打起精神，等月经一到就会自然恢复的。如果假装心情很好，总是面带微笑，那就是欺骗自己，即使心情真的很郁闷，用“这样也可以”“这也是没有办法的事情”等信息来暗示自己也是不错的，强行振作有时还会适得其反！

避免和陌生人接触

▶ 在这个时期，有的女性会出现反常现象，比如购物的时候容易买些多余的东西等等。因此最好控制和外人接触。自己待在房间里面看看电视、看看书，慢慢度过这个特殊的时期，也可以做些运动，但是不要过量。

适合待在房间做些喜欢的事。尽量避免需要与人合作的诸如打网球之类的活动，可以进行一个人完成的游泳、慢跑等健身项目

PMS 症状的治疗方法

有的女性即使每个月都不太舒服，怀疑是 PMS，但也总是下不了决心去医院接受检查。如果症状不是太严重，可以自己采取一点措施顺利地度过这个时期的话，也没有什么大的问题。但是如果症状很明显，难受得只能躺在床上，或者是和他人摩擦严重，影响到了家人和自己的日常生活的话，还是建议去医院检查一下。

症状不是太严重可以自己采取一点措施顺利度过

症状很明显的话建议去医院检查

治疗方法的种类

减轻PMS的医学手段！

在妇科，通过问诊，对生理、心理、行为各方面进行检查，确定这些症状会在月经来临之后自动消失的话，就可以认为是PMS。但有时也会在问诊的基础上进行内诊等各项检查，以排除例如子宫内膜异位症、卵巢囊肿等妇科疾病的存在。

□ 用激素进行调节

▶ 雌激素分泌过多会造成乳房肿胀，在这种情况下，通过药物提高体内黄体激素的含量，达到激素平衡，就可以缓解疼痛。如果是促进乳汁分泌的激素分泌过多导致的肿胀，可以服用减少该激素分泌的药物，但是这种药物不良反应较大，服用时应该谨慎。

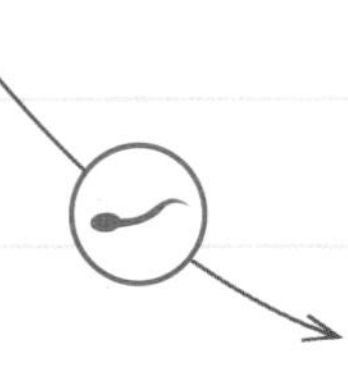

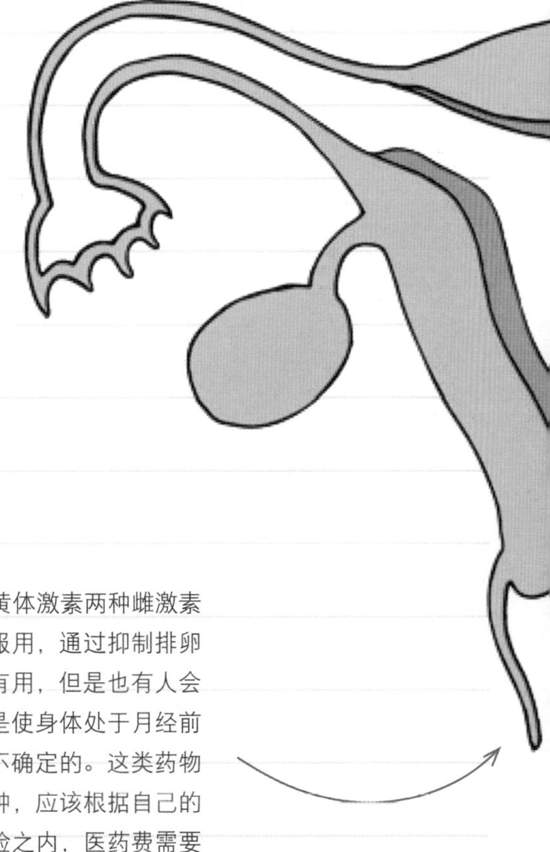

□ 通过抑制排卵来减轻PMS

▶ 低剂量的避孕药，是含卵细胞激素和黄体激素两种雌激素较少的避孕药。可以让希望避孕的患者服用，通过抑制排卵来减轻PMS的症状。虽然对大多数人很有用，但是也有人会出现恶心呕吐的症状，而且服用避孕药是使身体处于月经前期，是否会导致PMS时间增长，这也是不确定的。这类药物根据具体激素的数量的不同也分为很多种，应该根据自己的需要服用，而且现在避孕药不在医疗保险之内，医药费需要自己负担。

□ 止痛片、安神药等

▶ 对于症状特别严重的病人，医生会使用对症的药物进行治疗。如果是头痛、腹痛医生会使用止痛片；如果是失眠，则使用镇静安眠药；如果是情绪烦躁不安，要服用安神的药；便秘的话，服用通肠胃的药物。如果症状比较多，除了吃很多种不同的药物，医生还会建议患者服用中药来进行整体的调理。

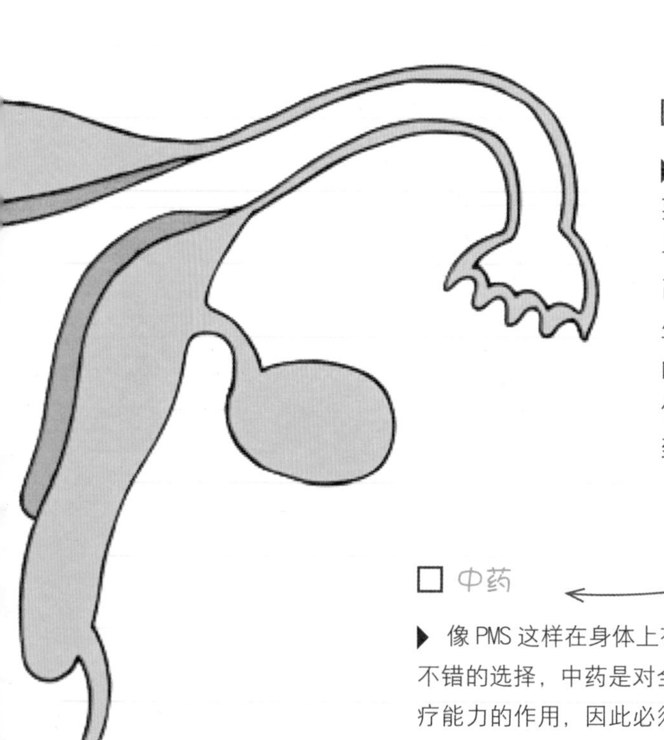

□ 心理辅导

▶ 有的人心理症状比较严重，这就需要医生或是心理医师对其进行心理辅导。即使是简单的谈话，或听病人讲自己的病症，也可以缓解病人的不适。医生可以通过向病人介绍如何应对月经期的烦恼、如何在特殊时期与人交往等，使病人能更好地处理自己的情绪，以达到缓解症状的目的。

□ 中药

▶ 像PMS这样在身体上有很多种表现的病症，服用中药也是不错的选择，中药是对全身进行调节，有引发身体自身的治疗能力的作用，因此必须根据自身的体质进行服用。而且，中药的特点是不仅仅针对月经前的不适进行治疗，而是通过长期服用，对全身的状态进行调节。中药虽然也可以在药店买到，但如果和体质不符，就会产生不良反应。而且，即使是PMS，也有可能隐含了某种妇科疾病，因此不能自己治疗，一定要咨询医生或是药剂师。

改善子宫环境

疼痛 原来是子宫在求救

子宫是女人非常重要的器官，
是产生月经
和孕育胎儿的器官。
女人保护好子宫
就等于可以延缓衰老，
保持青春。

非正常出血

痛是最直接的求救

原来是子宫肌瘤惹的祸

改善子宫环境，有带无炎症

“即便很担心，也不好意思开口，不愿意去医院”。因为白带而烦恼的人还不少！每个成年女性，都会有白带，如果出现异常，就是炎症或其他感染的信号。为了更好地应对白带，减少烦恼，让我们先了解一下什么是白带！

白带是什么以及它的作用

只要是成年女性，日常都会有白带，如果出现异常，就是生殖器官有炎症、受感染的信号。

白带是阴道内分泌的黏性液体，具有清洁自净作用。白带的首要作用是防止各类杂菌进入阴道，这称为“自净作用”。女性的生殖器（卵巢、输卵管、子宫、阴道等）自外阴开始到阴道、子宫，都是连接在一起的。而且阴道口和肛门很接近，非常容易受感染。

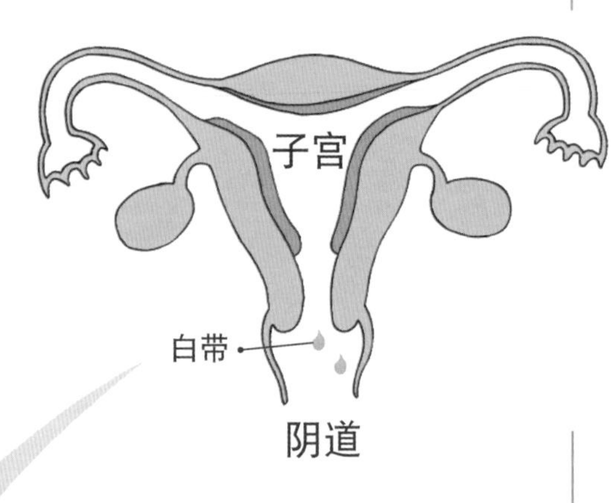

白带 → 防卫、清洁

白带中含有死亡细胞，也就是说它除了防卫功能外，还具有清洁功能

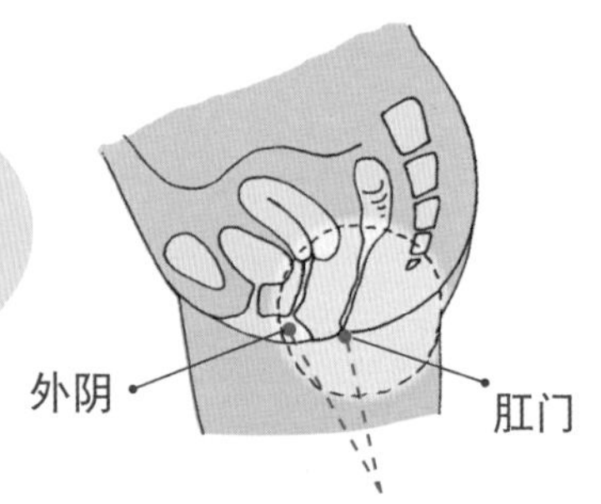

阴道口和肛门很接近，非常容易受感染

白带如同眼泪保护眼睛一样时刻保护着女性身体，保持身体内部的酸性环境，抑制杂菌的侵入。

促进受精

▶ 白带也会随着月经周期的变化而在质和量上发生变化，尤其是在排卵期。在排卵期来临之前，白带的量会增多，拉丝度增强。这种黏液能送精子进入子宫，因此，对促进受精十分有益。

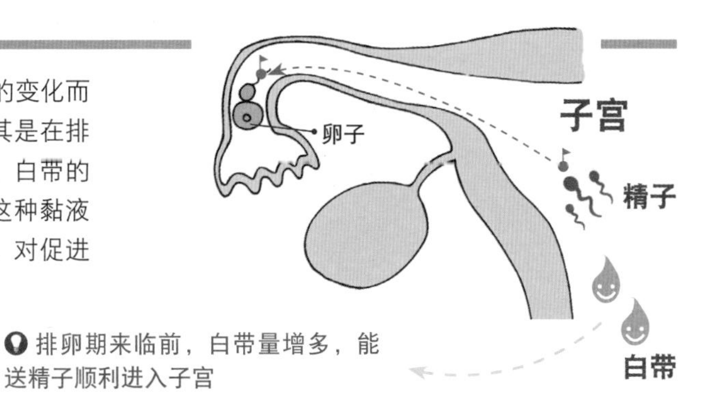

排卵期来临前，白带量增多，能送精子顺利进入子宫

白带是子宫、阴道等分泌物的综合

▶ 女性生殖器各个部位的分泌物的集合体，称为白带。它含有子宫内膜分泌的黏液，宫颈分泌的黏液等，还有脱落的死亡细胞和外阴部、汗腺等部位的分泌物，成分十分复杂，对女性身体有着巨大的作用。

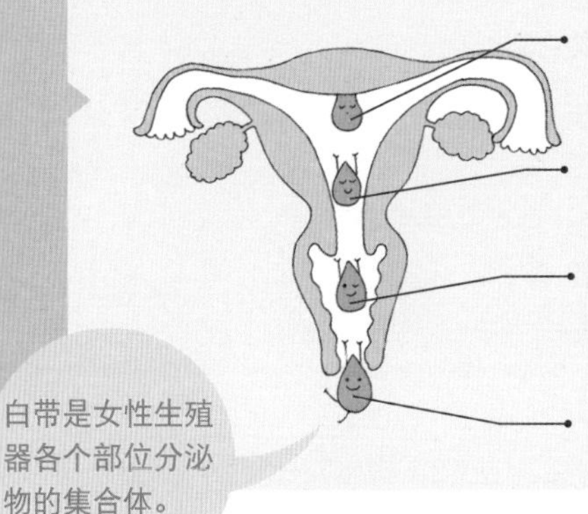

白带是女性生殖器各个部位分泌物的集合体。

白带会随着月经周期不断变化

▶ 白带的变化和雌激素的周期性变化密切相关。雌激素分泌旺盛的时期称为卵泡期。雌激素会在排卵进行前，促使宫颈分泌黏液，使精子更容易进入子宫。所以，在排卵前3～4天，白带量会增加，黏稠度也较高。排卵结束后，进入黄体激素分泌旺盛的黄体期，白带就呈现浑浊、像糊一样的状态，而且到了月经前，量也会增多，气味也会加重。月经期结束后，又进入卵泡期，白带又会减少。

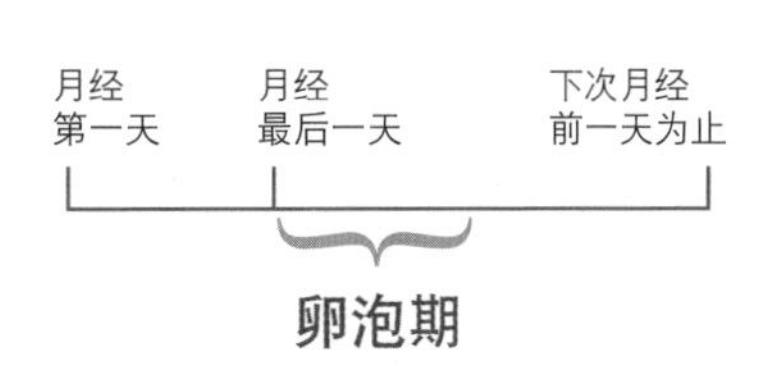

雌激素会在排卵前促使宫颈分泌黏液，使精子能轻而易举地进入子宫

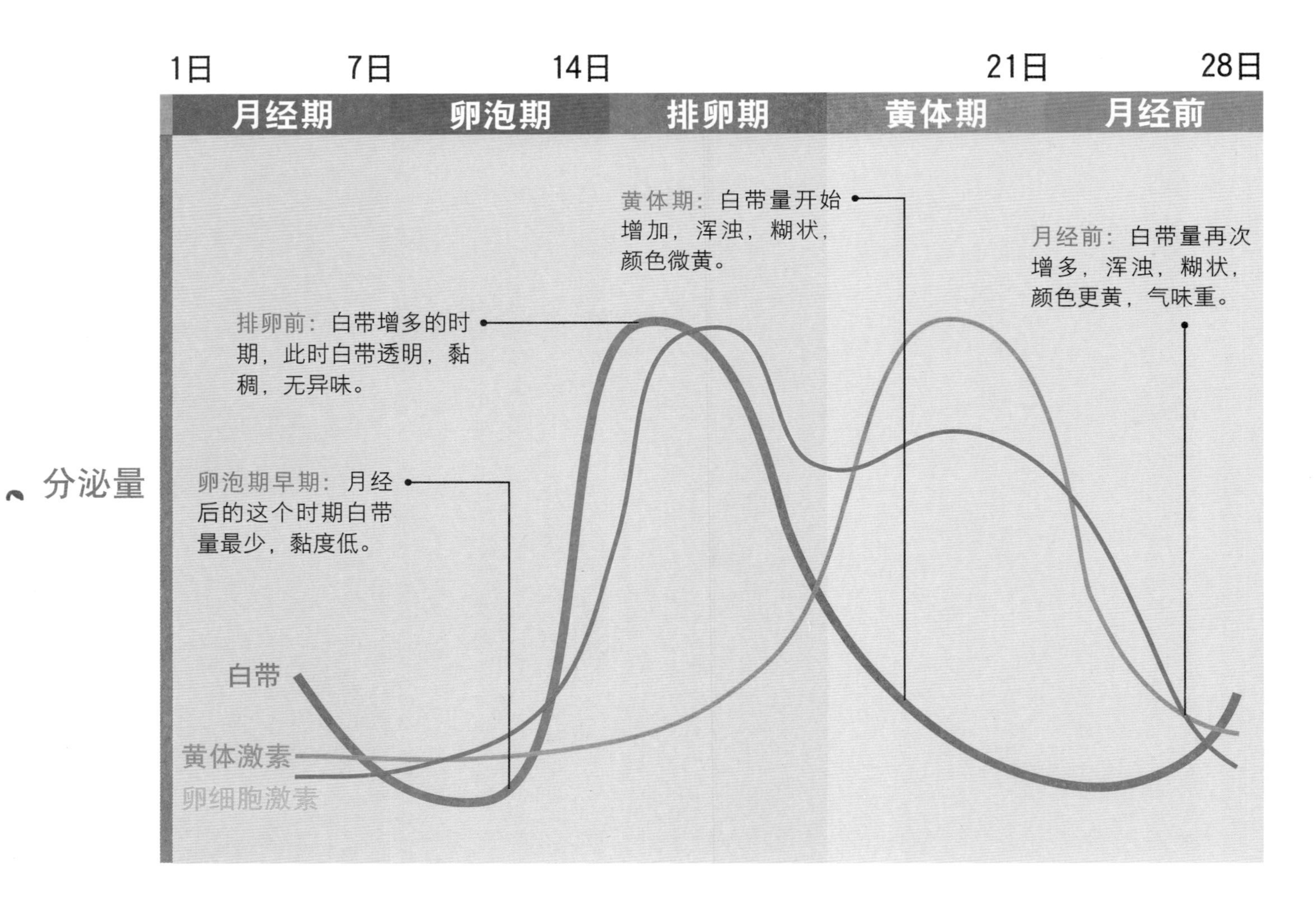

1日
7日
14日
21日
28日
月经期
卵泡期
排卵期
黄体期
月经前
分泌量
黄体期：白带量开始增加，浑浊，糊状，颜色微黄。
月经前：白带量再次增多，浑浊，糊状，颜色更黄，气味重。
排卵前：白带增多的时期，此时白带透明，黏稠，无异味。
卵泡期早期：月经后的这个时期白带量最少，黏度低。
白带
黄体激素
卵细胞激素

白带的量会随年龄的变化而变化

▶ 白带的出现是女性成熟的标志。幼年时期和老年时期是几乎没有白带的。这和增强女性魅力的雌激素密切相关，由于激素分泌状态的不同，不同年龄的女性白带的量和气味是不同的，一般有20～30岁、30～40岁、40岁以后以及孕期等这几个典型阶段。

白带＝女性成熟标志

不同年龄段女性的**激素分泌**不同，从而白带的**量**和**气味**不同

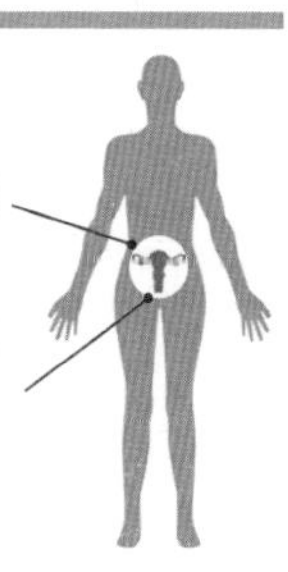

20～30岁 20岁出头是雌激素分泌最旺盛的时期，随着身体各个器官的成熟，白带的量也不断增加，但这个时期白带的气味不强烈。

30～40岁 35岁以后，卵巢功能进入成熟后期，白带的量还是会慢慢增多。虽然卵巢功能成熟，但身体已经开始进入衰退期，新陈代谢开始减慢，白带的气味也会比较强烈。

40岁以后 随着卵巢功能的衰退，雌激素分泌减少，白带量也逐渐减少，闭经以后，则几乎没有白带的分泌了。

孕期 孕期由于雌激素和黄体细胞激素分泌都十分旺盛，白带的量也会增多，尤其是怀孕初期，为了保护还不稳定的胎儿不受细菌的侵扰，白带的量会特别多。

贴士

很多人很注意白带量的多少，其实这完全因人而异。20～30岁的女性普遍较多。而且进入排卵期前或是月经前，上厕所的时候能明显地感觉到白带的分泌和排出，这些都是正常的，不用担心。

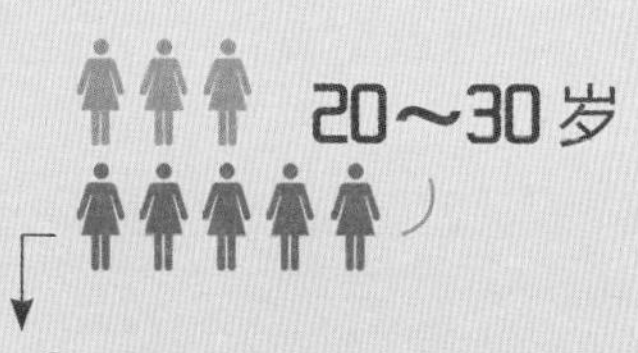

20～30岁的女性普遍白带量较多

26 白带自检表

由于白带量的多少因人而异，而且会随着生理周期的变化而变化。

<table>
<tr><th>颜色状态</th><th>气味</th><th>疼痛／瘙痒</th><th>其他症状</th><th>可能出现的问题</th></tr>
<tr><td>□透明或半透明；排卵前黏稠，后变为糊状；底裤上即使有黄颜色也没什么问题</td><td>□有点发酸；过 30 岁后气味会变强烈；时间过长并挥发后，气味变得更重</td><td></td><td></td><td>◆健康状态</td></tr>
<tr><td>□有块状成分在里面</td><td>□夜里睡不好，瘙痒</td><td></td><td></td><td></td></tr>
<tr><td>□开始时是白色，后变为豆腐渣状，而且沾于外阴部，有的还会残留在阴道里面</td><td>□没有特殊的气味</td><td>□阴道内很痒，外阴也会痒，挠的话会有同感。夜里睡觉的时候由于温度升高，会变得更痒</td><td>□身体状况不太好，有服用抗生素类药物，在性交后状况更明显</td><td>◆真菌性阴道炎</td></tr>
<tr><td rowspan="3">□深黄色白带或是泛绿色的白带，有时会有泡沫混在里面，颜色也变深了</td><td>□有腥臭味</td><td>□外阴部奇痒，排尿的时候有刺痛，走路摩擦也会痛</td><td>□性交后症状更明显</td><td>◆滴虫性阴道炎</td></tr>
<tr><td>□有腥臭味</td><td>□阴道内部不痒，但是外阴瘙痒，发红，会有糜烂现象</td><td>□身体状况不好</td><td>◆细菌性阴道病</td></tr>
<tr><td>□有腐臭味</td><td>□无明显疹子或瘙痒</td><td>□阴道内有避孕套、卫生棉条或其他异物</td><td>◆细菌性阴道病或异物性阴道炎</td></tr>
</table>

因而不能单纯地从量多量少上判断是否有异常。但是如果颜色、状态有变化，或者出现异味、发痒那就有可能出现问题了。

颜色状态	气味	疼痛／瘙痒	其他症状	可能出现的问题
□产生黄色的白带或是绿色的白带	□无明显气味	□外阴瘙痒、红肿，排尿的时候尿道疼痛，同时伴有下腹疼痛	□性交后症状明显，性伴侣身上也有排尿痛症状	◆淋病
□黄色或是绿色的白带	□无明显气味	□有时伴有下腹疼痛	□性交后症状明显，性伴侣身上也有排尿痛或不规则出血症状	◆非淋菌性阴道炎
□带血色的白带	□有腥臭味	□外阴部奇痒，排尿时有刺痛，走路摩擦也会痛	□性交后症状明显	◆滴虫性阴道炎
□有粉色或橙色的白带产生	□有腥臭味	□阴道无明显的瘙痒感，但外阴红肿，有糜烂	□体质不好	◆细菌性阴道病
	□有腐臭味	□无明显疼痛或瘙痒	□阴道内有避孕套、卫生棉条或其他异物	◆细菌性阴道病 ◆异物引起的阴道炎
□像脓一样呈黄色，带血	□无明显气味	□外阴无瘙痒感、糜烂，下腹部、腰部伴有疼痛	□发热，呕吐，出现非正常性出血	◆附件炎
□透明白带中带红色或褐色	□有腥臭味	□无明显疼痛或瘙痒	□伴有不规则出血	◆宫颈息肉 ◆宫颈糜烂

炎症产生的原因和治疗方法

妇科疾病一直是困扰不同年龄段女性的罪魁祸首，尤其是已婚女性发病概率更大，往往容易被各种妇科炎症所侵害。妇科炎症是女性的常见疾病，主要是指女性生殖器官的炎症，如外阴炎、阴道炎、宫颈炎、子宫炎、盆腔炎、附件炎等。由于女性特殊的生理结构，使得女性长期处在妇科炎症的威胁当中，而引发炎症的原因多种多样，有时甚至几种炎症同时感染。因此，应准确找到发病原因，采取针对性的治疗。

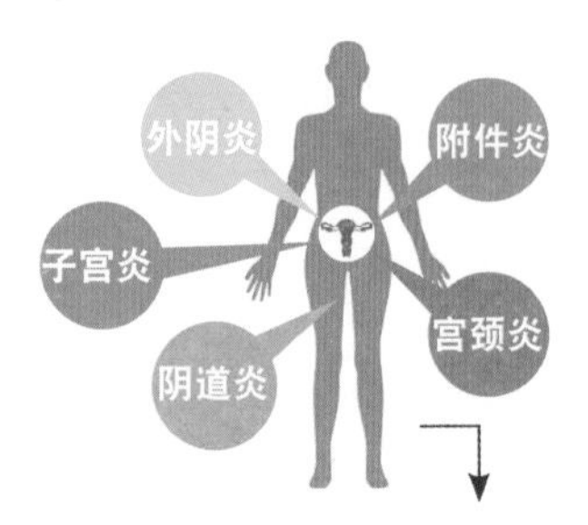

几乎所有的女性都有妇科炎症史，其中已婚女性的发病概率更大

真菌性阴道炎

▶ 由于真菌在阴道内繁殖而引起。这种真菌平时在皮肤或黏膜下寄生，健康时不发生作用，但身体不适时，抵抗力下降，或是过分服用抗生素、过度减肥、怀孕等情况下会发病，也有在性交时感染的情况，占白带问题疾病的大多数。

治疗方法

▶ 用杀菌栓剂或是软膏，用内服药也可以，注意增加营养，增加抵抗力。如果怀疑和性伴侣有关，应注意同时治疗。

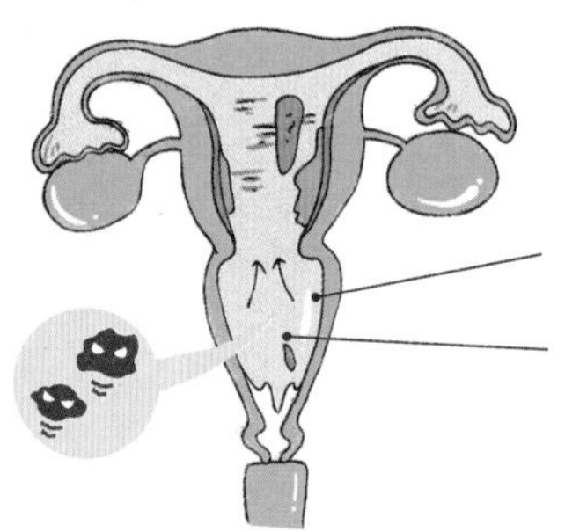

真菌性阴道炎 → 真菌在阴道内繁殖

滴虫性阴道炎 → 滴虫在阴道内寄生 → 传染性强！

滴虫性阴道炎

▶ 由于滴虫在阴道内寄生引起，虽然多是由于性交感染的，但由于传染性非常强，也很有可能在浴室等地方被传染。虽然身体健康时的症状不明显，但是会在体质下降时发病。

治疗方法

▶ 栓剂或是内服药，多补充营养，增加体力，缓解压力也有助于治疗。性伴侣也应该同时接受治疗。

细菌性阴道病

▶ 由阴道附近的大肠杆菌、球菌、链球菌等普通细菌引起。体质不好时，阴道的自净能力下降，这些细菌就会引起炎症的发生。

治疗方法

▶ 清洁阴道内部，用相应的抗生素、栓剂或口服药等，症状容易控制也容易复发，应多注意营养摄入平衡和适当休息，注意性生活卫生。

过度清洁 → 感染

有些女性为了保持卫生，经常采用药用洗液来灌洗阴道，很容易破坏阴道的酸碱环境，容易感染上细菌性阴道病

淋病

▶ 由于淋菌感染引起，以泌尿生殖系统化脓性感染为主要表现的性传播疾病。是典型的性病之一，多由性交传染，少数可能在接吻时感染。

治疗方法

▶ 服用或注射青霉素类药物。最近也发现了对青霉素有抵抗力的淋病菌株，为防止传染禁止性交，同时性伴侣也应接受检查和治疗。

淋病多发生于性活跃的青年男女。儿童或体弱者尤其容易受到传染，如不及时治疗，可能会造成不孕

非淋菌性阴道炎

▶ 由引起沙眼的细菌引起，可以通过性交传染。最近年轻女性感染者也在增加。由于女性感染者没有明显的不适症状，等到发现的时候，很多细菌都已经侵入到输卵管、骨盆内部，引起不孕，是十分可怕的疾病。

治疗方法

▶ 服用抗菌剂或抗生素2~3周，治疗期间严禁性交，性伴侣也应该同时进行治疗。

附件炎

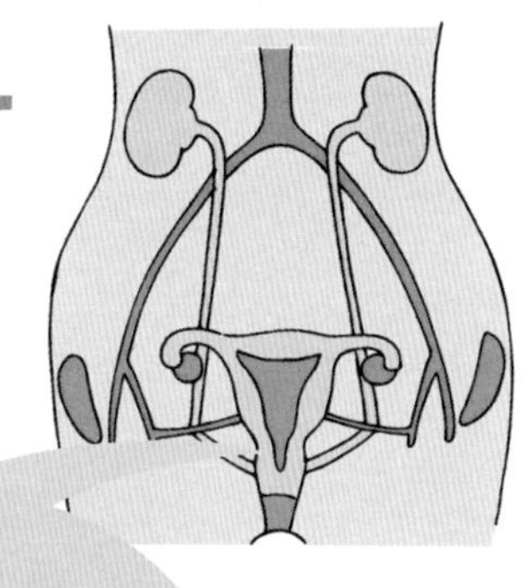

▶ 附件指的是阴道、子宫、输卵管、卵巢等，宫颈管、子宫内膜、输卵管、卵巢、盆腔腹膜等受到细菌的感染，流产或分娩的过程中受伤都会引起炎症的发生，很多都是从外阴部或是阴道中传染的，不及时治疗会引起不孕。

治疗方法

▶ 主要是有针对性地服用抗生素，坚持用药直到医生说可以了为止，切不可炎症消失就立即停药，而且性生活也应该注意卫生。

附件炎是致病微生物从外阴部或阴道中传染，引起输卵管、卵巢感染的常见疾病。未婚、已婚女性均可发生。由于可使输卵管闭锁，会导致不孕，诱发炎症与其他并发症

宫颈糜烂

▶ 虽然称为糜烂，但是通常都只是有赤红现象，不发生溃烂，**80%～90%的女性**都有这种现象，并不是疾病，子宫、阴部真正糜烂的情况下称为真性糜烂。

治疗方法

▶ 假性糜烂不需要治疗，真性糜烂炎症反复发作的情况下，需要服用抗生素类药物或是激光手术。

宫颈管息肉

▶ 宫颈管内长了息肉引起的，原因不明，可能是反复炎症引起。

治疗方法

▶ 切除息肉，1～2分钟的小手术，无疼痛，也不必住院，息肉本身为良性，没有癌变的可能，但是为了安全起见，还是建议做组织检查。

异物引起的阴道炎

▶ 因忘记将阴道内的卫生棉条等物体及时取出，伤害了阴道壁，造成细菌繁殖。

治疗方法

▶ 炎症严重应使用消炎药等，细菌繁殖严重时与细菌性阴道病治疗方法相同。记住要将卫生棉条等物体及时取出，并注意性生活卫生。

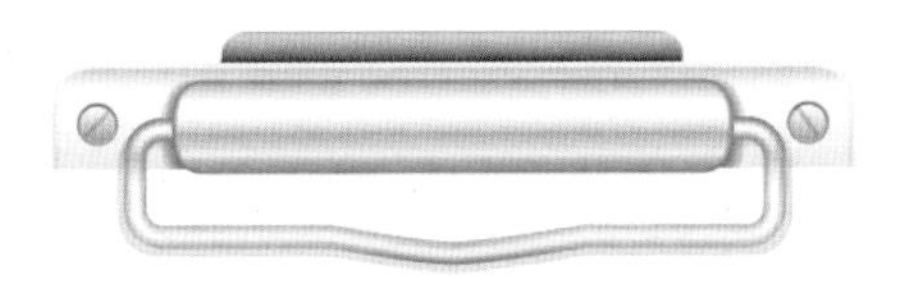

外阴瘙痒，阴毛根部有白屑是怎么回事

□ 外阴部起豆状的疹子

▶ 摩擦时疼痛，时间久了会自然脱落，化脓。若在同一个地方反复生长，则可能是皮脂积聚，细菌滋生引起的“毛囊炎”，不注意清洁，卫生巾不及时更换时经常会发生。

治疗方法

- 清洁
- 穿宽松、透气性好的内裤
- 如果疼痛过强，也可使用抗生素等

治疗方法

- 勤换内裤、寝具
- 将阴毛剃除，涂点消炎粉或是杀菌软膏

▶ 也可能是由寄生在阴毛根部的毛滴虫引起的，不但会通过性生活传染，共同的寝具、游泳池也可能传播。

□ 外阴部和下腹部有米粒状的疹子、水泡

▶ 外阴部瘙痒难忍，尤其是夜里上床之后，外阴部和下腹部有米粒状的疹子，还有水泡，这是由疥癣虫寄生引起的，不但可以通过性生活传染，衣服、寝具也能传染。

治疗方法

- 平时应注意清洁
- 使用相应的软膏

□ 外阴部有米粒大水泡

治疗方法

- 涂抗病毒性软膏
- 吃消炎镇痛的药物

▶ 外阴部有米粒大水泡，摩擦时发痒，有排尿痛，水泡破裂后有溃疡，伴有发热，可能为生殖器疱疹。虽然也可以通过性生活传染，但更多的情况是在幼儿时期被传染却一直没有发作，由于疲劳、压力过大等原因发病，治疗后也易复发。

问1. 白带和性液有什么区别呢?

妇科专家解答：白带是由子宫内膜、子宫颈、子宫黏膜分泌的黏液、死亡细胞、外阴部的汗腺、皮脂腺等女性生殖器的各个部分的分泌物组成。性液是由于兴奋刺激产生，由外阴部的分泌液和其他腺体的分泌液组成。白带能促进受精和保持阴部清洁，性液只是在性交时帮助男性更好地进入。

问2. 压力和白带的分泌物有关系吗?

妇科专家解答：由于白带和生理周期有密切的关系，因此也可以说和压力有很大的关系。压力能影响自主神经，从而影响阴道的自净能力，使白带的颜色、气味等发生变化。而且感冒、受凉等也会影响白带的分泌量。

白带问题一扫空

白带问题总是困扰女性，甚至给生活带来很大麻烦，下面就让我们为您解答关于白带的种种问题。

问3. 泳池、盆浴会使杂菌进入阴道吗?

妇科专家解答：通常这是不可能的。但是如果水中、坐便器上含有淋病的淋菌等传染力强的细菌的话，就十分危险。还有，癣、螨虫等可能还会残留在凳子或其他地方。所以在进入浴池之前，一定要先把凳子等可能接触到的物品冲洗干净。

问4. 不舒服可以过性生活吗?

妇科专家解答：如果是由细菌繁殖引起的疾病，应该避免。病情稳定，没有疼痛的话是没有问题的。但是为了防止治疗不彻底，应该还是按医生的指示，戴上避孕套等。患糜烂、息肉等疾病时，只要不出血或是有疼痛感，也是没有什么问题的。即使不是由细菌引起的疾病，为了伴侣的安全和卫生，建议还是使用避孕套。

问5. 清洁器具和清洁坐便器可以用吗?

妇科专家解答：女性清洁器具是放入阴道内使用的，记得不要过度使用，那样会破坏阴道本身的自净能力，有可能还会引起真菌性阴道炎等。月经结束和洗澡的时候用这个很方便，但是要注意不要将阴道附近的细菌带进阴道。使用时应该先用湿巾将外阴擦洗干净。坐便器只是清洁外阴，因此可以放心使用。

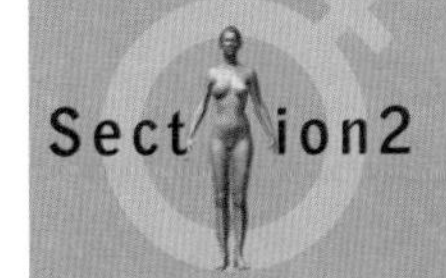

非正常出血

很多人发现过自己在非经期有出血现象。非正常出血有很多类型，月经前的出血现象，月经后期的淋漓现象，看着像是月经本身出现问题，其实都属于非正常出血。应该观察出血时间、症状，有疑问及时去医院接受检查。

非经期出血都属于非正常出血

月经是由于受到两种雌激素的影响，充血的子宫内膜萎缩脱落引起的。月经结束以后，卵细胞激素的分泌就会增多，并且在排卵之前达到顶峰。排卵之后，黄体激素开始分泌，直到月经来临之前才开始和卵细胞激素一起减少。这两种激素不仅能促使子宫内膜充血、变厚，还对内膜起到支持作用，因此分泌量一旦减少，子宫内膜就会萎缩脱落，形成月经。

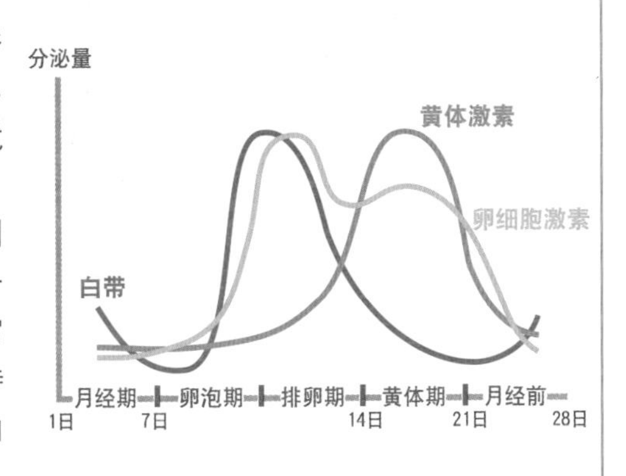

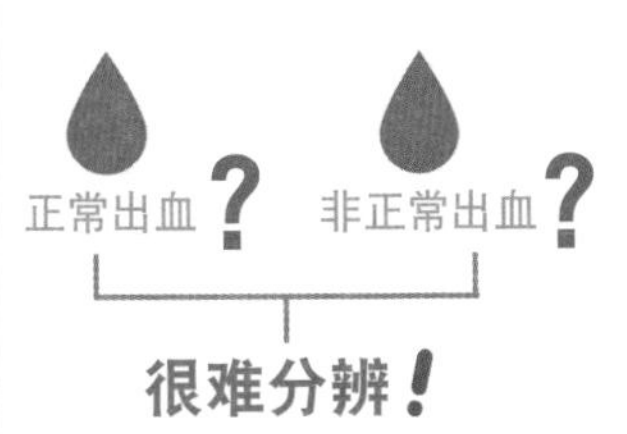

因此，非经期出的血都不是子宫内膜的血，都属于非正常出血，有的量很少，有的却像月经一样。即使看着是月经，也可能是无排卵月经，还有月经前的出血以及月经后的淋漓，很难区分到底是不是非正常出血，如果出血和经血相混，更是很难分辨，因此一定要注意。

无论是哪种形式的非正常出血，都是身体出现异常的信号，即使不是为了能早期发现癌症等危及生命的疾病，就算是单纯为了发现自身出现的激素分泌紊乱，也不能忽视这些重要的征兆。

非正常出血中有的可能是癌症等疾病的信号。不能因为出血量少或出血时间短而不引起注意

非正常出血原因及部位

▶ 除了子宫，以下的部位也可能出现非正常出血：

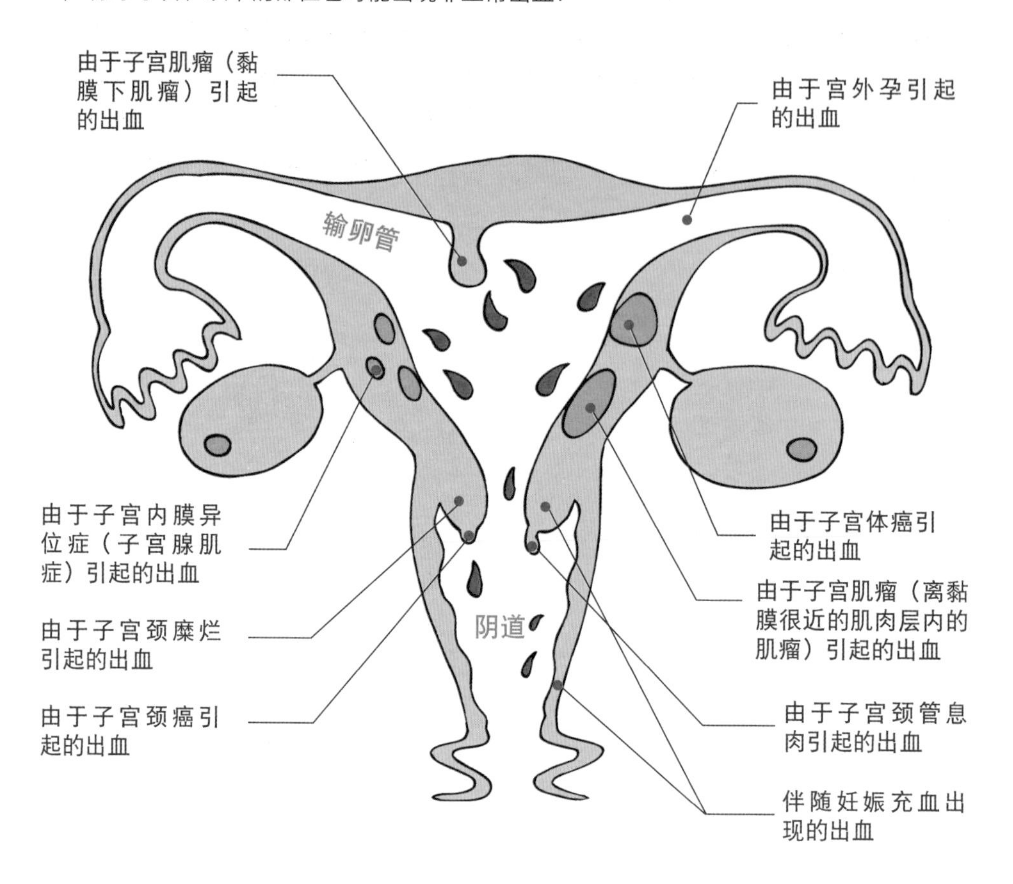

造成非正常出血的原因有哪些

由于压力过大或是过度减肥引起激素分泌出现紊乱

这是引起非正常出血原因中最常见的一种，由于激素分泌量不足，造成月经前出血或是月经后经血淋漓、排卵推迟、月经与月经期间出现出血现象等。另外，如果促使排卵的激素分泌不足的话，还可能导致出现无排卵月经。

激素分泌量不足 >>

- 月经前出血
- 月经后经血淋漓
- 排卵推迟
- 两次月经期间出血
- 无排卵月经

原因二　即使已经怀孕还是有出血现象

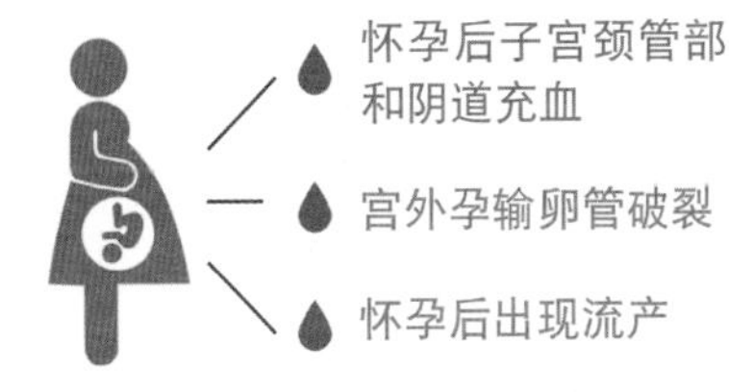

怀孕之后，子宫颈管部和阴道出现充血，因此压力增加的话就很容易出血。如果是宫外孕、受精卵在输卵管内部着床的话，输卵管破裂也可能会引起出血。另外，还可能是怀孕以后出现的流产现象。

原因三　阴道炎可能伴有瘙痒

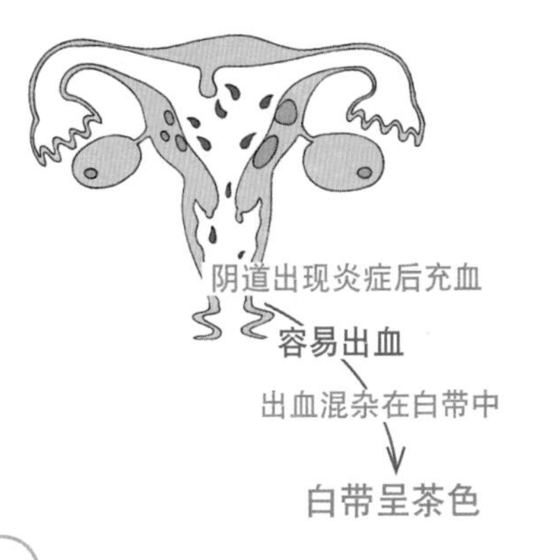

由于非淋菌性阴道炎、滴虫性阴道炎、真菌性阴道炎、淋病等疾病，阴道出现炎症之后充血，就容易出血。这种情况的出血一般都混杂在白带中，使白带出现茶色等颜色，很多人都不认为这是出血。

原因四　有糜烂或是息肉的话，性行为之后就容易出血

如果子宫内有肌瘤，增生的血管就可能在子宫内膜脱落的时候破裂，导致月经时间增长。患有子宫内膜异位症的话，异位症组织也会出血，使月经时间延长。另外，患了子宫体癌或是子宫颈癌后，癌细胞会破坏正常组织，在受到性行为等激烈刺激的时候就可能出血。患良性的子宫颈管息肉、子宫颈部糜烂等疾病的话，在性行为或是运动之后也会有出血或是白带发红的现象。

子宫肌瘤　子宫内膜异位症

月经时间增长！

子宫癌　良性子宫颈管息肉

性行为或运动后会有出血！

原因五　皮肤容易起青，出血不容易止住

患有血小板减少性紫癜病或是白血病等血液性疾病的话，出血就不容易止住，阴道、子宫等各个部位的出血就会形成非正常出血。如果是这种情况，皮肤也会很容易出现皮下出血（如淤青等）、牙龈出血等等。

非正常出血可能带来的危害

▶ 激素分泌出现紊乱是引发年轻女性出现非正常出血的重要原因，虽然它跟疾病没有直接的关系。但是如果不及时治疗，后果也会很严重。尤其是刚迎来初潮的十几岁的女性和临近更年期的女性，体内激素的分泌正出现剧烈的变化，出血量如果很多的话，就有可能导致贫血。

为了更好地生活，还是建议尽早接受治疗，调整一下体内的激素分泌状态

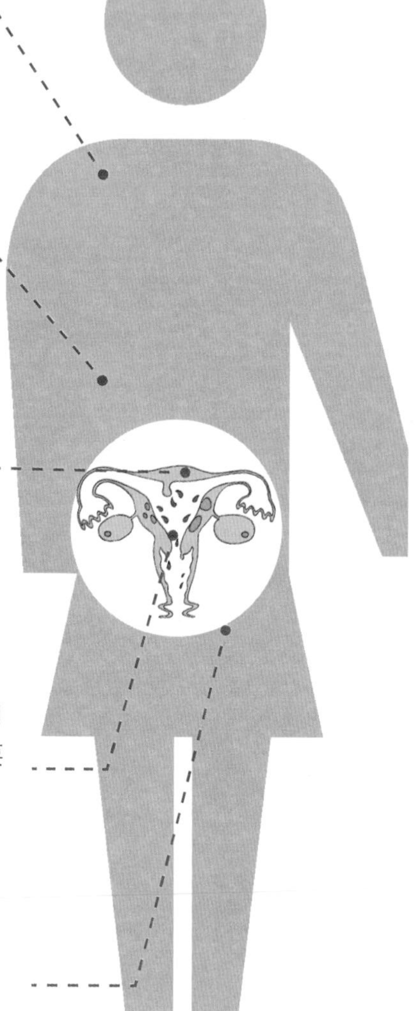

□ 内心不安 

▶ 出血会引起不安，尤其是不知道什么时候能停止、什么时候又会出现的非正常出血，更会令人感到不安，情绪也会因此而低落。

□ 贫血、血压低 

▶ 如果经血淋漓或是经常有非正常出血现象发生，就很容易导致出现贫血或是血压低。

□ 炎症 

▶ 有非正常出血的话，平时使用护垫的时间一长就有可能引发炎症。

□ 不孕 

▶ 激素分泌紊乱引起的疾病，如出现无排卵月经等，最终可以导致不孕。即使现在还不想要孩子，但是为了将来考虑，也应该及早治疗。

□ 更年期大出血 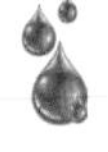

▶ 如果年轻的时候激素分泌就出现紊乱的话，到了更年期，激素的分泌会变得更加不稳定，很容易导致大出血。

从出血类型推测原因和治疗方法

经期和经期之间出血

▶ 如果是排卵期出血，就可能持续 3 ～ 4 天，并且血液会混在白带中。如果是排卵延迟而导致出血的话，量虽然很少，但很多时候会持续 1 周以上，而且呈黑色，有腥臭味。

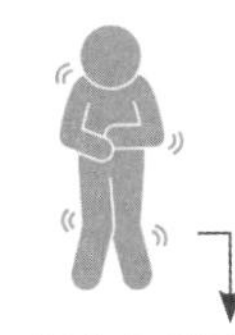

有时还可能有轻微腹痛

只持续 3 ～ 4 天的排卵期出血没有太大问题，如果持续 1 周以上，就需要去检查。

▶ 处于排卵期的时候，有时候会有几天的出血现象。这是由于在排卵之前，卵细胞激素的分泌量过度减少，导致排卵准备不充分、子宫内膜得不到支持才引起的，被称为排卵期出血或是中间出血，还可能伴有下腹疼痛等现象。

▶ 如果出血只持续 3 ～ 4 天就没有什么问题，但是如果出血量少而且出血 1 周以上的话，就有可能是大脑激素分泌不足引起排卵延迟导致的，也可能是大脑分泌的泌乳素过多，抑制了排卵发生。有的患者本身月经周期就在 39 天以上（稀发排卵），这种情况下出血持续 10 天以上都很常见。

和正常的经血不同，这种情况下的血液呈黑色，而且有气味，无论是哪种原因引起的出血，如果时间持续10天以上的话，最好还是去医院检查一下

对卵巢激素、甲状腺激素、泌乳素等进行激素检查。

▶ 如果怀疑出血是由激素的紊乱引起的，医生可能就会对患者进行激素检查，不但检查卵巢激素，还必须检查甲状腺激素、泌乳素。如果发现某种激素出现异常，就会进行对症治疗。患者的基础体温记录表或是月经周期日记等都可以成为医生诊断的重要参考。另外，要分辨清楚到底是排卵期出血，还是由别的原因引起的，只是正好在排卵期发生。还有，除了排卵期间出血，别的时间还有没有出血现象等，要解决这些疑问，最好的方法是记月经周期日记。

月经前出血

▶ 如果是黄体功能不全引起的，出血量就会很少，很容易误认为是月经提前。如果是子宫肌瘤引起的，出血量就比较大，还伴有剧烈疼痛。

主要原因是激素分泌出现紊乱，尤其是黄体激素分泌不足。

▶ 月经前出血是指在月经来临之前的一周到几天的时候，有少量出血现象，1～2 天以后真正的月经才来临，或者是出血之后马上有月经来临。这种情况很容易被误认为是月经提前，很多人都不会注意。引发这种现象的主要原因是黄体激素分泌不足。人体分泌黄体激素的功能出现问题之后，黄体期（黄体激素分泌最旺盛的时候）的时候黄体激素会出现分泌不足（黄体功能不全），这会导致充血的子宫内膜脱落。另外，如果患有子宫肌瘤（尤其是黏膜下肌瘤）的话，肌瘤会导致血管增多、子宫充血，也会引发黄体期出血现象。

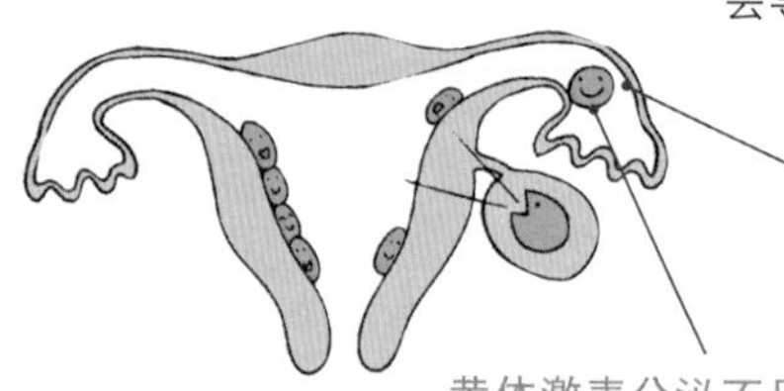

1～2 天后
月经来临前的一周到几天有少量**出血**现象
来月经

这种出血对妊娠有很大影响，应该接受激素治疗，提高黄体激素功能。

▶ 如果出血只持续 1～2 天，而且没有什么不适感的话，就不需要治疗。但是黄体功能不全也是引起不孕的重要原因之一，因此还是建议今后有生育计划的女性人工补充黄体激素，提高黄体功能。如果出血持续 1 周以上，而且还出现贫血现象的话，也建议接受激素治疗。另外，生活中的压力、本身的体质问题等也可能引起黄体功能下降。因此，有的患者接受了几次激素注射之后出血停止了，但是也有的患者在停止治疗之后又重新出血。子宫肌瘤也是引发不孕的原因之一，还可能引起严重的贫血或是疼痛。所以，应该结合自己的情况，跟医生商量之后决定是进行激素治疗还是手术治疗。

经血淋漓

▶ 如果是激素分泌紊乱引起，经血就可能发黏、发黑。如果是息肉引起，白带就可能出现浑浊并且带血色。如果是患有了宫肌瘤或是子宫内膜异位症，那么经血就是发黑油脂样的，很多情况下都会持续两周左右。

原因除了激素分泌出现的紊乱，考虑还可能和宫颈息肉和子宫肌瘤等疾病有关。

▶ 月经和平时一样，只是出现经血淋漓不断的现象的话，就考虑是激素分泌出现了紊乱。有可能是黄体激素分泌不足，导致在正常经期内子宫内膜没有完全脱落，引发经期延长。另外，宫颈息肉、子宫肌瘤、子宫内膜异位症等也可能引起经血淋漓。如果是激素分泌紊乱引起的，经血就会发黑、发黏；如果有息肉，白带就会浑浊并带有血丝；如果是子宫肌瘤、子宫内膜异位症引起的，经期结束之后就会出现发黑、焦油状或者是胭脂色等的血液，而且出血时间会持续两周左右。另外，如果出血在经期，而且持续时间较长的话，就有可能是出现了无排卵月经，这也是由激素出现紊乱引起的，和正常月经不同的是，这时的出血不会产生痛经现象。

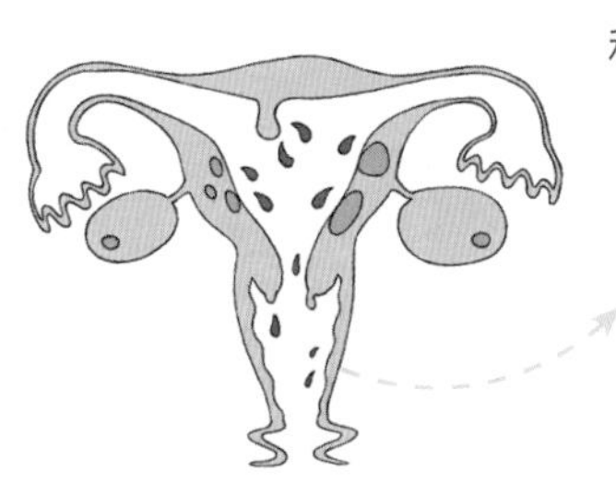

- 激素分泌紊乱：经血就会发黑、发黏
- 有息肉：白带就会浑浊并带有血丝
- 子宫内膜异位症等：经期结束后就会出现发黑、焦油状或者是胭脂色等的血液，而且出血时间会持续两周左右

经过激素检测后，进行激素治疗，也可以服用促排卵药、避孕药或是中药。

▶ 如果经血淋漓是由激素出现紊乱引起的，而且只出现一次的话，就可以服用止血剂等药物，如果每个月都出现，就应该测量基础体温，在此基础上对激素进行检测，然后针对原因进行激素疗法，这是最基本的治疗方法。具体可以有针对性地对激素进行补充，或者是服用促排卵药激化卵巢功能，也可以用低剂量避孕药对月经周期进行调节。如果对这种激素治疗有顾虑的话，还可以服用中药。

- 如果是宫颈息肉引起的出血，因为息肉本身是良性的，因此可以采取手术切除
- 如果是子宫肌瘤、子宫内膜异位症等疾病引起的，就应该及时去医院接受治疗

混合型

▶ 每月的出血时间都不同，没有固定时间。

- 经期与经期间出血
- 月经前 1 周至月经来临前出血
- 月经结束后经血淋漓
- ……

这种出血现象最近有增加趋势，是属于激素紊乱的混合型，压力也是重要原因。

▶ 经期与经期之间的出血、经期前 1 周开始出血，并持续到月经来临、月经结束后的经血淋漓……这些都可以由激素分泌紊乱引起，但是最近有增加趋势的是这几种类型的混合型。出现这种现象的原因首先考虑是生活中的压力，另外，可能与空调使用过频也有关系。身体本身就有在变化的环境中保持恒定体温的功能，在冷的时候，全身的毛孔就会闭合以保持体温，热的时候毛孔又会张开，降低皮肤温度。如果空调使用过于频繁的话，就会导致身体自身的调节功能下降，而控制这项功能的就是下丘脑，因而也会影响下丘脑的另一种功能——“保持激素平衡”功能的发挥，从而引起激素紊乱。

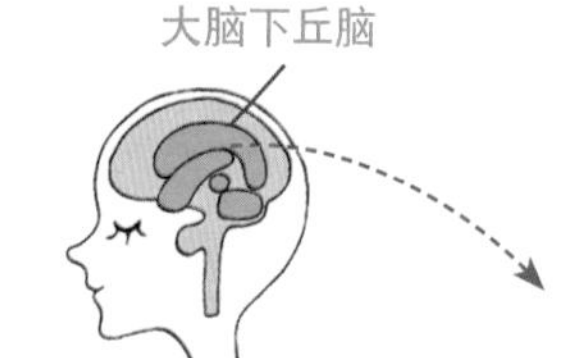

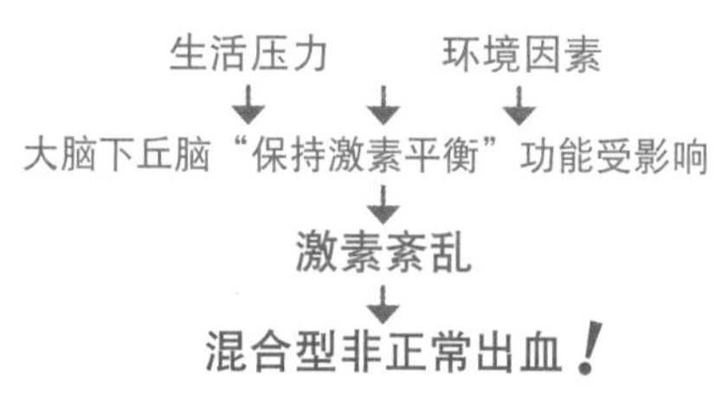

采用激素疗法、中药疗法等，再结合基础体温的测量，进行综合观察。

▶ 治疗混合型出血有些难度。一般的方法是在测量基础体温的同时对身体所缺的激素进行补充。但是由于混合型的患者体内所缺的激素种类太多，与其一种一种补充，不如使用排卵诱发剂激化卵巢功能，同时服用低纯度避孕药对月经周期进行调节。针对未婚女性对激素治疗法有排斥的现状，也可以在测量基础体温的前提下，服用中药，再进行 1～2 次的激素治疗法，之后就需要对症状进行观察。另外，还应该注意缓解生活中的压力，不要过度使用空调。

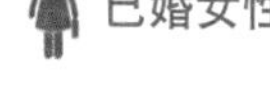

- 已婚女性：用排卵诱发剂激化卵巢功能，同时还要服用低纯度避孕药来调节月经周期
- 未婚女性：测量基础体温，同时服用中药，再进行1～2次的激素治疗

白带中混有血液

▶ 白带中出现血丝或是血液，呈橙色或是浅茶色。上完厕所之后卫生纸上有发黑的血迹。

可能与宫颈糜烂、宫颈息肉、非淋菌性感染症等疾病引起的阴道炎症有关。

▶ 宫颈糜烂是指阴道和子宫相接触的位置出现类似溃烂的红肿的现象，受到轻微刺激就会出血，因此很容易在运动之后，或是上厕所使劲之后出现出血现象。宫颈息肉是指在子宫颈内部出现的小豆大至黄豆大的息肉，很容易充血，因此受到一点刺激就会有出血现象。另外，由于真菌性阴道炎、滴虫性阴道炎、淋病、生殖器疱疹等疾病引起阴道或是宫颈管部出现炎症的话也很容易充血或出血。

息肉和糜烂只是在严重的时候才需要治疗，阴道炎需要及时治疗。

▶ 一般的糜烂只是“假性糜烂”，看起来像，其实只是红肿，真性的糜烂很少。假性糜烂不需要治疗，如果出现真性糜烂而且导致炎症反复出现的话，也只需要服用抗生素或是用激光等方式将糜烂部位切除就可以。息肉一般是良性的，需要摘除之后送病理检查，明确性质。如果是非淋菌性感染症或是滴虫性阴道炎等疾病的话，最好还是及早去医院检查。

- 糜烂：假性糜烂无须治疗，真性糜烂服用抗生素或切除
- 息肉：息肉是良性的
- 滴虫性阴道炎等：及早去医院检查

孕期出血

▶ 怀孕初期会有少量出血。宫外孕的话除了有大出血现象，有的患者还可能持续出血 2～3 周，并且血液发黑。如果是流产的话就有鲜红的血液喷涌而出。

正常妊娠也会有出血现象，宫外孕出血很容易和月经相混淆。

▶ 妊娠初期，由于阴道和子宫颈管部位充血，稍微一使劲，甚至有的时候即使不动，也可能有出血现象，这是很正常的，但是如果出血量很多，而且伴有腹痛现象的话，就有可能是宫外孕或是流产，应该马上送医院。如果是流产，就可能是一下子涌出鲜红的血液，如果是宫外孕，就有可能是在两三周的时间内一直出现发黑的血液，很容易和月经相混淆。另外，也有很多人并不知道自己曾经怀孕而且已经流产（完全流产），还以为只是月经流量突然增多而已。

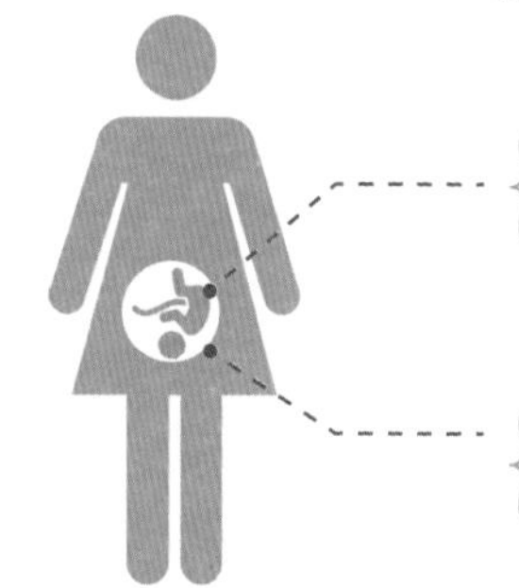

妊娠初期有少量出血 → 属正常现象

出血量很多并伴有腹痛 → 可能是宫外孕或流产，应马上就医

流产 → 一下子涌出鲜红的血液

宫外孕 → 两三周的时间内一直出现发黑的血液

如果是宫外孕，就必须及早治疗，如果是流产，根据状态的不同治疗方式也不同。

▶ 受精卵没有进入子宫而在输卵管内着床的情况称为宫外孕，受精卵长大之后，会使输卵管破裂而导致大出血，甚至会引发贫血、血压降低和出现休克，因此必须及早治疗。在输卵管还没有破裂的时候，就可以进行人工流产；如果已经破裂，就需要施行开腹手术进行止血。出现流产的话，如果子宫内还有残留组织，就需要进行刮宫手术；如果是完全流产，并且组织排出得比较彻底的话，就不需要刮宫。另外，完全流产不会影响今后的正常怀孕。

- 出血量大：如果出血量大的话，就很有可能是流产
- 不全流产：如果子宫内还有残留组织，就需要进行刮宫手术
- 完全流产：组织排出得比较彻底的话，就不需要刮宫
- 完全流产：不会影响今后的正常怀孕

性行为后出血

▶ 糜烂、息肉——出现类似于鲜血的血液和白带。
阴道炎——伴有性交痛。白带中混有颜色较深的血液或红血丝。
黏膜下肌瘤分娩——有出血现象。
癌——会出现鲜红色或是茶色的各种分泌物。

宫颈糜烂或是子宫颈管息肉受到刺激而出血，也可能是癌症的信号，需要引起注意。

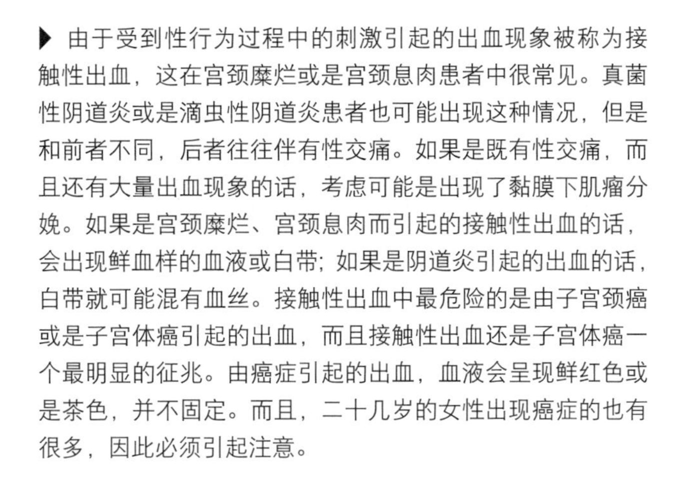

▶ 由于受到性行为过程中的刺激引起的出血现象被称为接触性出血，这在宫颈糜烂或是宫颈息肉患者中很常见。真菌性阴道炎或是滴虫性阴道炎患者也可能出现这种情况，但是和前者不同，后者往往伴有性交痛。如果是既有性交痛，而且还有大量出血现象的话，考虑可能是出现了黏膜下肌瘤分娩。如果是宫颈糜烂、宫颈息肉而引起的接触性出血的话，会出现鲜血样的血液或白带；如果是阴道炎引起的出血的话，白带就可能混有血丝。接触性出血中最危险的是由子宫颈癌或是子宫体癌引起的出血，而且接触性出血还是子宫体癌一个最明显的征兆。由癌症引起的出血，血液会呈现鲜红色或是茶色，并不固定。而且，二十几岁的女性出现癌症的也有很多，因此必须引起注意。

如出现 2～3 次出血现象，应该去医院系统地接受妇科检查。

▶ 因为也可能是癌症的信号，因此当出现 2～3 次非正常出血的时候，就有必要去医院接受检查。如果只是糜烂或是息肉，就不用担心。但是，在年轻女性中，非淋菌性感染症、子宫内膜异位症、子宫肌瘤等疾病的发病率也很高，因此就有必要接受一下系统的妇科检查。检查中，可以检测白带中是否有病菌、提取子宫细胞进行癌细胞化验、利用超声波检测是否出现了子宫肌瘤或是子宫内膜异位症，还可以检查是否有糜烂或是息肉等，最好一年接受一次这样的妇科检查。

经期性行为有很多危害，最好不要进行

女性处于经期的话，体内的子宫内膜萎缩脱落，比平常的时候更容易受到细菌的侵袭，因此最好在经期不要有性行为。有时候感觉像是月经来临，其实说不定是不完全流产，这时候更危险。另外，也有人怀疑引起子宫内膜异位症的原因是经血逆流到了输卵管内部。即使是为了不让经血逆流，也应该避免经期性生活。

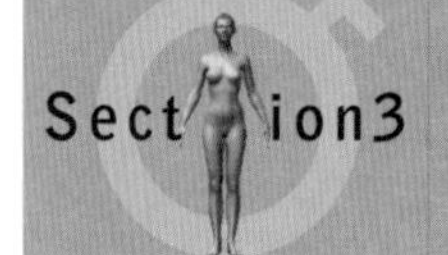

痛是最直接的求救

经期时，为了排出经血，子宫会收缩，就会引起痛经，严重的甚至会感觉像是在生小孩一样疼。可以说，每次的痛经都像是为以后分娩时抵御阵痛做演习。如果每次都痛得很厉害，就应该去医院检查检查了。

注意经期新出现的异常情况

当出现了新的异常情况，比如疼痛突然增加、流量突然增大、经期突然变短等等，这些很可能是疾病产生的前兆，一定要注意了。比如，子宫内膜异位症就会使痛经更加严重，出血量增大；而经期变短，有可能是卵巢囊肿或是卵巢功能不全引起的非正常出血。但是雌激素也很容易受到环境的影响，从而引起经期的变化。而且，随着年龄的增长，经期发生变化也是十分正常的。

疾病产生的前兆 >>

- 疼痛突然增加
- 流量突然增大
- 经期突然变短

在这种情况下，通过测量身体的基础体温，从而确定排卵是否正常，激素的分泌是否在正常范围之内，这些都是十分重要的

子宫内膜异位症

据调查 1/10 的女性都患有子宫内膜异位症，以前 30～50 岁的女性是高发人群，但是近几年来有年轻化的趋势，二十几岁女性的发病率也很高。这个疾病不但增加了经期的痛苦，而且在日常生活方面，对女性造成了很大的影响。虽然不是危及生命的大病，但是及时了解疾病的情况，寻找适合自己的治疗方法很重要。

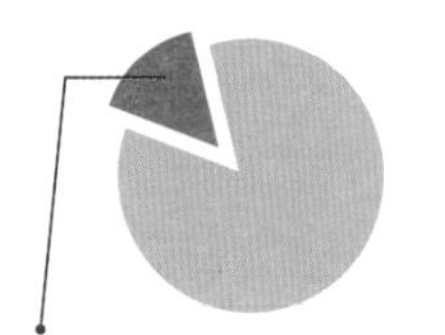

1/10 的女性患有子宫内膜异位症，二十几岁女性的发病率在逐年增高

子宫内膜异位症的三大种类

□ 子宫内膜异位症

▶ 一种是发生在卵巢、输卵管、盆腔腹膜等部位，是狭义上的子宫内膜异位症，其中，如果发生在卵巢内部，就会有类似于巧克力样的囊肿产生，因此又被称为卵巢巧克力囊肿。子宫内膜异位症的发病率最高，占子宫内膜异位症患者的 70% 左右。

□ 子宫腺肌症

▶ 第二种是发生在子宫肌肉层内部，我们称它子宫腺肌症。

□ 盆腔外子宫内膜异位症

▶ 还有一种是发生在肺部、肚脐、外阴部、淋巴结等部位，有时还发生在手术的瘢痕上，被称为盆腔外子宫内膜异位症。

子宫内膜异位症很难根治

▶ 子宫内膜异位症是指正常应该生长在子宫内侧的内膜出现在了其他部位，如出现在卵巢、输卵管、大肠附近等，并且和正常的内膜一样，经历充血、脱落的生理过程。但是由于没有出口，因此血液潴留，引发炎症。初期异位的子宫内膜几乎没有颜色，很难被发现，但是经过反复出血，体积也会慢慢变大。而且病灶分散，很难在手术中全部清除，停药后也很容易复发，因此想要通过一次治疗就想根治是很难的。但是子宫内膜异位症和癌症不同，没有生命危险，因此只要通过治疗，缓解了症状也不会出现什么问题。

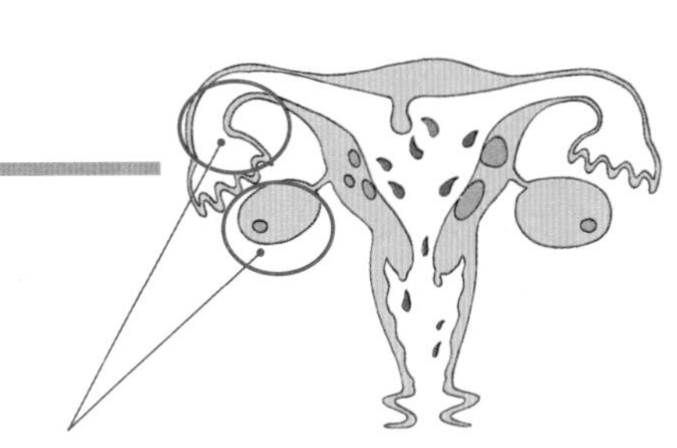

应生长在子宫内侧的内膜，出现在卵巢、输卵管、大肠等处

由于病胞分散，手术较难全部清除，且停药后易复发，因而很难通过一次治疗就根治

子宫内膜异位症和癌症不同，没有生命危险。但是由于多余的子宫内膜脱落受伤，身体会自动将内膜和附近脏器相粘连，这种粘连会让人感到疼痛和不适

▶ 子宫内膜异位症最麻烦的就是脱落的子宫内膜容易与周围脏器相粘连。就是因为这种粘连的存在，患者才会感到疼痛和不适。

子宫内膜异位症的不良影响

▶ 为什么子宫内膜异位症会发生在各个部位，原因至今还不明确，或许是因为经血逆流导致的，但也有人怀疑是由自己的饮食不调、人际交往的压力、性格导致的，因此开始产生自责情绪。子宫内膜异位症对人的日常生活、人际关系以至于性生活都有很大的影响，也因此有人变得情绪低落、无力，或是变得更加内向。

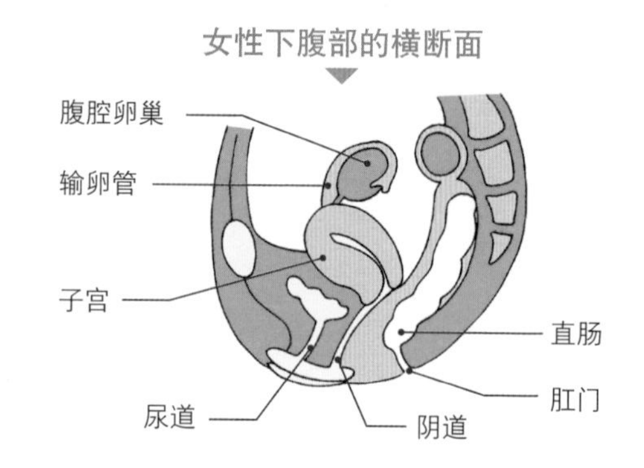

不适症状及其影响 >>

症状	比例
有时不能处理家务	61%
有时生活不能自理，需卧床休息	57%
不能实施工作计划	53%
情绪低落、身体无力	50%
觉得人生希望渺茫	39%
人际交往出现问题	35%
需要请假在家休息	35%
情绪波动较大	35%
很难设计未来人生	32%
担心以后能否怀孕	32%

不孕

▶ 虽说子宫内膜异位症不一定会引起不孕，但是不孕的女性中患有子宫内膜异位症的人确实不少，而且确诊为患有子宫内膜异位症的患者中有很多人也正面临不孕的问题。原因至今还不确定，但可能是输卵管或是卵巢的周围有黏着物，致使不容易怀孕，或者是体内环境恶化，导致受精卵不容易着床引起的。下面将要介绍的治疗子宫内膜异位症的激素治疗法需要使身体处于不排卵的状态，和不孕的治疗方式抵触很多，因此，选择一种适合自己的方法很重要。

子宫内膜异位症引起不孕的原因可能是输卵管或是卵巢的周围有黏着物，致使不容易怀孕

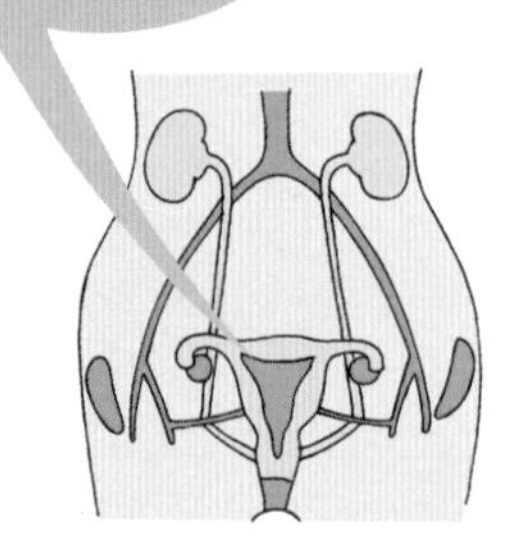

肛门疼痛、排便痛

▶ 如果患子宫内膜异位症的卵巢或是黏着的部位离直肠很近，排泄物经过直肠的时候就会引起疼痛。出现了排便痛以后，就会害怕去厕所，容易引起便秘，肛门的疼痛也会被误认为是痔疮。在这种情况下，如果还出现了便血，就一定要去医院检查一下，确定是不是直肠的恶性肿瘤引起的。在接受检查的时候，肛门或是阴道可能会感觉到疼痛。

性交痛

▶ 近一半的患者会发生性交痛，腹腔内部有了病变的卵巢或是附近有结节的话，在性生活过程中，会感觉到牵引痛等强烈的疼痛。一旦发生了性交痛，对爱人也会产生影响，尤其是还有不孕烦恼的女性，一方面想受孕，一方面又害怕疼痛，会产生很大的心理压力。其实在这种情况下，可以采取不同的姿势来减少对病变卵巢的刺激，进而减轻疼痛。

性生活过程中会引起疼痛等。采取不同姿势来减少对病变卵巢的刺激，可以减轻疼痛

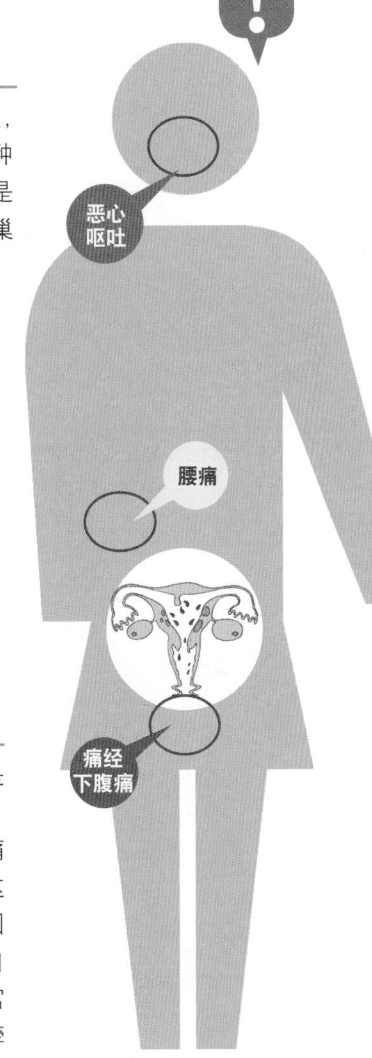

恶心、呕吐

▶ 子宫内膜异位症还可以引起恶心、呕吐等症状，在经期尤其明显，这和经期受体内某激素影响，胃部收缩有很大关系。而且，受这种激素的作用，肠收缩的话会引起腹泻，但是如果直肠有肿胀，或是后移的子宫压迫直肠的话，反而会引起便秘。肿大的子宫或是卵巢压迫膀胱的话，还会引起尿频。

腰痛

▶ 不仅是腹部疼痛，近 60% 的女性还有腰痛的症状。除了腰以外，背部、脚面也疼，而且不止是在经期。这是因为支配骨盆、腰部和脚等部位的神经都是连接在一起的，受到某种激素的影响，引发全身疼痛。另外，子宫内膜异位症还可能引起子宫后移，正常应该在腹部一侧的子宫后移到了腰部，也会感到腰部疼痛。

痛经、下腹疼痛

▶ 近 90% 的子宫内膜异位症患者有痛经症状，这是最典型，也是最难受的疼痛。典型的症状是疼痛越来越明显，吃药都没有效果。痛经产生的原因还是由于体内的某种激素，这种激素有促进阵痛的作用，但在经期的时候也会分泌，促进子宫收缩，经血就是这样排出的。但是患有子宫内膜异位症的人分泌的量比常人多，因此子宫收缩得也比较严重，加上周围的脏器也一起收缩，疼痛自然会加剧。70% 的人除了痛经之外，还会感觉下腹疼痛。患了子宫内膜异位症后，很容易在盆腔内的脏器上产生粘连，因此受到牵引的话就会引发腹痛。

月经流量增多，有血块

▶ 在子宫内膜异位症的患者中，有近 70% 的人经血中含血块，有一半的人月经血量过多。其中如果是患了子宫肌瘤的话，由于子宫体积增大，月经流量更会增多。瘀血排出当然会有血块，但是经期有特殊的酶的作用，血液可以得到溶解，因此可以顺利排出体外。如果月经流量过多，酶就会相对不足，导致经血中出现血块。如果血块体积较大，或使用夜用卫生巾也感觉不安全时，可以检查一下是否患有子宫腺肌症。

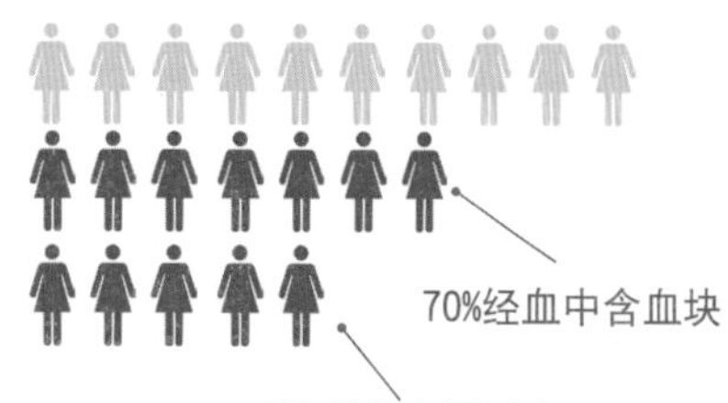

贴士

经期的时候，为了使经血顺利地排出，身体会分泌一种使子宫收缩的激素，而这种激素同时也会使全身的血管进行收缩，因此，经期就很容易出现头痛、痛经等症状。由于对疼痛的感觉也因人而异，并不是说所有的疼痛都隐含着疾病。但如果突然有一次和每次头痛、痛经等情况不一样，就要重视起来，这可能是疾病的前兆。

突然有一次和每次的头痛、痛经等情况不太一样，就要引起关注！

子宫内膜异位症的各种症状

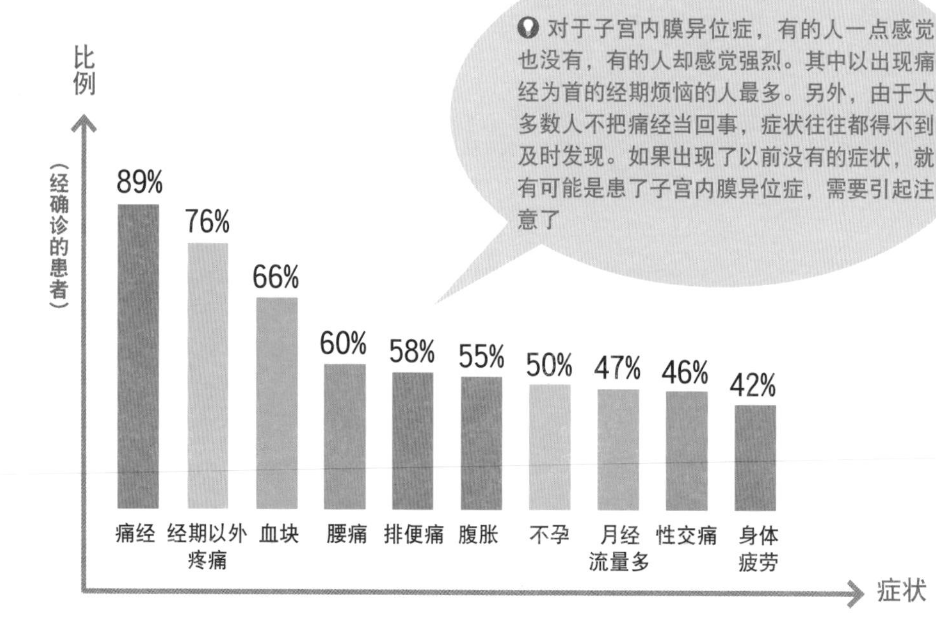

子宫内膜异位症的诊断方法

▶ 子宫内膜异位症的诊断确实有很多困难的地方。因此有的女性明明是患了子宫内膜异位症却得不到确诊，也有的人只是普通的痛经却被误诊为子宫内膜异位症，而且很多人还要忍受激素疗法的不良反应。为了能少一点担心，让我们先来了解一下正确的诊断方法。

临床诊断和确定诊断

▶ 只有看到腹腔内部的具体情况才能确认是否患了子宫内膜异位症，这是确诊最困难的地方。子宫癌等疾病可以简单地从阴道开始检查，但是位于腹膜上的病体从外面是看不到的。因此，子宫内膜异位症的诊断可以分为“临床诊断”和“确定诊断”两种。其中，“临床诊断”靠内诊、超声波就可以进行确定；而“确定诊断”需要在腹部开一个小洞，然后利用腹腔镜进行诊断。

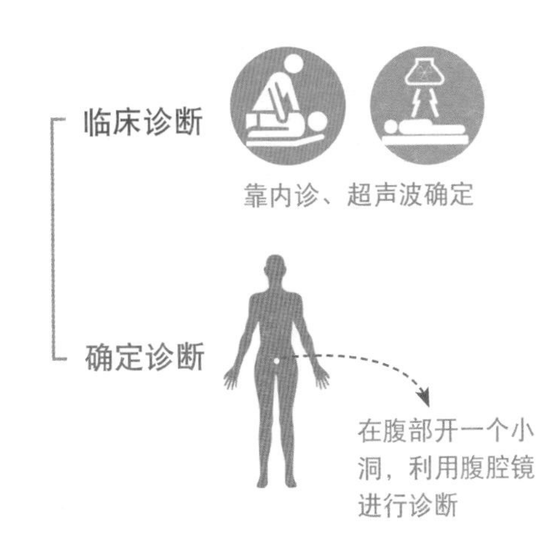

选择临床诊断还是确定诊断，视患者和医院的具体情况而定

▶ 诊断是靠临床还是通过仪器确定，这和病人的意愿、病情和医院的条件有很大关系。并不是每个医院都配有腹腔镜，而且考虑病人的身体负担等各种情况，选择临床诊断的人还是多数。如出现痛经比以前更加严重等变化，是子宫内膜异位症的特有表现。

初潮开始的痛经，或月经不调引起的痛经增强，可以排除是子宫内膜异位症

▶ 由于人们对子宫内膜异位症不了解，有的人一遇到痛经严重的情况，就认为自己是患了子宫内膜异位症，但是就疾病本身来说，确实有短时期内月经疼痛加重的情况出现。如果是从初潮开始就有痛经现象，或者是月经不调引起的痛经加重，几乎可以排除是子宫内膜异位症。只要去医院检查一下就可以确认，所以不必过度烦恼。

临床诊断的流程

▶ 如果有痛经的现象，是什么时候开始，什么时候结束的，哪里疼，怎样的疼法；是否有性交痛排便痛。如果是已经结婚，有没有不孕问题。以上这些问题，都会在问诊的时候出现。其他的基本信息，比如初潮的年龄、有无怀孕、分娩、小产或人工流产的经历，有没有做过手术等，也可能被问及。

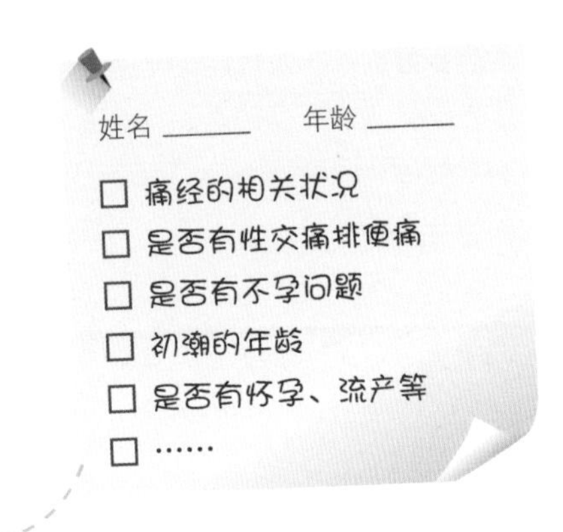

为了能向医生传递准确而完整的信息，事先准备记录本，整理好自己的问题，平时记录基础体温的女性也应把记录表带上。

▶ 上了诊断台以后，戴了橡胶手套的医生会把手指伸进阴道内部，另一只手会挤按腹部，利用这种方法来对子宫和卵巢进行检查。如果出现由于粘连子宫后移，活动差；卵巢肿胀成葡萄大或是鸡蛋大小，活动迟钝；抬起子宫颈，会出现肛门内部、子宫后方、卵巢等部位的疼痛；子宫整体肿大，变硬（子宫腺肌症）；挤压连接宫骶韧带的时候出现疼痛等情况时，患有子宫内膜异位症的可能性就比较大。

把手指伸进阴道内部，另一只手会挤按腹部检查子宫和卵巢。

总体上来说，内诊虽对每个人来说都不好受，但可以做深呼吸来帮助放松。

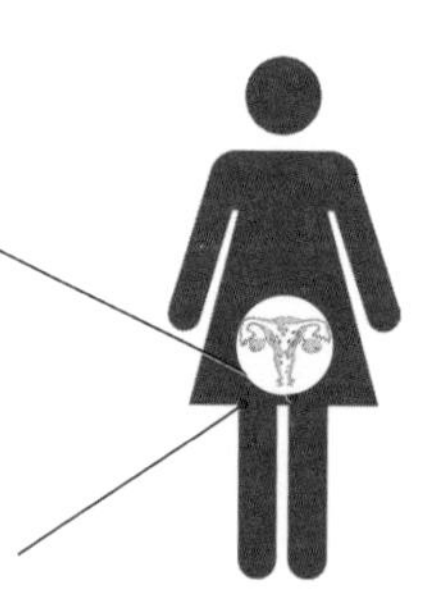

直肠检查

▶ 是指将手指伸进肛门进行检查的方法，也有把手指同时伸进阴道和肛门进行检查的情况（阴道直肠腹壁三合诊）。在患者有性交痛、排便痛，怀疑是粘连或是病变面积扩大的情况下进行。

把手指伸进阴道和肛门进行检查。

和普通的内诊相比较，可以更明确地诊断子宫后倾或卵巢的病变面积是否扩大。

▶ 是指利用超声波仪器，对腹部或阴道内部进行检查，提取骨盆内部的横断面的影像。由于深入阴道的方法距离子宫和卵巢更近，因此可以得到更加鲜明的图像，对诊断子宫内膜异位症十分有利。同时可以更确切地了解病变卵巢、子宫腺肌症和囊肿等情况。如果是没有性经验的年轻女性，应选择腹部检查的方式，但事先不允许排尿，必须注意。

对诊断子宫内膜异位症，确切了解病变卵巢、子宫腺肌症和囊肿等情况十分有利。

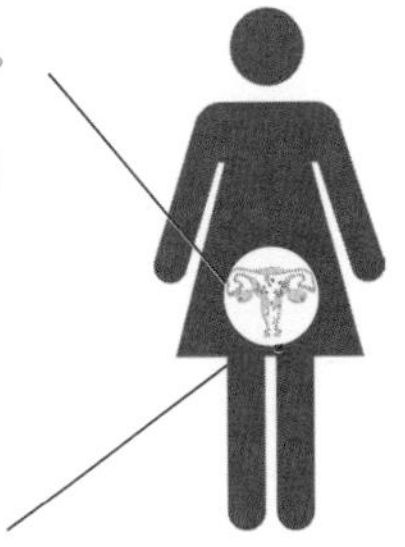

▶ 是指磁共振仪器检查。在不使用放射线的情况下，对身体进行立体检查。因此即使是粘连的子宫或是卵巢发生扭曲，也可以很清楚地掌握具体情况，对区分是子宫腺肌症还是子宫肌瘤，是卵巢巧克力囊肿还是其他囊肿等也十分有效。但是受到医院具体条件的影响，而且费用也很高。

即使粘连的子宫或卵巢发生扭曲，也可以清楚掌握。

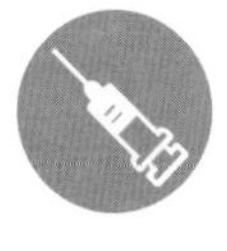

▶ 称为肿瘤筛查，方法是检查血液中含有的和肿瘤有关的抗体CA125的数值。正常的情况下，数值应该是35以下，但是如果是子宫内膜异位症，就可能上升到50～150，因此十分明显。如果是卵巢癌，数值就可能在1000以上。还可以用于确定子宫内膜异位症的治疗效果和复发情况。

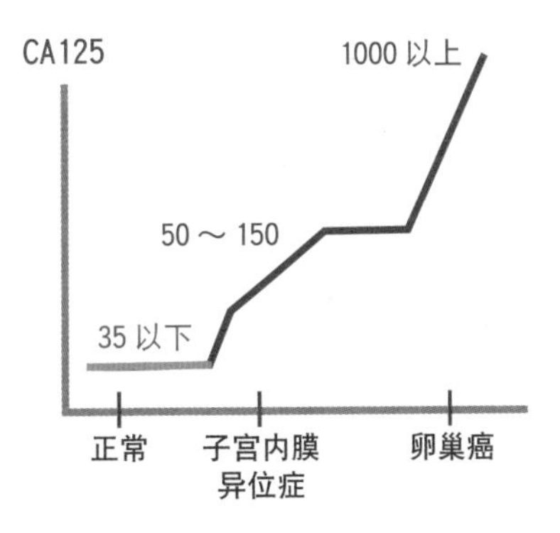

子宫内膜异位症的治疗方法

▶ 治疗效果是因人而异的，因此一定要在同时考虑不良反应的情况下选择适合自己的治疗方法。治疗子宫内膜异位症的方法可以分为手术治疗和药物治疗两种。因为这个疾病很可能会一直伴随你直到绝经为止，所以一定要根据自己的身体情况和生活方式选择适合自己的方法。现在具体的治疗方法有很多，可以很好地减轻症状和改善生活，但是根治的方法只有切除子宫和双侧卵巢，因此对希望生育的女性来说不太适合。

药物治疗

中药

▶ 和西药不同，中药不是针对某种疾病的，而是针对整个身体进行调节。因此选择适合自己的中药很重要，只有这样才可以改善血液流通，提高身体功能，缓解症状的发生。和调节激素的药物一起服用的话，还可以减少不良反应的产生。

中药对胃的不良反应很大，而且症状减轻不一定病变的面积也在减少

应该定期去医院接受检查

激素疗法

▶ 这是一种使身体出现与闭经相同状态的治疗方法。根据使用的激素量的不同，可以有以下三种方法。

方法一 低剂量避孕药

通过抑制排卵和月经，减轻症状。特点是不良反应小。避孕药是和月经有密切关系的雌激素和黄体激素的综合体。主要作用是抑制排卵和月经，使子宫内膜不再充血，减轻子宫内膜异位症的症状。由于抑制了雌激素的分泌，因此除了避孕、减轻子宫内膜异位症症状之外对月经不调、PMS 症状的减轻也有好处。

具体服用方法

□ 从月经第一天开始连续服用 21 天，停止 7 天，一般停止 3 天后月经开始。

和原来的中剂量避孕药相比较，低剂量避孕药激素的含量较少，因而出现恶心、呕吐等不良反应的概率也比较小。

由于是避孕药，对怀孕的人是不适合的。怀孕、哺乳或曾经有过血栓、心脏问题，患有子宫癌或乳癌的人也不宜服用。

35 岁以上、每天吸烟 15 支以上的人服用后可能会引起心脏病或是脑出血，需要注意。

❗ 实际服用的人群中，只有大概 10% 的人出现不良反应。而且继续服用之后，症状也会减轻，因此没有必要担心。但是也有人出现很大的不适，如果一直没有缓解，就应该和医生商量，换一种更适合自己的避孕药。

方法二 GnRHa疗法

GnRHa是人工合成的激素，直接作用于大脑，可以促进促使雌激素分泌的“促性腺激素”的分泌。服用这个药物之后，脑垂体一开始分泌的促性腺激素会增加，但是随后会减少，因此雌激素的分泌也会减弱，身体出现暂时的闭经假象。

具体服用方法

□ 服用这个药物4～6个月后一定要停止半年。

GnRHa疗法用药类型

鼻内用药

往鼻子的黏膜上用药的喷剂。无味、简单、易于随身携带，一旦出现不良反应可以马上停止。但是不适合有鼻炎或是对花粉过敏的人群使用。怀孕期的妇女使用后可能会导致流产，因此也不适宜。

注射型药剂

4周一次，可以注射在手腕、腹部、臀部等。但是每个月都要去医院，会感觉十分麻烦。而且有效成分在4周之内缓慢释放，因此一旦出现不良反应也不好控制。病人必须负担治疗费的20%～30%，费用相对较高。

❗ GnRHa的不良反应是产生和更年期综合征一样的症状，发热、出汗、肩酸、疲惫、阴道干燥等，尤其是对精神的影响，会引起情绪低落，同时会引发女性的骨质疏松。因此，在服用这个药物的时候，一定要服用4～6个月后停止半年。

方法三 雄性激素疗法

作用于大脑和卵巢，抑制雌激素的分泌，但是有增加体重和出现痤疮的不良反应。由于是雄性激素，因此可以对大脑和卵巢产生作用，抑制雌激素的分泌，同时制造人工闭经状态，抑制症状的发生。另外，可以直接作用于病变卵巢，使内膜萎缩变小，对减轻症状有很大效果。

具体服用方法

□ 一般在月经第三到第五天开始服用，一天服用两次，连续服用4个月。

就不良反应来说，它可以使女性体重上升，产生肩酸、痤疮、声音变粗、体毛加重，失去女性应有的特征，因此即使是效果十分明显，使用的人也非常少。

可以根据效果和不良反应进行调节。因为对胎儿影响很大，所以必须确认没有怀孕。

手术治疗

开腹手术

▶ 在下半身麻醉的情况下，在腹部切开 13 厘米左右，一般采用横切法。可以根据自己的具体情况自由选择具体的手术方式。

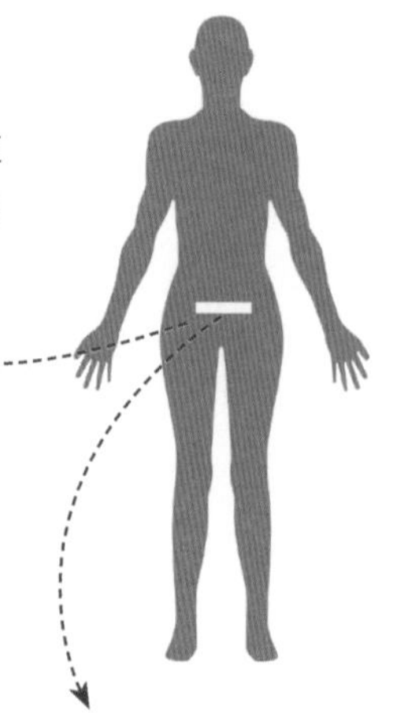

方法一 保守手术 如果激素治疗没有效果，病变的面积不断增大，建议还是采用手术方式。针对希望怀孕、生育的人群，只对病变部位进行处理，保留生育所必需的器官。保守手术可以在开腹的情况下做，也可以在腹腔镜下做。

针对希望怀孕、生育的人群，只对病变部位进行处理。

具体的操作

先将病变的部位凝固，利用蒸汽使其化开，将粘连的部分分开，最后将卵巢中的巧克力囊肿部分吸出。最后用生理盐水将腹腔内部洗净，手术就结束了。

由于腹腔内的分泌物被清除，症状能得到很好的改善，也更容易怀孕，但病体不容易被全部处理干净，还是有复发的可能。

方法二 半根治手术 药物治疗没有效果，症状越来越严重，也不想再怀孕的患者，建议接受手术，切除子宫，但是保留一部分卵巢。这样的手术虽称为半根治手术，但是因为月经消失，也可以从症状中解放出来。而且由于还保留了一部分的卵巢，雌激素还是会分泌，这样就可以防止更年期症状的发生，也不会因为雌激素的减少而发生骨质疏松和动脉硬化。因此有些重症子宫腺肌症患者也会选择这种方法。

症状比较严重的话，就必须将子宫切除，但是会保留一部分卵巢，防止更年期症状，减少发生骨质疏松和动脉硬化。

由于还是有雌激素的分泌，剩余的卵巢还是有发生病变的可能。

方法三 **根治手术**

症状十分严重、快接近绝经年龄的人，建议切除子宫和双侧卵巢。根治手术就是把子宫和双侧卵巢全部摘除，手术后月经停止，雌激素的分泌也停止，因此病症就不会再发生。但是由于没有了激素的调节，身体会出现更年期症状，出现发热、出汗、肩酸、疲惫、阴道干燥等现象。由于这个手术的影响很大，因此一定要跟家人和医生认真商量。

除了更年期症状，术后出现动脉硬化、骨质疏松和高脂血症的概率也很高，如果情况严重，可以用激素疗法辅助治疗。因为阴道还存在，所以可以不用担心性生活问题。

根治手术只适合45岁以上、不想再怀孕的患者。

40岁

对40岁以下的患者来说，会增加更年期症状的时间，因此建议选半根治手术。

腹腔镜下手术

在腹部开 3～4 个 5～10 毫米的小洞，仪器深入后进行手术。在屏幕图像下进行手术。和开腹手术相比较，腹腔镜下手术的创口更小，住院的时间也能缩短一半，而且还可以减少开腹手术所引发的粘连现象。随着技术的进步，腹腔镜下手术也可以摘除整个子宫。开腹手术视野开阔，可以对粘连进行很全面的处理，而腹腔镜下手术开口小，对突发事件的应对能力比较弱，因此在出血严重的情况下，可能会中途改成开腹手术，这对医生的技术要求很高。在选择腹腔镜下手术之前，应该了解存在中途改成开腹手术的可能性。另外，选择一个医术高明的医生也很重要。

在腹部开3～4个5～10毫米的小洞，仪器深入后进行手术

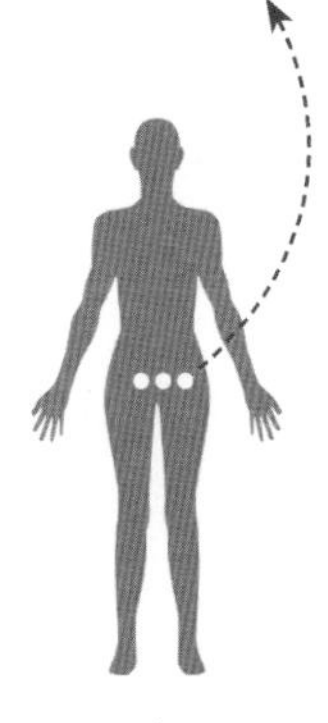

手术治疗

术前： 需要提前两天去医院进行必要的检查，前一天接受剃毛和灌肠，并从头天晚上开始停止进食。

手术当天： 同时打点滴和测血压，如果是腹腔镜下手术，应该全身麻醉、吸氧。如果是开腹手术，可能只需要下半身麻醉，也可以全身麻醉。

术后： 根据恢复情况决定住院时间，一般腹腔镜下手术需要再住3天左右，开腹手术需要等5～7天以后拆线，然后再住2天左右就可以出院了。

住院时间

- □腹腔镜下手术，需要4～8天的时间；
- □开腹手术，需要10天左右。

子宫内膜异位症的注意事项

▶ 虽然说子宫内膜异位症是一种很麻烦的疾病，但也不是说各种不适症状会一直持续下去，到绝经的时候症状就没有了。因此可以把它当作一种慢性病，对它多加了解，积极地应对，这样对日常生活的影响也会少一点。而且应该在医院的选择、医生的选择方面多注意，自己更应该多收集一些有关的信息，努力得到家人和伴侣的理解也很重要。

如何选择医院

□ 努力收集信息

▶ 因为是长期疾病，因此医院的选择十分重要。你可以直接给医院打电话咨询，可以浏览医院的宣传广告，可以直接向有关的患者进行咨询，也可以买一些有关的书籍和杂志进行了解。

□ 对治疗方法的说明是否详细

▶ 好的医院应该对疾病进行认真检查，应该就疾病本身和具体的治疗方法对患者进行详细的说明，尤其是治疗方法，一定要说明各种后遗症、不良反应等。有的医生只是针对疼痛给一些镇痛剂，或者是对患者之前的治疗进行否定，采用激素治疗法。但是激素药物的使用有一定的期限，不然会出现不良反应，这点一定要注意。

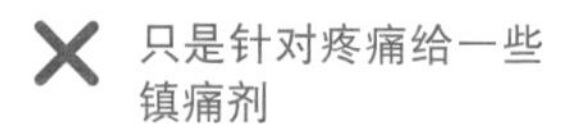

□ 是否有不孕门诊

▶ 同样的妇科门诊，有的就是以生育为中心，缺少子宫内膜异位症方面的专家，因此最好还是选择有不孕门诊的医院，那里应该有对引起不孕的原因之一的子宫内膜异位症临床经验丰富的医生，可以得到有效的治疗。

找临床经验丰富的子宫内膜异位症方面的专家

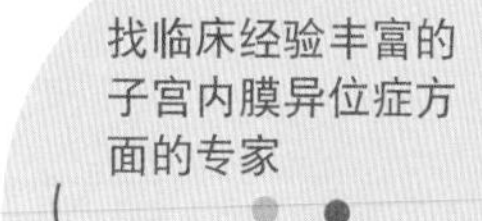

有不孕门诊的医院

□ 是否有腹腔镜仪器

▶ 为了对子宫内膜异位症进行确诊，腹腔镜是少不了的，因此最好选择备有腹腔镜，可以接受检查和治疗的医院，同时，拥有业务熟练、手术经验丰富的医生也是很重要的。另外，考虑手术情况，医院本身有麻醉科、拥有CT和MRI设备的话就最好了。

腹腔镜

麻醉科

CT、MRI

如何选择医生

□ 选择理解患者与值得信赖的医生

要选择一个能理解你，并能一直在治疗过程中和你商量今后治疗方案的医生

▶ 应该选择理解患者的烦躁心情和生活方式的医生。得了子宫内膜异位症,今后就要在疾病的烦恼中度过工作、结婚、怀孕、生育的每一天，因此一定要选择一个能跟你商量今后的生活方式的医生。有的医生会建议患者接受不孕治疗，认为只要不怀孕就没事了，而不考虑患者是不是想怀孕，也有医生可能会说疼痛是不可避免的，因此就不加以控制。甚至还有医生会说患者性生活不好，疾病是因为到了年纪还不结婚、生育等，严重伤害病人的自尊。

□ 对治疗方法的说明是否详细

▶ 必须选择一个能长期帮助自己治疗疾病的值得信赖的医生。但是，患者自己也应该积极配合治疗，不因为暂时的不良反应、疼痛等盲目排斥药物，虽然应该有更换医院和主治医生的勇气，但切不可过于频繁，要用客观的眼光，考虑自己今后几十年的生活。

贴士

如果在接受治疗的过程中发现身体的某些变化，应该及时向医生反映。如果对治疗方法不理解，也可以向医生咨询。病人不懂医生常用的医学术语是很正常的，因此没有必要忍耐，有了关于疾病的任何疑问，都可以直接向医生请教。为了使医生解释得更加全面，患者可以将问题整理在一个本子上，对医生的回答也可以做一些记录，以便以后翻查。

做好心理调整

□ 身体状态好的时候更应该放松

▶ 月经前后的症状十分严重，有时都到了不能行走的程度，因此，在平时身体状态比较好的时候，更应该放松一下。子宫内膜异位症的特点就是症状有时十分严重，有时却很平静，巧妙地利用这个变化，也可以使生活丰富起来。其中，一个月中疼痛不明显大概有一周时间，因此在那段时间，不要继续闷在家里，尽量出去走走，转换一下心情，有什么计划可以实施，多和家人和朋友交流沟通，使自己的生活更加充实。

利用子宫内膜异位症有时严重，有时这个变化，在一个月中疼痛感觉不是十分明显，出去走走，多和家人和朋友交流，好好放松一下

及时和伴侣及家人进行沟通，让他们了解子宫内膜异位症带给你的身心痛苦，在家人的帮助下缓解疾病困扰。如果得不到家人的理解，最好和主治医生交流一下，由医生向家人就疾病进行介绍，使自己得到更多的理解

□ 获取伴侣和家人的理解

▶ 子宫内膜异位症会对家人和夫妻生活产生很大的影响，因此一定要尽量得到他们的理解和支持。因为不是外部的疾病，所以某些症状除了患者自身，别人是很难想象的，因此更需要患者及时和伴侣及家人进行沟通，让他们了解你的痛苦，帮助你一起度过受疾病困扰的每一天，这样一来，生活也会变得更加轻松。

▶ 如果一直得不到家人的理解，最好和主治医生交流一下。利用接受腹腔镜手术时的影像，由医生向患者的家属就疾病的难点、病变组织的情况、症状的痛苦等进行介绍，也可以使病人得到更多的理解。

原来是子宫肌瘤惹的祸

我的子宫会怎样？还能不能生育？虽然说是良性肿瘤，但是如果不及时治疗，病情严重的话，也可能迫使患者做出是否保留子宫的艰难决定，是影响女性一生的疾病之一，因此有必要对它做一下了解。

子宫肌瘤的表现症状

子宫肌瘤是指出现在子宫肌肉层中的良性肿瘤，是女性身体肿瘤中最普遍的一种，约 20% 的成年女性患有这种疾病。表现为月经流量增多和出现各种疼痛，原来 30 ～ 50 岁的女性发病较多，但是近年来随着初潮年龄的提前，在 20 ～ 30 岁的女性中也经常被发现。

约20%的成年女性患有子宫肌瘤这种疾病

子宫肌瘤出现的部位和大小也是因人而异的，而且有的人感觉难受，有的人却没有什么感觉。但即使当时没有感觉，等到确诊为子宫肌瘤后，回头想想，多少还是有以下症状的人也不算少。如果出现了以前没有的症状要引起注意，要去医院诊治。

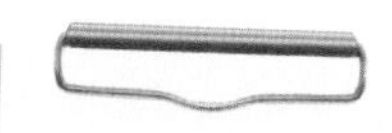

表现症状

- 刚从厕所回来，不到一个小时又得去了。
- 月经整整持续了10多天。
- 必须把夜用的叠在一起用才够。
- 流量多得都不能出门。
- 在洗澡的时候也有血块落下来。
- 血块跟经血一起流出。

月经量增多，有血块

▶ 子宫肌瘤最明显的症状是月经流量增多，原因是由于出现子宫肌瘤，子宫内膜充血加厚，经血就会增多，而且出现肌瘤以后，子宫的内侧就会凹凸不平，表面积就会增大，也会导致月经流量增多。

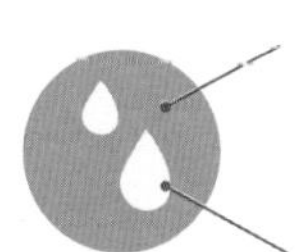

和以前相比，卫生巾的使用数量增加了！

经血中还有血块！

出血

▶ 非月经期出血称为非正常出血，而且不定量，有的只是白带带点儿颜色，有的则像月经一样。激素分泌失调、子宫癌、宫颈管息肉等都可能导致非正常出血，因此必须去医院接受检查。另外，如果患了子宫肌瘤，月经周期就可能缩短，上一次刚结束没几天，下一次又来了，这种情况称为“频发月经”，也应该及时去医院检查。

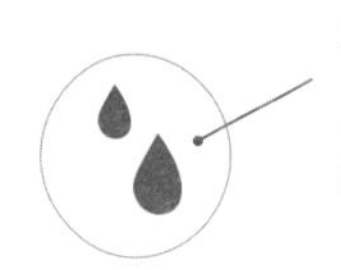

子宫肌瘤有可能会导致**频发月经**，即月经周期缩短，上一次刚结束没几天就又来了！

表现症状！

- 排卵期结束身体进入高温期以后，会出现带血色的白带。
- 在一个月之内月经来了两次。
- 月经前有点出血，过段时间月经才真正来临。
- 原来28天的周期，这次变成了25天。

月经流量过多或有非正常出血

“月经流量很多，即使是卫生棉条和卫生巾一起使用，也不得不一小时更换一次，连工作都做不了。”

“月经明明是结束了，但是接下来的一周里面还是有出血现象，而且还有腰酸、身体乏力的症状，不明白到底是怎么回事，很担心。”

“感觉最近月经流量突然增多了，而且洗澡的时候，还发现腹部有硬块，还以为是患了什么恶性肿瘤，很担心，就赶紧来医院检查。”

子宫内部出现了疙瘩

▶ 子宫是孕育孩子的重要器官，呈口袋形状，而它的外围是具有伸缩性的肌肉层，子宫肌瘤就是在这个肌肉层中出现了一个或多个疙瘩。产生的原因现在还不明确，有的认为是女性体内从胎儿时期就有肌瘤的隐患，后来受激素的影响或是肌瘤本身反应的不同，才发展成为不同的症状。

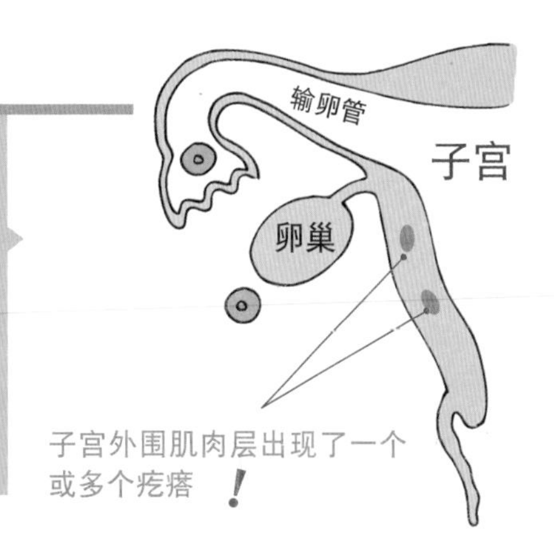

子宫外围肌肉层出现了一个或多个疙瘩！

容易疲劳

▶ 女性原本就容易有缺铁性贫血的症状，患了子宫肌瘤的人，月经流量增多，平时还有非正常出血，因此更加容易出现贫血。因为症状出现缓慢，有很多人开始并没有在意，直到确诊以后才会想起这些。另外，有的人还有白发增多、皮肤没有光泽等现象。而且时间一长，会导致骨质疏松。

表现症状！

- 上下楼梯都感觉很累，手没有力气。
- 出现头晕、目眩的症状。
- 稍微运动一下呼吸都会加速。
- 最近总感到很容易疲劳。

白带量增多

▶ 由于肌瘤，子宫的血管受到挤压出现瘀血，水样的白带就会增多。很多患肌瘤的女性由于雌激素分泌过剩，带黏性的白带也会增多。如果是子宫的内侧出现肌瘤，就会引发局部炎症，白带中就会有脓液出现。

表现症状！

- 水样的白带突然增多。
- 出现茶色、含脓的白带。
- 有黏性的白带增多了。

尿频，排便时有痛感

▶ 这些症状都是由于因肌瘤而变大的子宫压迫膀胱、输尿管和直肠引起的。有的患者还有排便的时候肚子里面或是肛门里面出现疼痛的现象，甚至出现排尿痛和小便失禁的情况。如果只是尿频或是便秘，很难说就是肌瘤，但是如果和其他症状结合在一起，肌瘤的可能性就很大了。

表现症状！

- 下腹部发沉，小便不易排出。
- 小便频繁。
- 有便秘的现象，排便的时候腹部有压痛感。

不易怀孕

▶ 很多患了子宫肌瘤的人还是可以怀孕生育的，但是最后流产和不孕的事例也很多。由于出现肌瘤，子宫内膜表面不再光滑，这就阻碍了受精卵的顺利着床，即使着床，胎盘的血液流通也不顺畅，很容易流产。

表现症状!

- 结婚都已经两年了，可是还没有怀孕。
- 有了孩子以后，连续流产了两次。

下腹肿胀

▶ 出现肌瘤以后腹部会有肿胀感，并且可以摸到硬块，肌瘤的体积增大以后，就会变得和怀孕一样。受压迫的腹部会产生疼痛感，因此痛经并不是子宫肌瘤的典型症状，但是如果同时还患有子宫腺肌症的话，痛经也会加剧。

表现症状!

- 肚子肿胀，感觉胖了一样，裙子都穿不进去了。
- 仰面躺着摸肚子的话，可以感觉到有硬块。
- 下腹很胀，总有异物感，有钝痛。

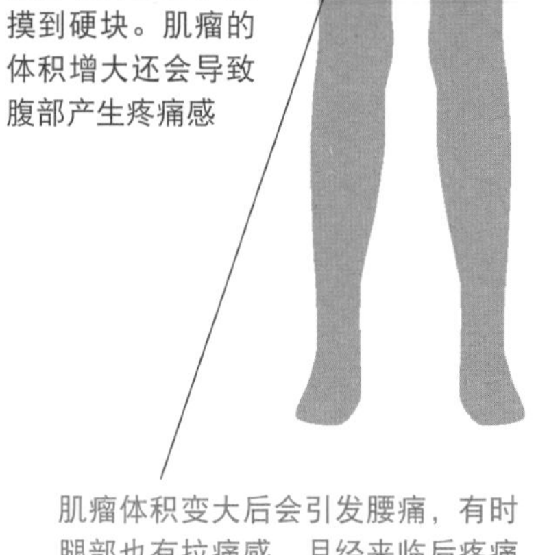

腰痛

▶ 肌瘤体积变大以后会压迫腰部的神经，造成血液流通困难，引发腰痛，有时腿部也有拉痛感，受寒产生瘀血，月经来临后疼痛也会加剧。但是如果揉搓脚跟的话，血液流通顺畅了，疼痛也可以减轻。

表现症状!

- 夜里睡觉时脚很酸，但揉一揉就会好很多。
- 腰疼，怕冷，月经的时候更严重。
- 下腹和脚跟有拉痛感。

子宫肌瘤的诊断及流程

子宫肌瘤是常见的女性生殖系统良性肿瘤，30～50岁的女性发病较多，一般在绝经以后子宫肌瘤即停止生长。女性定期地进行妇科检测就可以及早地发现子宫肌瘤，这对疾病的康复都是有利的。

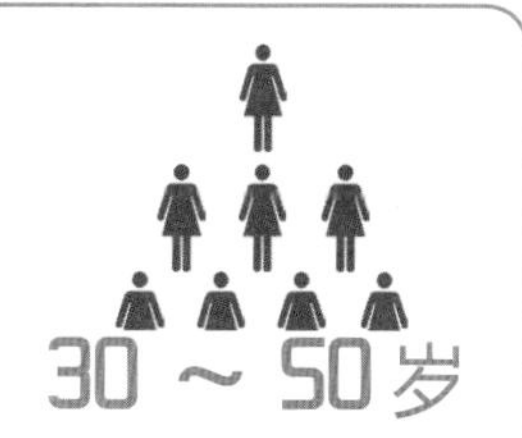

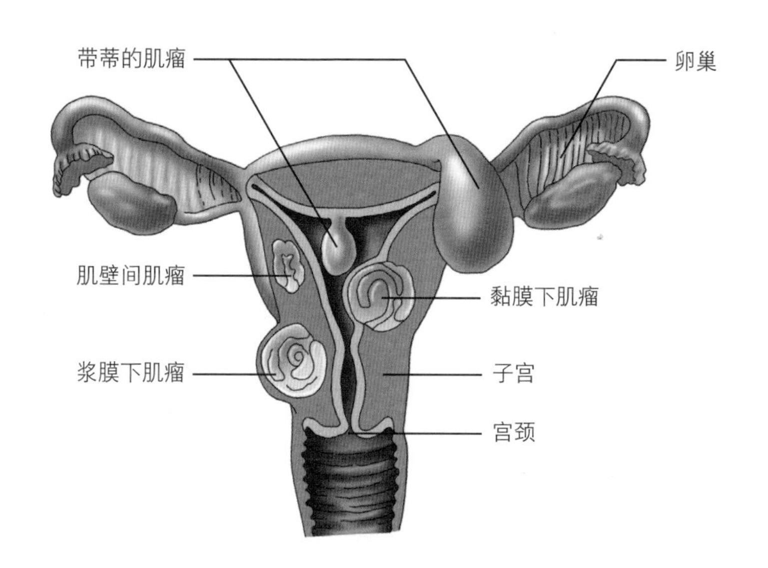

子宫肌瘤一般是良性的

▶ 由于是良性肿瘤，因此不必担心子宫肌瘤会变成癌症。而且体积的增大也是有限的，对生命并不造成影响。但是也有极少的例外，原以为是肌瘤，最后确诊却是属于恶性肿瘤的肉瘤。肉瘤和肌瘤的症状很相似。而且都是在子宫的肌肉层中出现的硬块，因此很难区分。但是肉瘤的变化相当快，如果一段时间内没有出现大的变化的话，就可以排除肉瘤的可能。因此，患了肌瘤的女性，及早检查很重要。

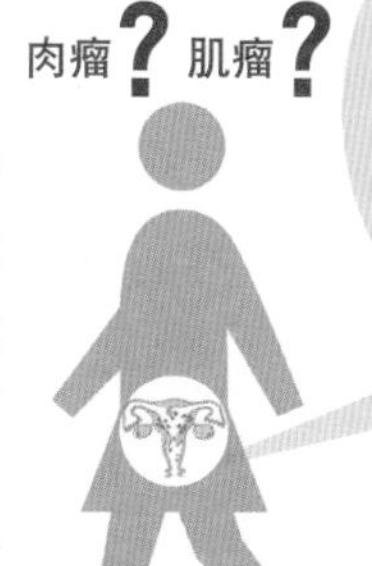

属于恶性肿瘤的肉瘤和肌瘤都是在子宫的肌肉层中出现的硬块，症状很相似，因此很难区分。尽早检查很重要

子宫肌瘤的诊断流程

问诊

首先是就症状提问，由于症状很明显，因此可以详细地向医生说明。而且事前可以把自己认为奇怪的症状整理之后向医生说明。另外，医生还会问一些其他的问题，比如初潮的年龄、月经周期以及天数、月经流量、月经期的症状、白带的状态、有无非正常出血、有无怀孕生育流产的经历、有无贫血现象以及既往病史等等。

内诊

大多数的情况下，问诊结束之后就是内诊，患者需要躺在床上接受检查。一般医生会先对患者的白带进行检查，然后将手指深入患者阴道，另一只手挤压腹部，对子宫和卵巢的形状、大小、硬度等进行检查，有经验的医生通过这种方式，就可以对肌瘤的有无、大小、位置、有无粘连等进行确定。

癌症检测

内诊的时候，为了确定不是肿瘤，还要进行子宫内膜癌、宫颈癌检查。检查宫颈癌是通过提取宫颈部的细胞，在显微镜下观察检测；子宫内膜癌的检查需要在子宫内部插入细管提取细胞，然后进行检测。

超声波检查

这是对子宫肌瘤进行确诊必不可少的手段，利用超声波图像，对脏器进行整体观察。要求患者提前憋尿。具体的方法有腹部检测法和阴道检测法，如果子宫位置靠后，就必须采用阴道检测才可以获取比较正确的图像。可以详细了解肌瘤的大小、种类和生长的部位。

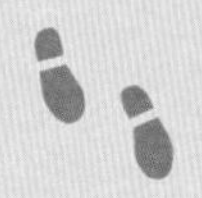

血液检查

如果怀疑患者有贫血症状，就应该进行血液检查。通过血液检查，还可以确定患者是否同时患有子宫内膜异位症，如果血液中的CA125超过了正常值35的话，患者同时患子宫内膜异位症的概率就很高。

MRI检查

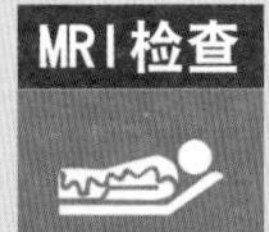

在不使用放射线的情况下，对病变组织进行立体检查。一般的子宫肌瘤没有这样检查的必要，只是在鉴别是否是子宫内膜异位症和肉瘤、确定手术位置、确定激素疗法效果的时候使用。相对于CT，MRI的图像更加准确。

如果痛经十分严重，可能是患了子宫腺肌症

▶ 虽然有的患者也出现痛经的现象，但都不十分严重。如果痛经，而且月经的流量很大，就要怀疑是否同时还患了子宫腺肌症。子宫腺肌症是指内膜组织生长到了子宫肌肉层中，导致子宫整体变大，容易被误诊为子宫肌瘤，但是很多情况下，子宫腺肌症确实和肌瘤一起出现。但患了子宫肌瘤，并不只是在月经的时候疼痛。

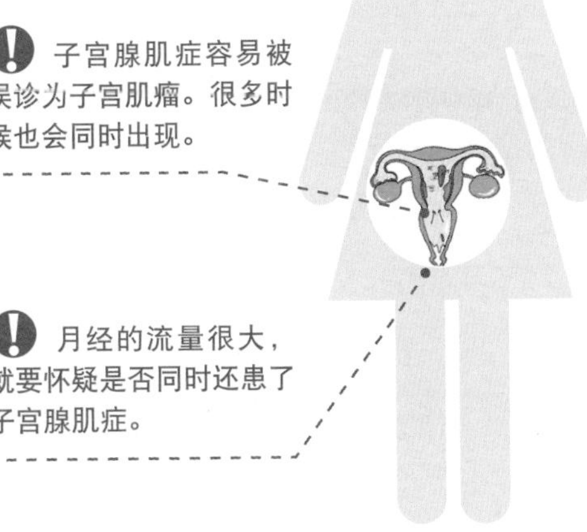

女性要认真接受妇科检查

▶ 由于子宫肌瘤有时并没有特别的症状，所以很多人都是在接受妇科检查的时候偶然发现的，因此定期进行妇科检查很重要。另外，如果在生活中遇到疑问，比如月经情况发生变化、白带的样子很奇怪、下腹有疼痛和异物感、总是不能怀孕等等，也应该及时和妇科医生进行沟通！

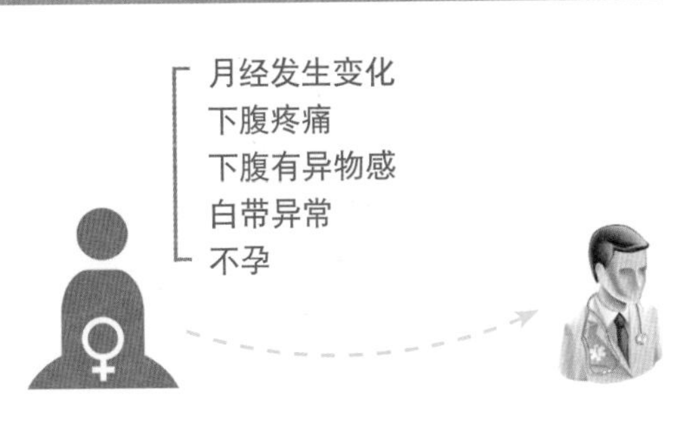

检查的顺序

进行咨询以后，一般都会要求填写表格，内容基本和问诊时差不多，其中某些问题可能对未婚女性来说很尴尬，但是为了保证检查结果的准确性，还是应该认真填写。如果只是接受内诊，事先就应该去厕所，但是如果还有超声波检查，就不需要。有什么疑问，可以在咨询处进行询问。进入检查室，首先是问诊，有什么异常情况，应该详细说明。如果有需要，接下来是内诊、癌症检查、超声波检查和血液检查。结束后医生会就检查结果进行说明。很多情况下都是第二天出检查结果，所以有必要跟医生确定以后几天的安排。

去医院之前的准备事项

去医院前应确定医院的门诊时间，有的医院还需要预约。在选择妇科时，应该多收集一些信息，有内科主治医生的话，也可以让医生做一下介绍。

应该选择容易脱下的下装。前一天的性生活会影响对阴道炎症的检查结果，因此必须避免。检查当天，要排便和洗澡，以保持身体的清洁。

子宫肌瘤的不同类型

同样是子宫肌瘤，由于在子宫内的生长位置不同，对妊娠、生育的影响也不同，具体的治疗方法也不一样，因此发现肌瘤之后，必须确定它的具体类型。

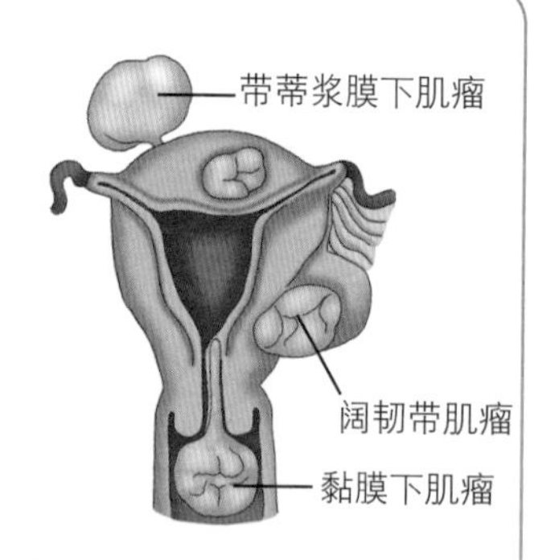

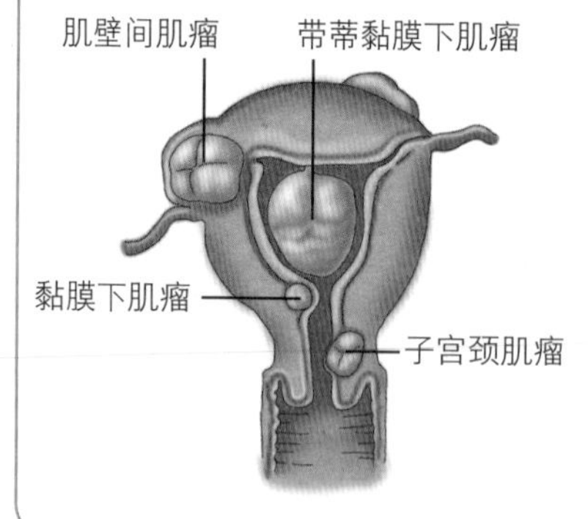

长在子宫肌肉中的肌瘤，由于受到周围肌肉的挤压，会呈现球形。子宫肌瘤大致分为浆膜下肌瘤、肌壁间肌瘤、黏膜下肌瘤三种。但是也有这些种类的肌瘤同时生长的，有的还和子宫内膜异位症共同存在。

浆膜下肌瘤

 是指生长在子宫外侧浆膜内的肌瘤，形状上分为单纯外凸型和外凸下垂型两种。

症状

腹部有硬块，下腹发胀，肌瘤压迫周围的脏器出现尿频、腰痛。

▶ 由于对子宫内膜没有直接影响，月经一般不会出现明显症状，因此很多人都是在肌瘤已经长到一定体积之后才发现。肌瘤的直径达到 10 厘米以上后，通过触摸，可以感觉到腹部的硬块，感觉到下腹发胀，由于肌瘤压迫周围的脏器，还会出现尿频、腰痛等症状。如果是有带浆膜下肌瘤，带部还可能出现扭曲，这样会引发剧烈疼痛、呕吐或是休克症状。

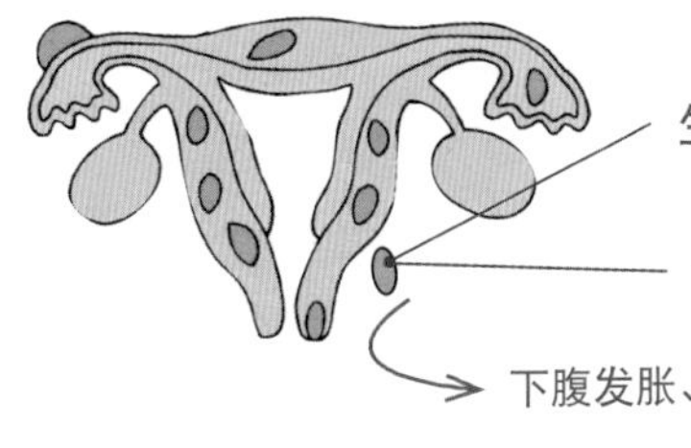

对妊娠的影响

巧克力囊肿主要症状为出现强烈的痛经。

▶ 只要肌瘤的数量不是太多，对内膜、子宫内腔等就没有影响，因此不会引起不孕。但是肌瘤如果压迫血管的话，也可能引起不孕。如果已经怀孕，只要肌瘤的体积不是很大，对整个孕期也没有大的影响，基本上能保证顺利分娩。

治疗方法

结合患者年龄、生育情况、症状、肌瘤类型、生长速度等因素选择是否手术治疗。

▶ 如果没有明显的症状，也没有出现贫血等，就没有治疗的必要，只要定期做检查就可以。但是如果是带蒂浆膜下肌瘤，而且蒂部发生扭曲，就会造成血液流通不畅，引起局部细胞死亡。如果不及时治疗的话，可能会引起感染，因此必须及早将带蒂浆膜下肌瘤切除。另外，如果肌瘤生长很快，也会造成局部血液不足和细胞死亡，必须将坏死的肌瘤或是整个子宫摘除。体积增大以后的肌瘤会压迫周围的脏器，产生很大的疼痛感，考虑患者的实际年龄、生育情况以后，医生会和患者及家属商量是否进行手术切除。

如果是带蒂浆膜下肌瘤，或者肌瘤生长很快，就必须将坏死的肌瘤或是整个子宫摘除

肌壁间肌瘤

子宫肌层内侧出现的肌瘤，很容易在内诊的时候被发现。体积大小不一，数量不一。由于有的生长在子宫的前部（腹部一侧），有的生长在子宫的后面（背部一侧），具体的表现症状也不同。

症状

随着肌瘤体积的增大，出现月经流量增多、痛经等症状。

▶ 肌瘤很小的时候是没有什么症状的，但是体积增大以后，会出现月经流量增大的现象等。这是由于肌瘤使子宫的肌肉层增厚，月经时引起子宫收缩困难，血管不能很好地闭合，导致月经流量增多，有时还伴有痛经，肌瘤体积继续增大还会引起尿频、腰痛等。生长在子宫前部的肌瘤用手触摸腹部可以感觉到。

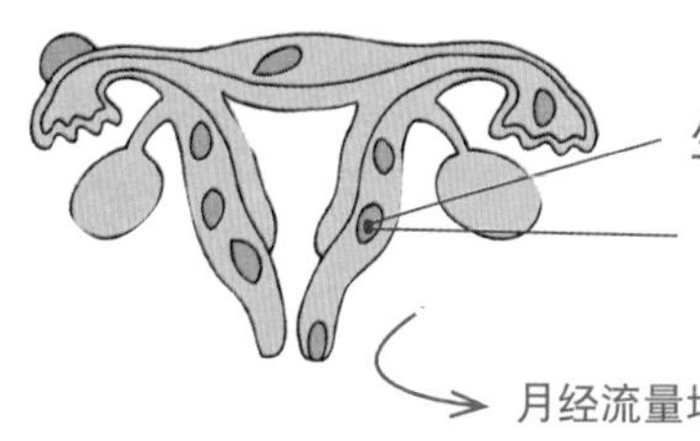

对妊娠的影响

会引起不孕，容易导致胎儿流产和早产。

▶ 肌瘤会引起子宫内膜不光滑，导致受精卵不易着床，引起不孕。一般情况下，受精卵容易在子宫后部着床，因此肌瘤生长在后部的时候更不容易怀孕。如果已经怀孕，受体内激素分泌增多的影响，肌瘤的体积也会增大，肌瘤压迫子宫内部的话，会影响胎盘血液流通，很容易导致胎儿流产和早产。

治疗方法

出现贫血就需要治疗。如果引发反复流产或不孕，可以考虑切除子宫肌瘤。

▶ 如果肌瘤体积较小，没有明显症状的话，只需做定期检查，不用进行治疗。但是如果月经流量增多引起了贫血的话，就有治疗的必要了。由于肌瘤引发反复流产或是不孕的话，就可以考虑切除子宫肌瘤。如果痛经严重，影响到了日常生活，可以根据患者的年龄、生育情况等考虑是否摘除子宫。

子宫内侧产生的肌瘤

黏膜下子宫肌瘤，出现在子宫内侧的黏膜上，向子宫内部生长。其中有带的称为带蒂黏膜肌瘤，如果茎部生长，使肌瘤从子宫口向阴道伸出的话，称为子宫肌瘤脱出。

症状

典型的症状是出现非正常出血、月经周期延长等。

▶ 肌瘤体积较小的时候，典型的症状是出现非正常出血、月经周期延长等。等体积增大以后，肌瘤导致子宫内膜面积增大，引起月经流量增多，有的还可能出现贫血和强烈痛经，会出现黄色的白带。尤其是带蒂黏膜肌瘤，由于局部坏死和感染，很容易出血，而且出血猛烈，还伴有疼痛。如果蒂部生长，还可能使肌瘤伸出子宫进入阴道，很像分娩时的婴儿头部，因此这种情况被称为肌瘤分娩。

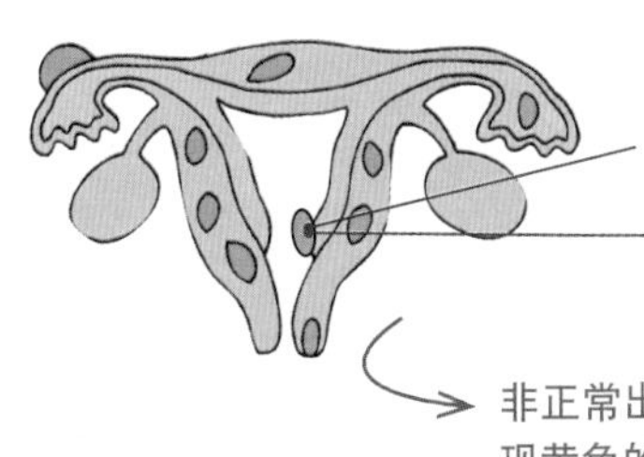

对妊娠的影响

对妊娠影响最大的一种肌瘤。

▶ 是三种类型中对妊娠影响最大的一种。由于肌瘤出现在子宫内侧，使子宫内膜出现凹凸，受精卵更不容易着床，即使是着床以后，也很容易引起流产。

治疗方法

建议手术治疗。根据患者状况、肌瘤类型等选择手术方案。

▶ 黏膜下肌瘤即使体积不是很大，症状也比较严重，因此建议进行手术治疗。如果贫血导致目眩或是气短严重、经血流量大，如果年龄较大已经不准备生育的话，建议还是将子宫摘除。如果是肌瘤分娩，只需把伸出的部分切除。如果只是黏膜下肌瘤，可以不用开腹，直接在宫腔镜下接受手术。

多发性肌瘤

在同一个子宫中，同时出现了多种肌瘤的症状，我们称为多发性肌瘤。既有浆膜下肌瘤，也有黏膜下肌瘤，数量也不一，一般为 10 ～ 20 个，还有同时存在 100 个以上的肌瘤。虽然子宫变得凹凸不平，但是并没有生命危险。另外，即使目前只有一个，也有可能在一段时间以后发展成为多发性肌瘤。

并发子宫内膜异位症

子宫肌瘤且同时患有子宫内膜异位症的大概占患者的 1/10。子宫内膜异位症如果和子宫腺肌症同时存在，可以引起强烈痛经。和子宫腺肌症相比较，子宫肌瘤的月经过多症状会更严重，甚至会出现像水龙头一样的症状。另外，还有可能和子宫内膜异位症中的另一种——卵巢巧克力囊肿并发。

即使得了子宫肌瘤，也可能怀孕和生育

▶ 一般的不孕概率是 10%，但是患子宫肌瘤的女性不孕的比例达到 25% ～ 30%，因此肌瘤也会导致受孕困难。但也有很多人在肌瘤的情况下怀孕，还有很多患者是在接受孕期检查的时候才发现有肌瘤。怀孕前期，由于雌激素的增加，肌瘤的体积也会增大，因此在这个时期才发现肌瘤的患者有很多。到了怀孕中期，肌瘤可能会长大，也可能导致流产或早产。但是由于怀孕，肌瘤的血液会流通不畅，有时会出现腹痛，这时只要静躺一会儿就可以了。如果疼痛持续的话，一定要去医院接受检查。

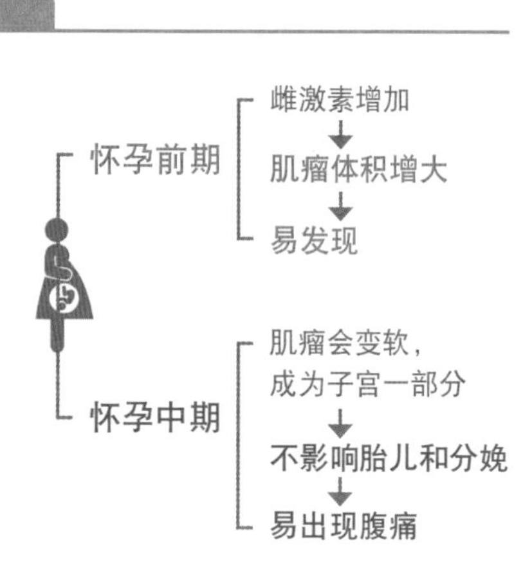

伴侣的支持很重要

▶ 子宫肌瘤虽然不是危及生命的大病，但是也会对女性的一生产生影响。为了更好地治疗，伴侣的支持还是很重要的，尤其是需要手术的时候。女方应该把疾病的症状、对未来的影响等详细地对伴侣进行说明，努力取得他的理解，也可以让他看看相关的书籍和杂志。如果有必要，也可以求助于医生，让他也一起听听医生关于疾病的解释。

女方应把疾病症状、影响等详细对伴侣进行说明

在选择治疗方法时，应该注意以下两点：仔细倾听医生的说明，再考虑一下自己今后的人生规划，最后再做出选择。

肌瘤的种类、大小、数量及症状的程度

▶ 要了解自己的肌瘤是什么类型的，具体长在哪里，有多少个，体积都是多大等等，例如即使同样是浆膜下肌瘤，也具体分为好几种。这样可以更好地了解自己的病情。由于涉及能否怀孕，因此也可以对以后人生做出调整，同时也是选择治疗方式的重要标准。

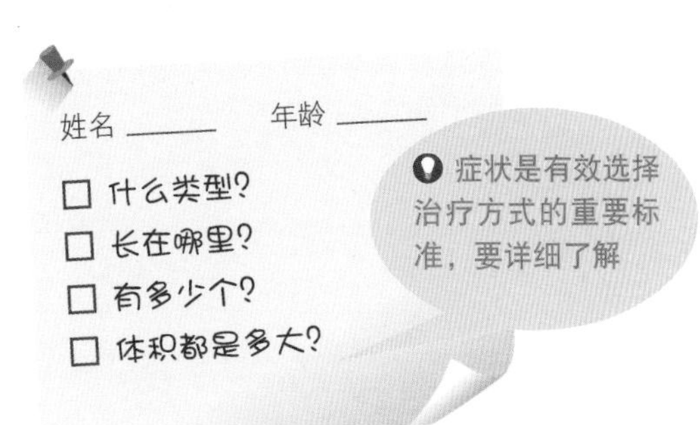

▶ 还有一点很重要，就是自己的症状会发展到什么程度。例如有的肌瘤虽然体积很大，只要注意观察，就没有什么问题，也有的体积很小，但是会影响排便和排尿。如果是黏膜下肌瘤，还会引起月经流量过多的问题。如果并发了子宫腺肌症的话，即使肌瘤很小，还是建议选择手术比较好。

▶ 患了子宫肌瘤的女性应该对自己的人生做一下新的安排。如果还是希望怀孕和生育，就应该尽量选择保留子宫的手术，即使是不想再要孩子了，但如果离绝经还有很长时间，那么建议还是把切除子宫作为最后的手段。相反，如果症状真的十分严重的话，建议还是尽快手术，及早摆脱疾病的困扰。女性在绝经以后，肌瘤的体积就会慢慢减小。

形容肌瘤大小的词语 >>

成人的头部	20 厘米
孩子的头部	15 ～ 16 厘米
婴儿的头部	10 ～ 12 厘米
拳头	10 厘米
鹅蛋	5 ～ 7 厘米
鸡蛋	4 ～ 6 厘米
核桃	3 厘米
豆大	0.5 厘米

子宫肌瘤的治疗方法

即使是得了子宫肌瘤，由于不是危及生命的病，因此也不是每个人都必须治疗的，有的患者只需要做定期检查就可以了。就具体的治疗方法来说，一般先是用药物减轻症状和缩小肌瘤体积，如果这样没有什么效果的话，可以考虑采取手术措施。提前了解这些治疗方法，对疾病的正确治疗很重要。

先用药物减轻症状和缩小肌瘤体积，如果没有效果，就要考虑手术措施

观察法

▶ 如果肌瘤没有变大的倾向，而且对日常生活也没有什么影响的话，建议进行观察治疗，但是患者必须每3个月做一次检查，对肌瘤的状态进行确定。如果突然增大的话，还有可能是出现了肉瘤，必须引起注意。另外，患子宫癌的人很多都同时患有子宫肌瘤，因此也有必要对肌瘤进行癌症检测。如果是孕妇发现有子宫肌瘤，原则上采取观察治疗。但是由于肌瘤的存在，子宫收缩很容易出现异常，因此分娩和产后恢复的时间也会延长，为此，也可以进行一些必要的有利于顺利分娩的治疗。

如果患有心脏病、糖尿病、高血压或慢性肾炎、胶原性病等疾病

考虑手术负担，可以采用观察治疗

药物法

▶ 用激素疗法，缩小肌瘤体积。具体方法是服用抑制雌激素分泌的药物，减少对肌瘤的刺激。从服用方法上分为点鼻药物、内服药物和注射药物等，可以根据肌瘤的大小进行选择。服用药物之后，月经停止，身体处于停经状态，肌瘤的体积就会缩小，但是一旦停药，月经重新来临之后，肌瘤又会重新生长。因此，这种方法可以暂时缓和症状，在手术以前使用可以使切除手术更加顺利，也可以改善贫血症状。但是有很大的不良反应，患者会出现发热、烦躁等更年期症状，长期服用还会导致骨质疏松等疾病。因此服用时间最长不能超过6个月。能够改善痛经和贫血症状。用药物改善子宫肌瘤引起的症状，属于对症治疗。

优点

▶ 可以暂时缓和症状，在手术以前使用可以使切除手术更加顺利，也可以改善贫血症状。

缺点

▶ 患者会出现不良反应。如发热、烦躁等更年期症状，长期服用还会导致骨质疏松等疾病。因此服用时间最长不能超过6个月。

注射造血剂
或补充铁元素

使用镇痛剂
要计算好时间提前服用

药效因人而异，若没有效果，可以试试别的种类。针对月经过多和痛经，也可以服用中药进行调理

手术治疗

▶ 适用于不想再怀孕生育或是症状严重，不得不摘除子宫的患者。

方法一 子宫整体摘除术

横切：在肚脐下面阴毛际部切开10厘米左右
竖切：从肚脐中间开始切开10厘米左右

是指在全身麻醉或是下半身麻醉的情况下摘除子宫。虽然摘除以后没有了月经，不能再怀孕和生育，但是由于肌瘤和子宫一起被去除，月经过多、痛经、贫血或是尿频便秘的症状也都同时消失，而且没有复发的可能，病人可以彻底从疾病中解放出来。

手术是采用腹式法，在肚脐下面进行横切或是竖切。横切是在阴毛际部切开 10 厘米左右，手术之后穿比基尼也没有问题，但是由于视野较小，因此只适合肌瘤小且没有粘连的患者。纵切是从肚脐中间开始切开 10 厘米左右，可以清楚地看到子宫、卵巢、膀胱和直肠，还可以确定是否有粘连，因此十分可靠。

如果子宫和卵巢有粘连的话，连卵巢也要一起摘除，但是这样会更容易出现更年期症状，因此一定要努力至少保留一个卵巢。

方法二 宫腔镜手术

用于黏膜下肌瘤的切除，不需要切开腹部。由于宫腔镜是从阴道进入，因此对子宫癌、黏膜下肌瘤的观察和诊断都有帮助。操作方法是将带有电子手术刀的探头引导深入子宫，医生一边看宫腔镜一边用电子手术刀慢慢对肌瘤进行切除。

无须切开腹部就能去除肌瘤。可以改善症状、治疗不孕，适用于希望怀孕生育的患者。

方法三 保留子宫的“子宫肌瘤剔除术”

适合要怀孕和生育，且通过饮食和药物不能改善贫血和减轻疼痛的患者

对于希望怀孕和生育的患者，如果通过饮食和药物不能改善贫血和减轻疼痛，建议接受切除肌瘤，保留子宫的手术。由于肌瘤也可以引起不孕和流产，因此也有患者切除肌瘤后顺利怀孕和生育。由于必须保留子宫，因此对医生的要求也很高。但是如果肌瘤的体积很小但是数量很多，为了减少对内膜的刺激，有时医生会特意留下几个肌瘤，但是这样一来复发的可能性就会增大，大概 1/3 的人会复发，需要再次接受手术。

手术有腹式手术和腹腔镜下手术，如果只有黏膜下肌瘤的话，还可以接受宫腔镜手术。腹腔镜手术恢复最快，只需住院1周，而且没有疤痕，但是不容易取出10厘米以上的肌瘤。

方法四 腹腔镜下手术

在肚脐以下开一个5～10毫米的小洞，插入腹腔镜或其他器具进行手术

在全身麻醉的情况下，在肚脐以下开一个 5 ～ 10 毫米的小洞，插入腹腔镜或是其他器具进行手术。医生可以看着图像进行手术，因此如果成功的话，伤害很小，恢复也很快，5 天左右就可以出院。摘除的子宫需要从阴道或是腹部取出。但是这个手术对技术的要求很高，而且不是每个医院都配有腹腔镜，另外还受肌瘤的位置和粘连程度的制约，因此也有在手术过程中突然变为开腹手术的情况。

一般5天左右就可出院

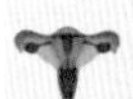 摘除子宫后，对女性到底意味着什么

因为子宫是女性特有的器官，因此一提到摘除，总觉得难以接受。即使是已经经历过怀孕生子，到了快到绝经的年龄，感情上还是难以接受。所以遇到一个值得信赖的医生，得到详细的说明，在感情上接受现实很重要。因此，不妨多去几家医院，多了解一下，多听听医生的意见。那么摘除子宫，对女性来说，到底意味着什么？

对女性来说，子宫有什么意义

▶ 印象中，子宫是产生月经的器官，因此也是女性的象征。但是实际上，分泌促使形成月经周期的雌激素的是卵巢，并不是子宫。因此，摘除子宫以后，虽然月经没有了，但是因为分泌雌激素的卵巢还在，所以还是可以保留女人味的！

摘除子宫后，虽然月经没有了，但是因为分泌雌激素的卵巢还在，所以还是会保留女人味

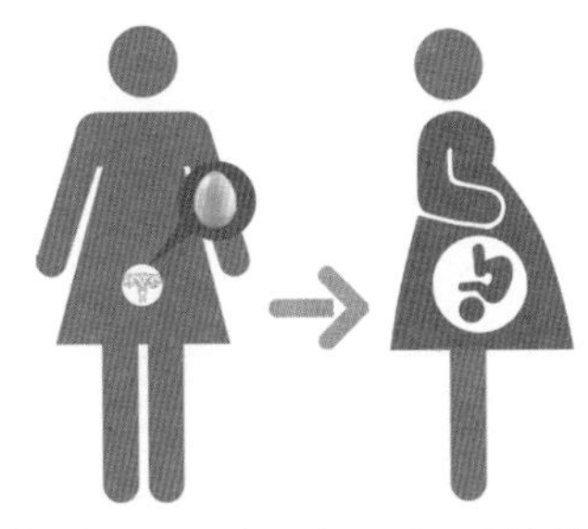

平时很小的子宫，到了分娩的时候，可以容纳一个宝宝

▶ 其实说简单一点，子宫就是一个孕育胎儿的肉袋，平时只有鸡蛋大的子宫，到了分娩的时候，可以容纳 3 千克左右的婴儿和羊水，因此肌肉的收缩性很强。而且子宫的内部有内膜，是胎儿生长的温床，每月都会充血，如果没有受精，那么废弃的内膜就会脱落，这就形成了月经。因此，从子宫的作用来看，它只是孕育胎儿的袋子，和女人味没有直接的关系。

身体发生了什么变化

▶ 症状消失以后会很轻松，但是也应该注意术后的粘连和感染。实行子宫摘除手术之后，大概需要 1 个月的时间伤口才会愈合，可以洗澡、驾车和上班，精神也会慢慢恢复。手术以后，由于膀胱失去支撑，有的人去厕所的频率会增加，但是每个生育过的女性都会有这样的现象，因此并不是什么问题。更多的人是由于痛经、月经流量过多、贫血等现象的消失，生活变得更加轻松。

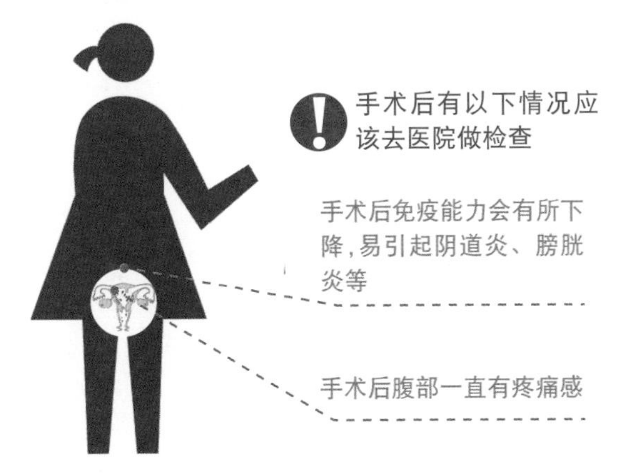

▶ 手术以后人的免疫能力会有所下降，容易引起阴道炎、膀胱炎等，因此如果出现白带异常、瘙痒等症状时，应该及时去医院接受检查。另外，如果术后出现粘连，腹部就会有疼痛感，时间长了还可能引起肠梗阻，因此如果疼痛一直都有的话，就应该去医院做检查。

摘除子宫还可以有性生活吗

▶ 手术以后两个月，如果得到了医生的允许，就可以有性生活。因为摘除的只是子宫，阴道还存在，长度、宽度、湿润度等都不会改变，因此并不会影响性生活的质量。如果是精神上的紧张等导致干燥的话，还可以用一些润滑剂。没有了意外怀孕的烦恼，有的人还因此更加放松。有的人可能还会担心，没有了子宫但是卵巢还在，会不会出现宫外孕的问题，其实摘除了子宫，阴道顶部就封住了，没有了内膜，受精卵也不能着床，因此根本不必担心。

摘除子宫两个月后一般就可以恢复性生活

心理上会有什么变化

▶ 很多人手术以后一段时间内，会情绪低落。看到曾经的生理用品，想起自己已经没有子宫了，就会感到很失落。其实应该以积极的心态规划今后的人生。有的人可能会认为没有了子宫，就不再是一个女人了，但事实上，只摘除子宫是不会影响到雌激素正常分泌的，因此女性的魅力也不会减少。如果本身没有怀孕和生育的欲望，就更加不是问题了。

摘除子宫不会影响到雌激素的正常分泌，因此女性魅力不会减少。应该放下心理的包袱

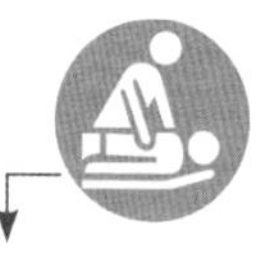

手术后子宫虽然没有了，但换回来的是身体的健康，积极治疗才是健康的根本

▶ 子宫肌瘤原本就是只要摘除子宫就没有问题的良性肿瘤，身体的健康才是最重要的。如果不彻底治疗，贫血会给心脏造成很大的压力，吃药多了还可能引起骨质疏松，而且排便排尿的时候还会有异物感，跟伴侣的关系也可能受到影响。手术以后子宫确实是没有了，但是换回来的身体的健康也是无可替代的，因此更应该以积极的心态规划自己今后的人生。

摘除子宫对更年期症状的影响

▶ 即使是接受手术，如果保留了一边的卵巢，就会有雌激素的分泌，因此不必担心会引起更年期症状。但是，事实上手术以后的身体反应确实因人而异，有的人没有什么感觉，有的人却出现了发热、烦躁等更年期症状。由于子宫摘除，子宫和卵巢连接的血管出现断点，不能说对身体完全没有影响。但是人的身体调节能力很强，即使是双侧的卵巢都被摘除，肾上腺也会分泌少量的雌激素。有必要的话，还可以通过中药或是激素药物进行调节。

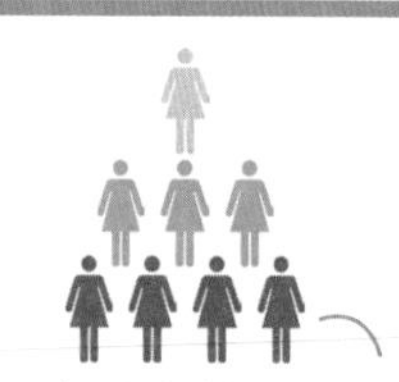

手术后有的人没什么感觉，有的人会出现发热、烦躁等更年期症状，可以通过中药或激素药物进行调节

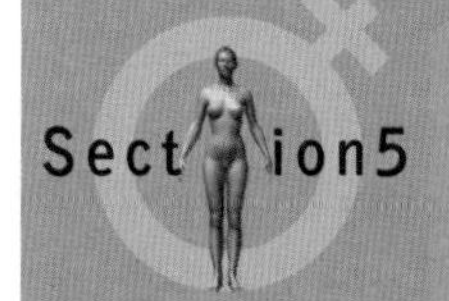

异常出血可能是子宫癌

宫颈癌是最常见的妇科恶性肿瘤。原高发年龄为30～35岁，近年来其发病有年轻化的趋势。近几十年宫颈细胞学筛查的普遍应用，使宫颈癌和癌前病变得以早期发现和治疗，宫颈癌的发病率和死亡率已有明显下降。

子宫癌的发病与年龄无关

子宫癌经常在媒体中被介绍，是一种很受人关注的疾病。有人认为子宫癌是40岁以上的女性才有的病，其实，子宫癌分为两种，一种是长在子宫入口处的肿瘤，称为宫颈癌，年轻的女性发病的人也有很多，和性经历有很大的关系，随着性经历的年轻化，疾病也出现年轻化的趋势。因此不管年龄多大，只要有性经历，都会有得病的可能。

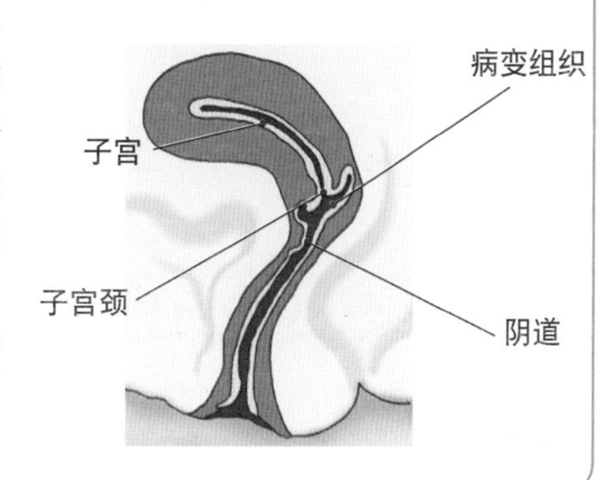

子宫癌越早发现治愈率越高

子宫颈癌如果发现早的话，是完全可以痊愈的，加上子宫体癌的治愈率也很高，因此子宫癌还是属于高治愈率的癌症。因为及早发现就有治愈的希望，所以对子宫癌患者来说，早期发现最重要。尤其是对初期不会出现什么症状的子宫颈癌，检查是发现疾病的唯一手段，因此即使只有一次性经历，也应该大胆地去医院接受检查。

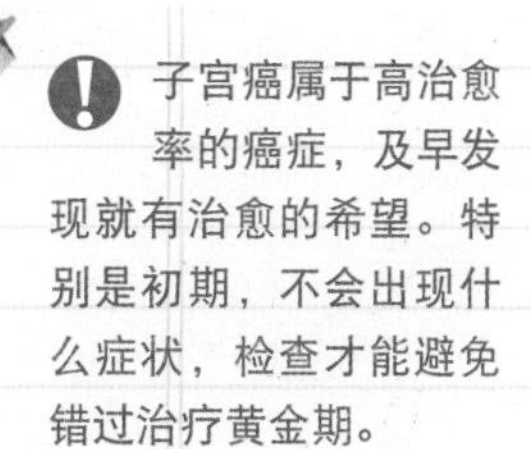

子宫癌属于高治愈率的癌症，及早发现就有治愈的希望。特别是初期，不会出现什么症状，检查才能避免错过治疗黄金期。

子宫癌的两种类型

子宫是位于女性下腹部的脏器，在阴道的里面，前面和膀胱连接，后面和直肠靠近。大小如同鸡蛋，呈倒鸭梨状，从入口到最里面大概为7 厘米。从入口开始，前1/3为宫颈部，后2/3为宫体部。一般发现癌症症状已经处于初级阶段的以 35岁以前的女性为最多，如果病情不恶化的话就没有明显症状，因此检查是唯一的手段。

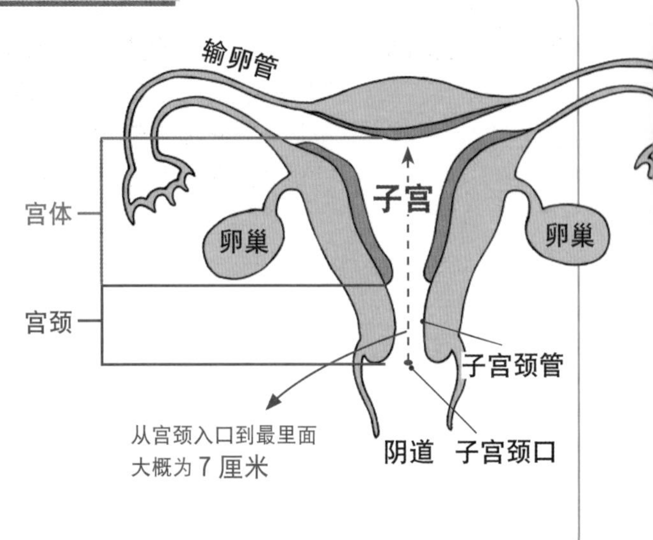

子宫颈癌

什么是子宫颈癌

▶ 子宫颈癌是发生在宫颈表面黏膜上的癌症，和性生活中受到的病毒感染有关。

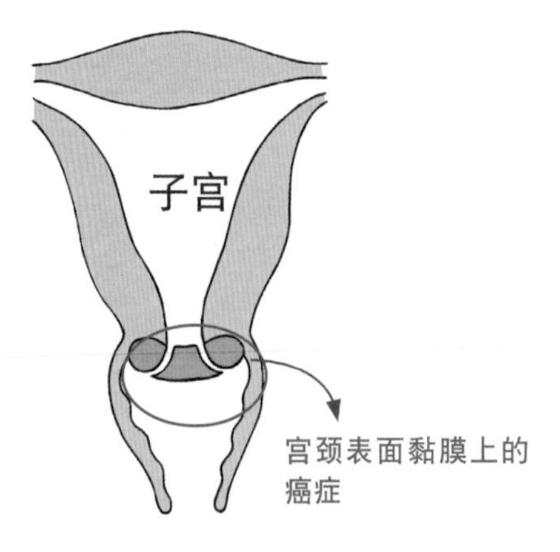

▶ 即使都是子宫癌，由于类型不同，易感人群以及易感年龄不同，检查方法也是不一样的，这点需要注意。子宫体部是孕育胎儿的地方，随着胎儿的成长，肌肉也会伸张，而内层的内膜在每次月经时萎缩、脱落。和变化巨大的子宫体相比较，作为入口的宫颈并没有明显的变化，只是起到固定子宫、支撑胎儿、防止病菌侵入的作用。具体部位和作用的不同，也导致了癌的成因和性质的不同。

▶ 子宫颈癌的发展可以分为 3 个阶段：

上皮内病变	上皮内癌	浸润癌
□如果是轻度的，95% 都会自然消失，不需要治疗，只要进行定期检查就可以。	□如果是高度上皮内病变，就有 15%～20% 转变成癌的可能性，应该接受治疗。如果转化成了癌症，就成为“上皮内癌”。	□如果继续发展，破坏了上皮下的基底膜，就成了“浸润癌”。

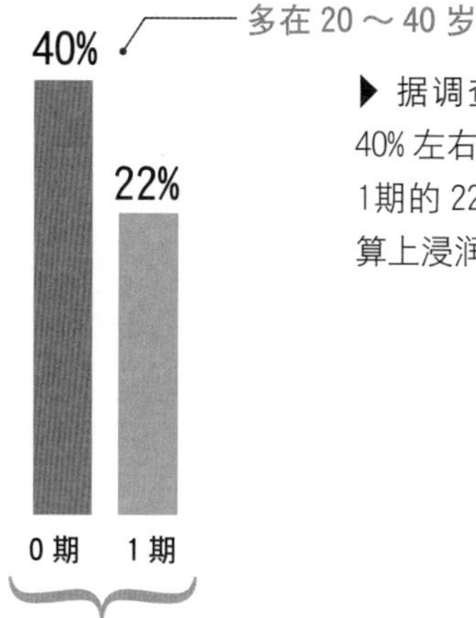

治疗后明显好转的
占 60% 以上

▶ 据调查资料显示，确诊为子宫颈癌的患者中，0期占了40% 左右，多在20～40岁，而且30～35岁的人最多。加上1期的 22%，接受治疗以后有明显好转的占 60% 以上，如果算上浸润癌的话，那么患者中 40岁以上的人最多。

❗ 子宫颈癌发展的过程也是因人而异的，有的人出现上皮内病变后10年才转化成癌，由于基底膜十分健壮，7～8年都维持这样的状况。但是基底膜一旦破裂，以后的发展就很快。

什么样的人容易得子宫颈癌

易患子宫颈癌的人群！

- 有性生活经历的人
- 怀孕、生育次数多的人
- 性生活早的人
- 性伙伴多的人

▶ 据统计，左侧的四种人群患子宫颈癌概率比较大。除了生育等物理性的刺激以外，性生活也是重要的因素之一，尤其是通过性生活受到病毒感染。只要有了性经历，不管是几次，都有感染并转化成癌的可能。但是这样的病毒有 70 多种，并不是每种性病都会引发子宫颈癌，比如淋病就不会转化成癌。

❗ 子宫颈癌通过性生活受到病毒感染概率比较大。但是并非每种性病都会引发子宫颈癌，如淋病就不会转化成癌。

如何发现子宫颈癌

▶ 对于早期发现，定期检查是唯一手段。子宫颈癌在初期阶段是没有什么症状的，只是有时在性生活的过程中会出血。以上的症状如果再发展，就会出现非正常出血，白带中也有血色，还会感到腰痛和腹痛。如果能够及早发现，子宫颈癌是可以治愈的。

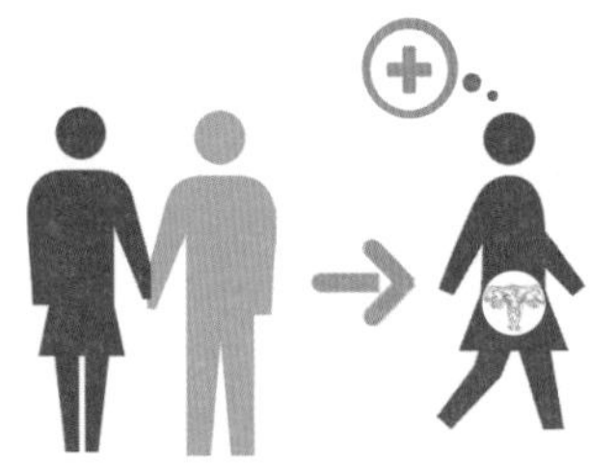

● 如果有了性行为，就应该每年进行一次检查。有很多人是在妇科接受怀孕或是其他疾病检查时发现子宫颈癌的

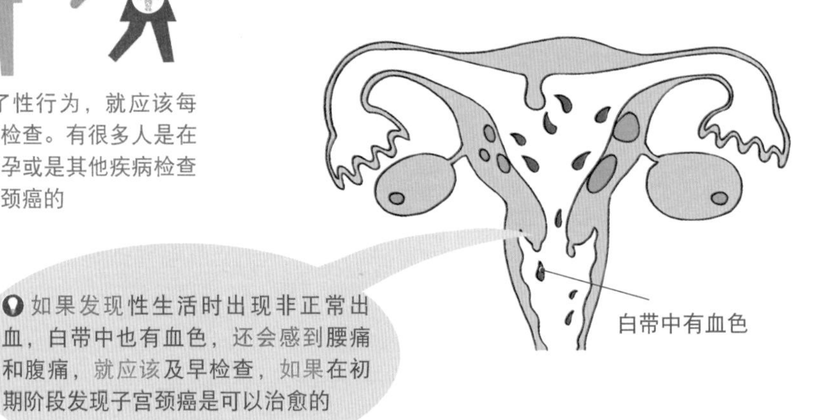

● 如果发现性生活时出现非正常出血，白带中也有血色，还会感到腰痛和腹痛，就应该及早检查，如果在初期阶段发现子宫颈癌是可以治愈的

如何检查子宫颈癌

▶ 在妇科检查中，在问诊阶段，医生就月经的情况、有无性经历、怀孕和生育情况等进行提问以后，就会进入内诊阶段，在诊察台上对患者的子宫和卵巢进行检查，这时就会提取宫颈黏膜上的细胞，在显微镜下观察是否出现异常。

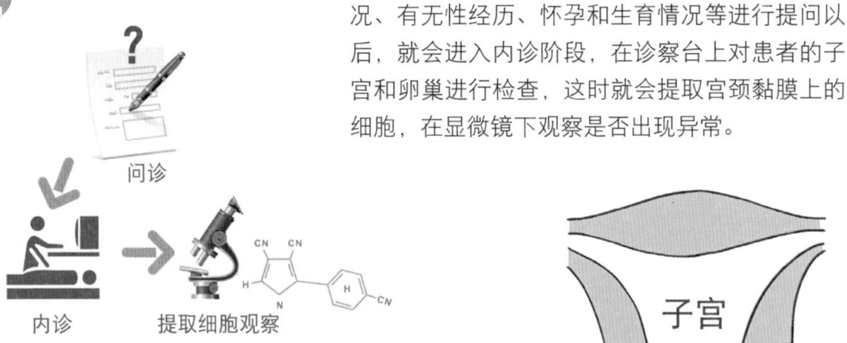

! 细胞提取之后，医生还可能用窥阴器将阴道扩大，用肉眼观察，如果发现病变部位，就会再次提取细胞。细胞提取在瞬间完成，因此不会有出血和疼痛感。

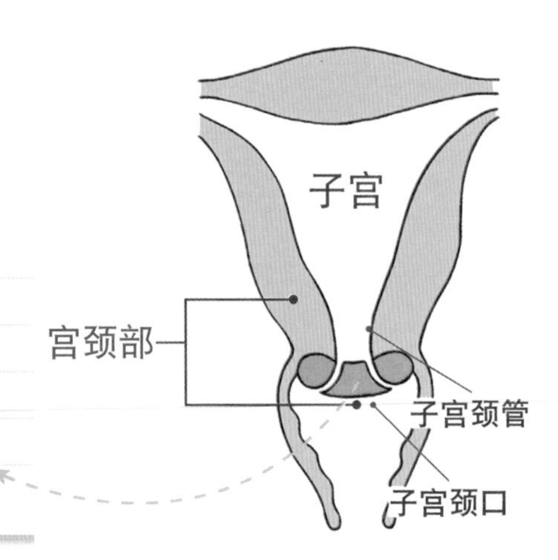

诊断结果的读取法

▶ 细胞检查的结果是将细胞如下表一样进行分类，这和癌症进行期的分类完全不同。

- 等级 1 是正常。
- 等级 2 是说明有良性的异型细胞存在，那种都是正常的。
- 等级 3 是推断有轻度的异型细胞，需要在3个月以后、半年以后做检查，但是一般的情况下都会自然消失。等级3是推断有高度异型细胞，需要治疗。
- 等级 4 是上皮内癌（进行期为0期）。
- 等级 5 是发现有1期以上的浸润癌。

细胞检查只是一个推断，即使检查结果是等级3，也有可能发现上皮内癌，但是也可能在高度异型期就自然消失

▶ 细胞检查的等级和对应的病变

判定	病变 等级分类	正常上皮	良性异型	轻度异形成	高度异形成	上皮内癌	浸润癌
阴性	等级 1	★					
	等级 2		★				
疑似阳性	等级 3			★			
	等级 3				★		
阳性	等级 4					★	
	等级 5						★

子宫体癌

什么是子宫体癌

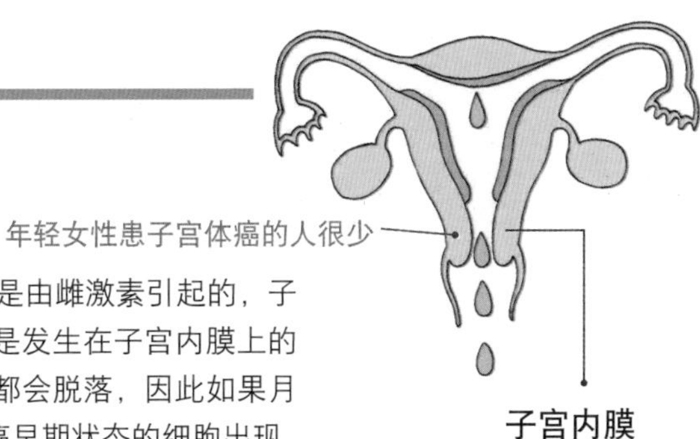

▶ 发生在子宫内膜上的癌症，是由雌激素引起的，子宫体癌又被称为子宫内膜癌，是发生在子宫内膜上的癌症。子宫内膜在每次月经时都会脱落，因此如果月经正常，内膜上即使有少量的癌早期状态的细胞出现，也没有发展成癌症的可能。

▶ 如果月经不规律，没有出现排卵的话，体内雌激素的分泌就会过剩，内膜受此影响，出现增殖过多，就会增大将来转变成癌症的可能。

发病率高
- 45岁以上的女性
- 三十几岁有排卵障碍的女性

什么样的人容易得子宫体癌

▶ 和子宫颈癌相反，子宫体癌的患者中，很多都是没有怀孕和生育经历的女性，这可能和怀孕中的女性受雌激素的影响小有关。这种倾向在30岁以前的女性中尤其明显，因此子宫体癌发病率的上升和近年来的少生育有很大的关系。但是绝经以后，即使是有生育经历的女性，也会患上子宫体癌。如果是绝经之前有很长的无排卵时期，那么绝经之后由于内膜不能萎缩脱落，患子宫体癌的概率也会增加。

易患子宫体癌的人群！
- 没有怀孕分娩经历的女性
- 肥胖或是患有糖尿病和高血压的女性
- 闭经或有排卵障碍的女性
- 绝经以后的女性
- 日常饮食以肉为主的女性

如果过于肥胖，脂肪组织影响了激素的平衡，容易引起排卵障碍和月经不调，这样也会使子宫体癌的发病率增高。另外，饮食中肉类食品摄入过多的话发病率也较高

如何发现子宫体癌

▶ 对子宫体癌来说，最重要的根据就是非正常出血。出现了非正常出血以后才治疗，和还没有任何症状就接受治疗，治愈率几乎是一致的。因此，发现出血以后就进行治疗并不晚，关键是不要忽视重要的征兆。如果出现非正常出血，一定要及早去医院检查。点状出血和出现褐色白带，都属于非正常出血。

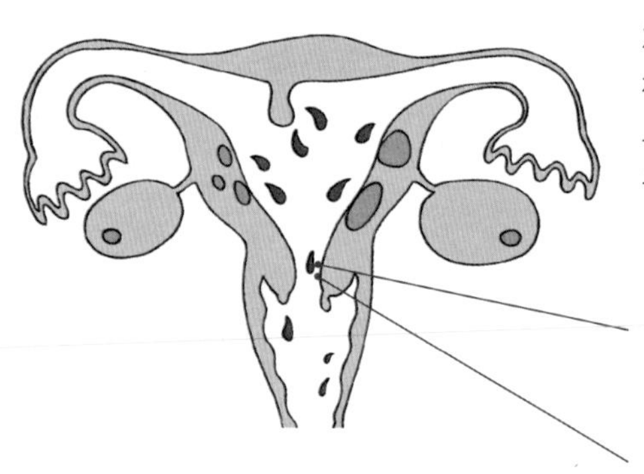

非正常出血是最重要的根据

点状出血和出现褐色白带都属于非正常出血

▶ 在子宫体癌患者当中，有 90% 的人是因为非正常出血去医院检查才发现疾病的。余下的 5% 是因为下腹疼痛或是白带中有颜色，另外的 5% 没有任何症状，是在检查其他疾病的时候偶然发现的。总之，对子宫体癌来说，最重要的根据就是非正常出血。

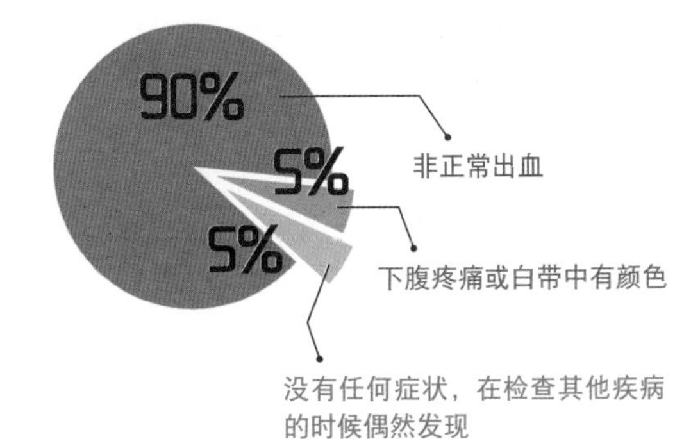

如何检查子宫体癌

20 ～ 30 岁的女性，也会因无月经或肥胖出现子宫体癌，最好在出血时及时检查

▶ 子宫体癌的检查中，提取细胞的方法有吸片法和刮宫法两种，和子宫颈癌相比较会有一点疼痛，但也就是一瞬间的事。子宫入口狭窄、没有生育经历、高龄或是有子宫肌瘤的女性会感觉强烈一点。即使是 20 ～ 30 岁的女性，由于无月经或是肥胖，也有出现子宫体癌的可能，因此发现出血的话，一定要及时检查，而且最好是在出血的时候检查，这样诊断会更准确。

诊断结果的读取法

子宫体癌患者中，有43%的人在宫颈癌检测中呈阴性

▶ 子宫体癌的诊断结果分为 3 个阶段：阴性、疑似阳性、阳性。

- 阴性说明不是癌症
- 疑似阳性说明有癌症的可能，但是不确定
- 阳性说明发现了癌症细胞

为了能更早地发现子宫体癌，做子宫体癌检测十分重要。细胞检查呈疑似阳性、阳性的患者，包括结果虽然是阴性但是持续出现非正常出血的患者，建议提取内膜组织做一下精密检查

▶ 细胞检查的判定和病变的对应

判定＼病变	正常	内膜异型增殖症	子宫体癌
阴性	★		
疑似阳性		★	
阳性		☆	★

教你看懂检查结果

子宫体癌

▶ 如果检测结果呈疑似阳性或是阳性，就应该用器械提取子宫内膜组织，接受精密检测。由于是用手提取的，如果病变组织体积比较小，根据提取位置的不同，检测结果也会出现不同，这种情况下，应该利用宫腔镜进行检查。

▶ 癌症的发展具体分为以下几个阶段

0 期

□子宫内膜异型增殖症、子宫内膜上异型细胞数量增多，怀疑是否有癌存在。

1 期

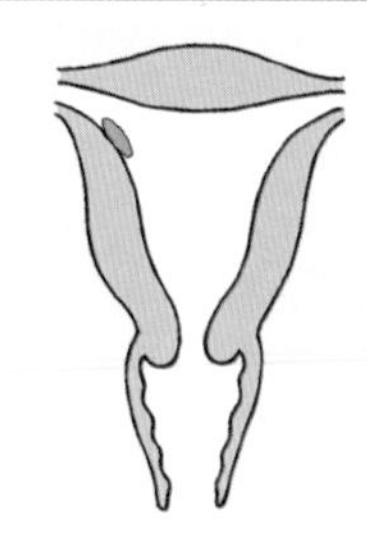

□癌细胞只出现在子宫内膜上。

2 期

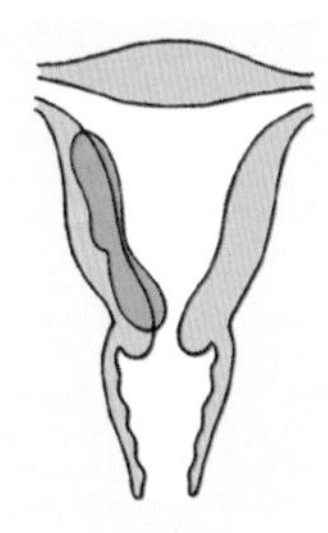

□子宫颈管内的癌细胞只是出现在黏膜经管腺。

3 期

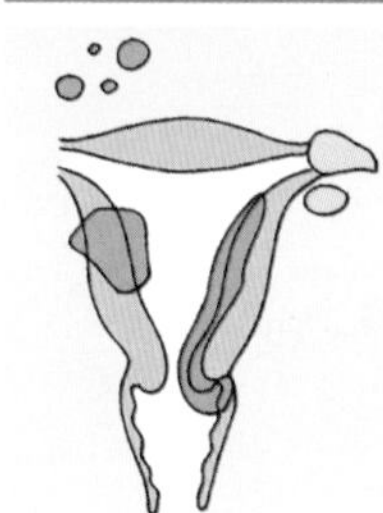

□癌细胞虽然已扩散到子宫以外，但是还没有跨越小骨盆。

4 期

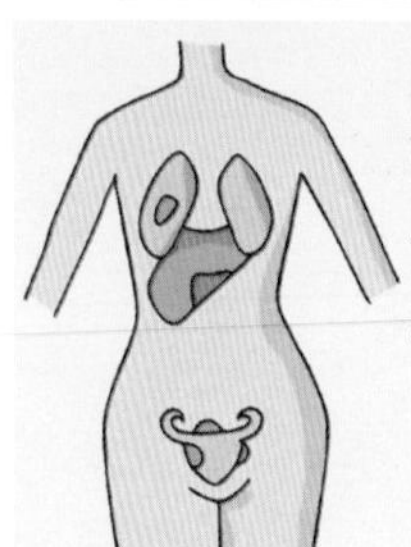

□癌细胞已跨越了小骨盆扩散到其他部位，怀疑已经到达膀胱和直肠。

子宫颈癌

▶ 细胞检查在等级 3 以上的，需要做精密检测。可以通过提取病变的黏膜组织进行组织检查，确定癌症的发展阶段。虽然有出血，但是几天之内会停止，基本上不会感到疼痛。

▶ 癌症的发展分为 5 个阶段

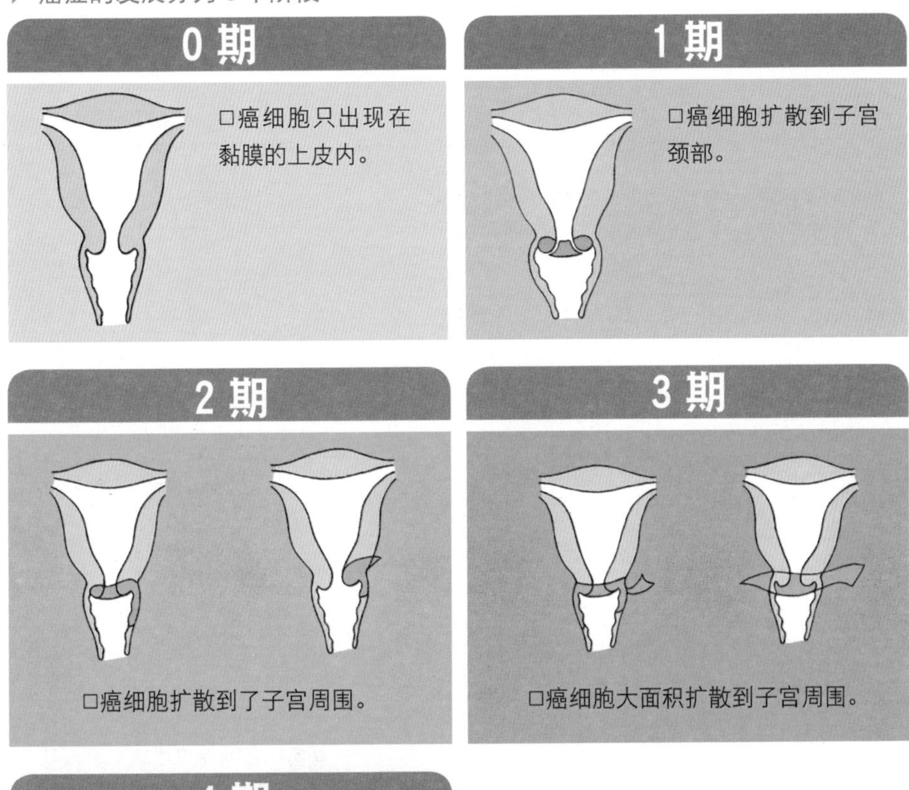

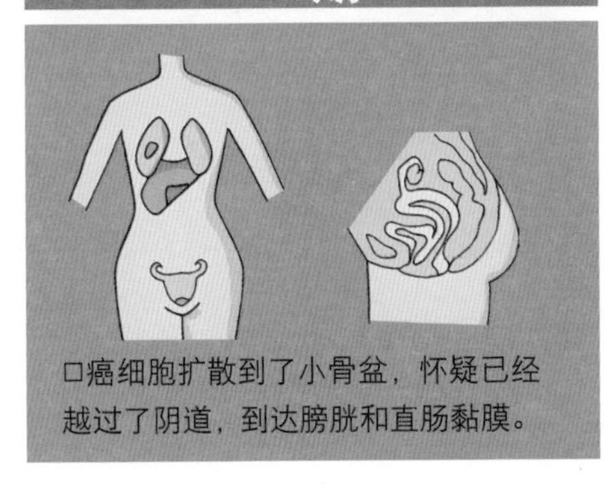

● 由于子宫颈癌和性生活中受到的病毒感染有关系，因此有的人就会认为“它是性生活次数过多的人才会得的病”。也有人会因此就否定了自己的过去或开始怀疑自己的伴侣，甚至害怕谣言而不敢对亲人说明病情。事实上，性生活次数多之所以成为原因之一，只是因为它能增大感染的概率。只要有一次性经历，谁都可能感染，但即使是受到了感染，有的人一生都没有引发癌症，有的人却在绝经30年以后出现癌症。不要忘记了，疾病不是某一个人的责任，只要有一次性经历，谁都有可能患上子宫颈癌！

子宫癌的治疗方法

子宫癌的治疗应根据患者身体情况、癌变范围及组织学类型选用和制订适宜的治疗方案。对于 1 期病人，有 90% 的病人可以通过手术治愈。晚期则采用手术、放射、药物等综合治疗。

手术疗法

锥形切除术（只切除子宫的一部分）

对宫颈部的组织进行锥形切除

▶ 从阴道入手，切除子宫颈部的组织，然后将组织放在显微镜下观察，是检查和治疗同时进行的手术，如果检查结果是 0 期或是 1 期的话，治疗就结束了。以前都是采用激光，将病变的组织灼伤后取出，现在多采用环切疗法，用金属环将患处圈住，再用电流将组织切下，即锥形切除术（LEEP：利普刀），方法更简单，手术的时间也更短。

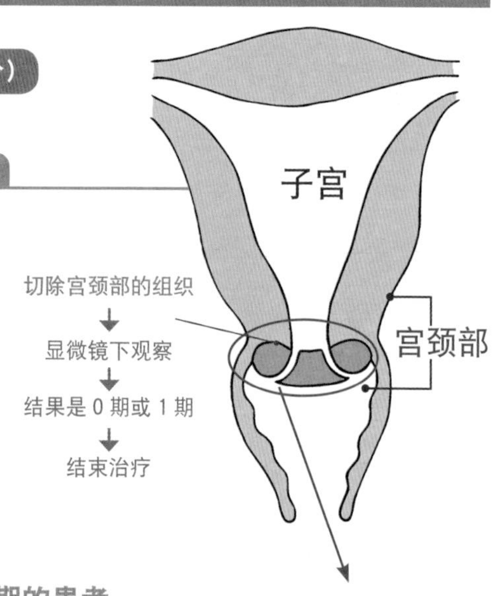

适用于希望怀孕并处于 0 期和 1 期的患者

这种手术适用的人群是希望怀孕，并且是 0 期和 1 期的患者。但是如果癌细胞扩散已经超过 3 毫米的话，即使是处于 1 期，为了防止向淋巴结扩散，还是建议进行广泛子宫切除手术。如果锥形切除后，组织检测发现癌细胞扩散程度很严重的话，还是建议再次手术，将子宫全部切除。

❗ 癌细胞扩散已经超过3毫米，处于1期也建议进行广泛子宫切除手术

❗ 锥形切除病理检测发现癌细胞扩散严重，建议再次手术将子宫全部切除

根据医院不同有的可以采用门诊形式

环切疗法的手术时间只需要 20 分钟，有的医院还可以采用门诊形式，可以不住院，只需要手术以后躺 1 个小时就可以回家，1 周以后进行复查，以后再定期检查，是可以正常怀孕和生育的。但有的医院要求做术前检查，也需要提前住院。在手术以后 1 个月就可以过性生活，半年到一年以后就可以怀孕。

有时也将卵巢一起切除

▶ 如果担心也可以将卵巢和输卵管一起切除。有的患者的癌细胞扩散得很快，留下的卵巢一旦受到累及，那么就需要再次手术，治疗也会变得困难，因此很多情况下就在第一次手术的时候将卵巢等一起切除。

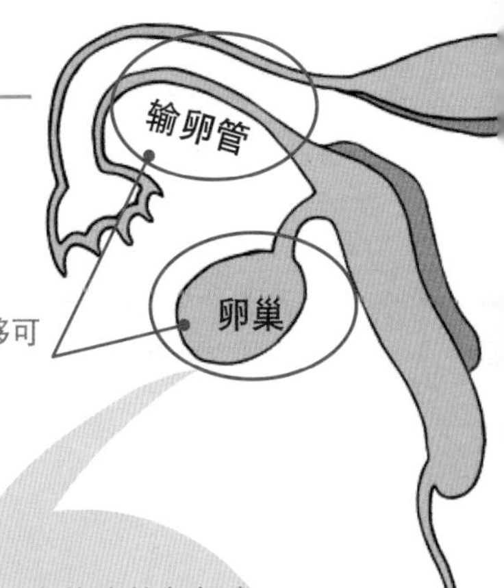

● 为了防止癌细胞向卵巢转移可以将卵巢和输卵管一起切除

适用于1期后的子宫颈癌和子宫体癌患者

如果是子宫体癌，由于子宫体部和卵巢很接近，有时子宫的淋巴管还会进入卵巢中，因此癌细胞的转移率很高，所以即使是1期，也建议将卵巢一起摘除。有数据显示，在患子宫体癌的年轻患者中，有的人后来还发现有卵巢癌的存在。这两种癌本身的性质就十分相似，很容易转化。处于1期以后的子宫颈癌的患者，如果癌细胞的扩散深度已经超过3毫米的话，原则上建议将卵巢一起摘除。

● 患子宫体癌的年轻患者中，有的人后来还发现有卵巢癌存在。这两种癌性质十分相似，很容易转化。但是20～30岁的患者中也有保留卵巢的

手术以后建议接受激素补充治疗

没有了卵巢就没有了雌激素的分泌，很容易出现更年期症状，因此对摘除了卵巢的年轻患者，建议手术后接受激素补充治疗。激素补充治疗是指通过使用口服药或是外用药，保证身体内的激素水平，可以预防更年期症状以及绝经引起的骨质疏松和动脉硬化症。

激素补充 → 使用口服药或外用药 →
- 保证体内激素水平
- 预防更年期症状
- 预防绝经后骨质疏松和动脉硬化症

▶ 单纯子宫切除手术（只切除子宫的手术）

手术分为开腹、腹腔镜和阴道式三种

▶ 如果是癌症早期，用这种方式可以得到根治，而且淋巴结、卵巢和输卵管都还在，因此不用担心产生更年期症状。具体手术方式可以分为开腹、腹腔镜和阴道式三种，前一种所有的人都适用，有剖宫产经历和阴道炎的患者不适用后一种。三种手术对医生的技术要求都很高，因此，最好选择一家比较信赖的医院做手术。

开腹式
适用于所有人

阴道式
不适用于有剖宫产经历和阴道炎的人

腹腔镜式
不适合心、肺、肝、肾功能不全的人

适用于癌症处于 0 期至 1 期，且不想生育的患者

▶ 如果患者处于宫颈癌 0 期到 1 期，并且今后没有生育计划，或是出现了子宫肌瘤并发症，施行锥形切除手术难度较大，可以接受这种手术治疗。但是如果癌细胞已经扩散到 3 毫米以上，为了保险起见，建议将子宫周围的脏器也一起摘除。如果是子宫体癌的患者，症状在 0 期或是 1 期的可以选择这种手术，症状严重的话还是接受广泛子宫全摘除手术。

0期或1期子宫体癌症状严重还应接受广泛子宫全摘除手术

如果癌细胞已扩散到3毫米以上，应一起摘除子宫周围的脏器。

需要住院 2 ～ 3 周

▶ 各个医院需要的住院时间是不一样的，但是算上术前的检查时间，一般都需要 2 ～ 3 周，出院 1 个月以后可以有性生活。

广泛子宫切除术 （摘除子宫以及周围的淋巴结、结缔组织）

子宫以及周围的淋巴结、结缔组织都一起摘除

▶ 这种手术是为了防止癌细胞的扩散而施行的。以有危险的子宫颈为中心，包括周围骨盆壁、膀胱和直肠等的结缔组织，都要尽量去除干净。阴道也需要切去 7 厘米中的 3 厘米左右，这是广泛子宫切除术。考虑骨盆内的淋巴结也容易受到癌细胞侵害，同时还可以进行淋巴结清除手术。

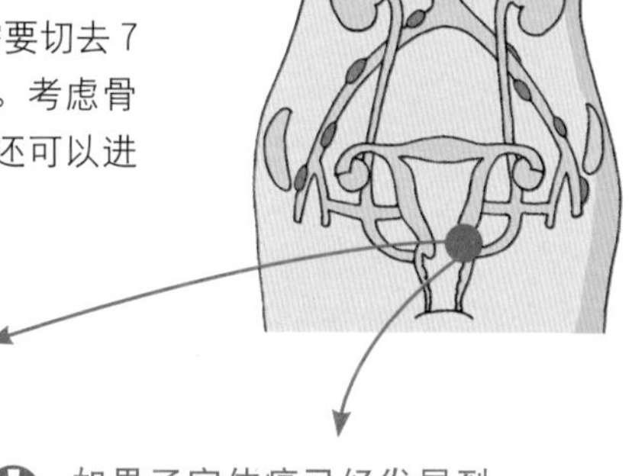

处于子宫颈癌1期，但是癌细胞已经扩散到3毫米以上的患者，也建议接受这样的手术

如果子宫体癌已经发展到了2期，建议接受包括摘除周围组织在内的广泛子宫全摘除手术

适用于子宫颈癌 1 期以上，子宫体癌 2 期以上

▶ 达到子宫颈癌 1 期以上，子宫体癌 2 期以上，癌症细胞很容易向淋巴结转移，因此建议接受包括淋巴结清除手术在内的广泛子宫全摘除手术。虽然确定子宫体癌在 1 期以后，就可以施行单纯子宫摘除手术，但是很多情况下，不进行组织检查，很难确定是 A、B、C 哪个等级，因此也有必要将淋巴结摘除。

手术以后可能会出现排尿障碍和排便障碍

▶ 需要住院时间为 3～4 周。由于子宫周围的脏器被全部摘除，因此膀胱和直肠的神经可能会受到影响，出现自体排尿困难、感觉不到尿意、有残尿感、排便困难等排尿障碍和排便障碍。而且淋巴结摘除以后，淋巴液会滞留，使足部和阴部感到瘙痒。

💡 手术后会出现一些不适症状，如排尿、排便困难等。但是术后接受医院的排尿训练以后症状就会减轻，就可以出院，因此不需要烦恼，生命才是最重要的

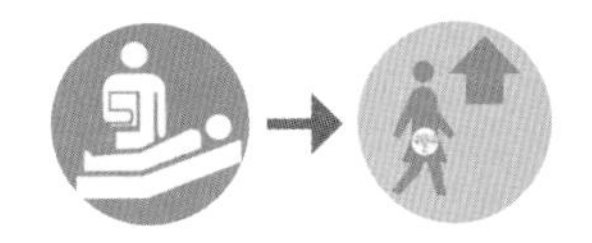

RVT 术式及适应证

▶ 当前，妇科肿瘤的手术治疗越来越倾向于微创、减少术后并发症及维持功能。根治性宫颈切除术（radical vaginal trachelectomy，RVT)是治疗早期宫颈癌患者的可行的、安全的、可保留生育功能的理想的手术方式，其并发症、复发和病死率都很低，但其术后妊娠结局以及产科处理仍值得商榷。下面就 RVT 术后的妊娠结局及产科处理介绍如下。

▶ RVT 是 1994 年由法国学者 Dargent 首次提出的，成为早期宫颈癌患者保留生育功能的一个选择。迄今为止已经有超过 700 例手术的报道，包括几个 50 例以上患者的大型研究报道。RVT 术后 5 年无瘤生存率和总生存率分别为 95% 和 97%，与同样病灶行根治性子宫切除术的情况类似。Ungar 等报道，33 例行经腹宫颈癌根治术患者，尚无复发病例，有 1 例术后妊娠，认为经腹宫颈癌根治术可以作为妊娠期 RVT 的选择。RVT 术式包括先行腹腔镜盆腔淋巴结切除术，病理检查无淋巴结转移，再行阴式 RVT。手术要切除上 1/3 阴道和穹窿、近端部分主韧带及 80% 的宫颈，确定无癌细胞残留后，对保留的宫颈进行环扎缝合，将余下的宫颈和阴道进行缝合衔接。Plante 提出的经阴道 RVT 的手术指征包括希望保留生育能力、肿瘤直径≤ 2 厘米、病理分期 Ⅰa1 期有血管间隙浸润、Ⅰa2 期或 Ⅰb1 期，鳞癌或腺癌，阴道镜检查或磁共振检查未见宫颈管上段浸润，无淋巴结转移。Gottschalk 等报道 1 例肿瘤直径达 4 厘米（Ⅰb1 期），腹腔镜淋巴结清扫及顺铂、紫杉醇化疗后行 RVT 的患者，术后成功妊娠，母婴情况良好；同时总结文献报道的 Ⅰb1 期行先期化疗的宫颈癌患者 33 例，化疗后 17 例行锥切、16 例行 RVT，随访 9～57 个月均无瘤生存。RVT 术后患者 10 例成功妊娠。

❗ 近年来有学者认为，对病灶>2厘米的且希望生育的宫颈癌患者行先期化疗后可行RVT，但仍需要在治疗前充分地与患者进行告知，包括病灶大容易复发、肿瘤对化疗反应不明确、化疗对卵巢功能损伤情况不明确等，以及远期随访治疗的安全性、有效性等。

放射疗法

借助强放射线达到杀死癌细胞的效果

▶ 通过将病变组织暴露在强放射线下，达到杀死癌细胞或是减小病变体积的目的，有效性仅次于手术。尤其是对子宫颈癌患者，效果更加显著。具体的治疗方法有两种，一种是放射线从阴道进入，直接照射病变组织和周围的脏器，称为内部照射，这种方法效果等同于子宫全摘除手术；另外一种是照射病变的淋巴结组织，属于外部照射，效果和淋巴结清除手术一样。

对子宫颈癌效果显著

适用于子宫颈癌 3 ～ 4 期

▶ 这种治疗方法适用于子宫颈癌 3 ～ 4 期，对于癌细胞的扩散深度已经很深，手术治疗已经不可能的患者，高龄、肥胖、心脏有并发症的患者也可以使用。另外，已经接受了手术治疗，但是病变组织没有被清除干净的患者也可以把这种方法作为术后的追加疗法。

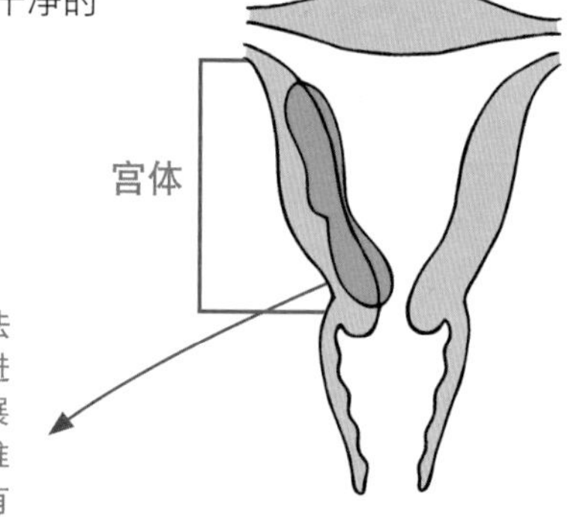

对子宫体癌患者来说，放射疗法并不适合，主要还是采用手术进行治疗。但是如果癌症已经发展到了 3 期以上，在手术比较困难的情况下，也可以将放射作为有效的治疗方法

不良反应

▶ 在接受放射治疗的时候，会出现腹泻、呕吐、食欲缺乏等不良反应，出院以后一段时间内，还会出现出血症状，而且皮肤也显示已经被烧伤，先是发红，再慢慢变黑，虽然颜色会逐渐恢复正常，但是皮肤柔软度的恢复需要很长一段时间。另外，放射治疗使卵巢功能丧失，因此和手术摘除卵巢一样会导致更年期症状的出现，为了减轻症状，也可以将卵巢移到放射线照射范围之外。

化学疗法

在手术前或手术后使用

▶ 化疗中使用的药物可以抑制分裂旺盛的癌细胞继续分裂和增殖，可以通过点滴或是内服的方式对全身产生效果。这种方法经常用在手术之后或是放射治疗之后，起到预防复发的作用，也可以在手术前使用，以使病变体积缩小，便于手术的进行。因此有时病变体积过大，影响手术效果的时候，医生也会建议患者先接受化疗，再进行手术。

使病变体积缩小
便于手术进行
← 用于手术前

用于手术后或放射治疗后 → 预防复发

激素疗法对治疗子宫体癌也有效

▶ 雌激素可以促进子宫体癌细胞的分裂和繁殖，而黄体激素却起到抑制的作用，也就是说，黄体激素的不足会促进癌细胞的发展，因此就出现了长期且大量服用黄体激素的激素疗法。但是这种方法只适用于手术以后防止复发，有的想要孩子的年轻患者，也可以尝试用这种疗法避免子宫摘除。

卵巢

卵巢分泌的黄体激素能
抑制癌细胞发展

长期且大量服用黄体激素
的激素疗法

！这种方法只适用于手术以后
防止复发

想要孩子的年轻患者可以用这种疗法
避免子宫摘除

不良反应

▶ 化疗在一定程度上属于以毒攻毒，因此在全身范围内都会出现不良反应。具体的有恶心呕吐、脱发、白细胞和血小板减少、肾功能障碍等。对癌细胞作用强烈的药物对正常细胞同样也有影响，这是化疗最困难的地方。

子宫癌问题一扫空

人们听到子宫癌就会感到恐惧，下面让我们帮助您解答关于子宫癌的问题，消除您一些恐惧心理。

问1. 在观察阶段，有性生活会不会使病情恶化？

妇科专家解答：在轻度异样形成的观察阶段，只要定期接受检查，对日常生活是没有影响的，当然也可以过性生活。性生活和癌症没有大的关系，但是如果癌症的体积很大就有可能出现大出血，需要注意。

问2. 卵巢摘除以后，会出现更年期症状吗？

妇科专家解答：这种情况可以用补充雌激素的方式加以改善。卵巢有分泌雌激素的作用，将卵巢和子宫一起摘除以后，体内的雌激素消失，就会出现更年期症状，而且雌激素有预防骨质疏松和动脉硬化的作用，因此年轻女性摘除了卵巢以后，建议接受激素补充疗法。这种疗法本身就是治疗更年期症状的，临近更年期的女性也可以接受。但是如果是子宫体癌，雌激素会促进癌细胞的生长，所以不适用激素补充疗法，也可以将卵巢移到别的位置。如果是年轻的子宫颈癌患者，考虑离闭经还有很长时间，如果可能的话，最好还是保留卵巢。但是手术以后如果还要接受放射治疗的话，卵巢受到放射线的照射以后，功能就会丧失，那么保留卵巢就没有意义了。为了防止这种现象的发生，医生可以将卵巢向身体侧面移动以避开放射线的照射，而且不再移回来也没有关系，卵巢照样能很好地发挥作用。

问3. 手术以后还可以有性生活吗？

妇科专家解答：子宫摘除后也可以有性生活，只是接受放射治疗以后有可能阴道会变硬。如果只接受锥形切除手术或是单纯子宫摘除手术，对性生活是没有什么影响的。但是如果是广泛子宫切除手术的话，阴道的长度会由7厘米缩短到4厘米左右，由于阴道有很强的伸展性，在性生活的过程中也有可能恢复到原来的长度。有人或许会担心手术以后性生活的质量问题，但是通过对癌症患者的调查显示，大多数人还是不会感觉到变化。但是如果是接受放射治疗尤其是内部照射的话，会使阴道变硬，影响性生活质量。如果摘除了卵巢，导致雌激素的分泌停止的话，会引起阴道萎缩，但是只要用药物补充激素，性生活也可以很顺利。另外，如果手术以后性生活过程中出现疼痛，应该及时去医院检查。

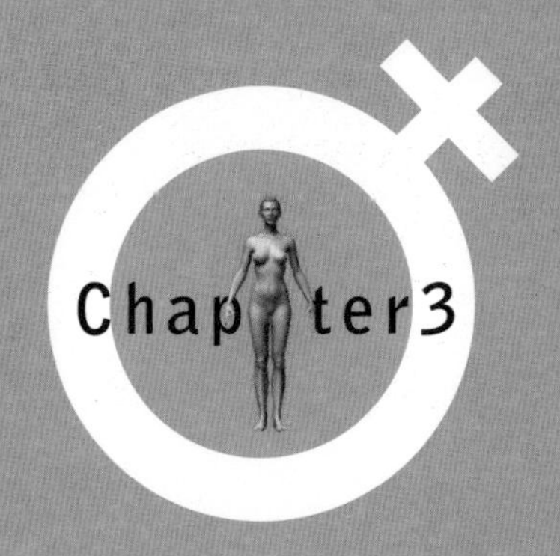

不孕症

不孕
子宫的危机警报

有月经也可能无排卵

现代女性的压力来自方方面面，
家庭、工作、人际关系等，
压力大了
身体各部分就容易发生紊乱，
严重的甚至导致不孕。
女人在 30 岁以后
一定要积极做妇科检查，
防患于未然。

卵巢疾病

健康生活，轻松助孕

不孕症

随着时代的变化，女性在社会上打拼的越来越多，压力也随之变大，这导致女性患病概率增大，例如不孕症，就是越来越多的职场女性容易患的疾病。

什么样才算是不孕

不孕指的是在不采取任何避孕措施的情况下，结婚后两年都没有怀孕的现象，据统计，在25～45岁的夫妇中，1/10的夫妇忍受着不孕症的烦恼，经过治疗，有的女性在半年到一年之内就可以怀孕，但是有的却一直没有效果。

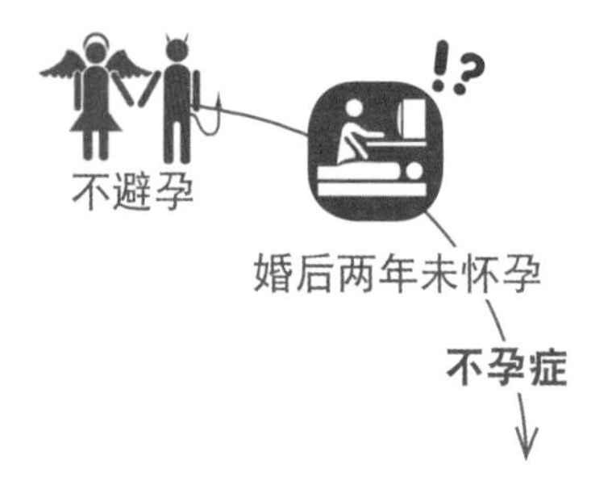

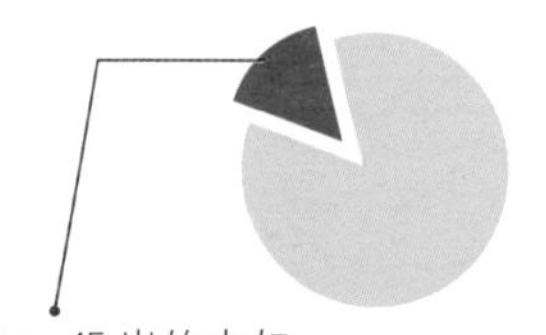

在25～45岁的夫妇中，1/10的夫妇忍受着不孕症的烦恼

很多人都不认为不孕是一种疾病。事实上，不孕确实是一种疾病，是完全有可能治愈的，而且在近10年里，对不孕症的治疗研究已经有了很大的发展，每年都可以有很多患者受益。不但是西医，中医对不孕症的治疗也在进步。

外表看起来，什么问题都没有，原以为生孩子是理所当然的事情，为什么就一直不怀孕呢？有的人甚至因为不孕而患上了心理疾病，这种苦恼，也只有当事人知道有多痛。既然不孕症影响这么大，我们就有必要来好好了解一下！

不孕是一种疾病，有的人甚至因为不孕而患上了心理疾病

晚婚和紧张生活是造成不孕的重要原因

跟以前相比，结婚后的夫妇因不孕而烦恼的比例上升了很多。引起这个现象的一个重要原因是晚婚。一般来说，女性过了 38 岁，卵子状态就会快速恶化，怀孕率也快速下降，因此越晚生育，患不孕症的概率就越大。而且过了 30 岁以后，女性患子宫内膜异位症、子宫肌瘤、卵巢囊肿等妇科疾病的人也会增多，尤其是子宫内膜异位症，它是直接引起不孕的重要原因之一。初次生育年龄的增大，导致月经的经历年数也增多，这也被认为是患子宫内膜异位症的人数上升的一个原因。

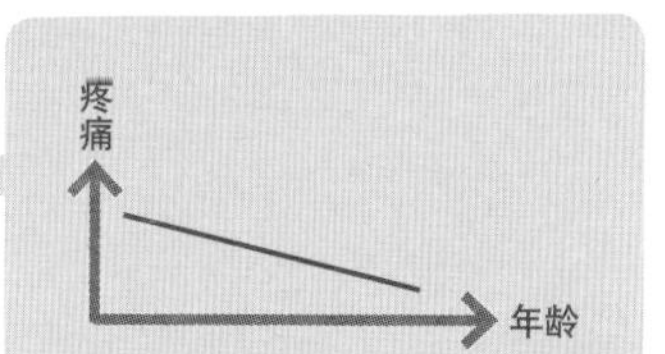

过了30岁以后，女性患子宫内膜异位症、子宫肌瘤、卵巢囊肿等妇科疾病的人也会增多

子宫内膜异位症是直接引起不孕的重要原因之一

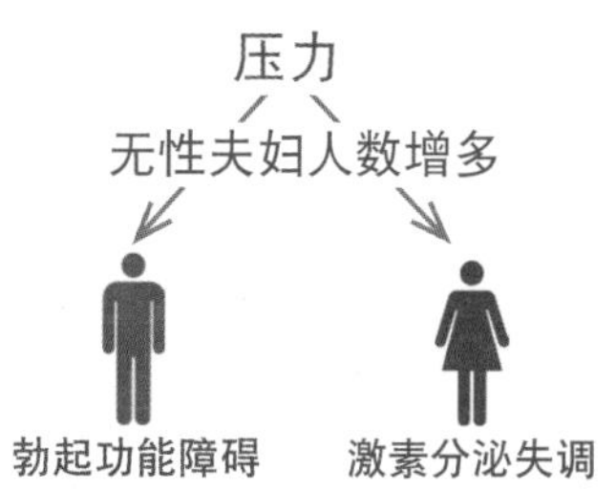

另外，由于工作或人际关系方面压力增大，无性夫妇的人数也在增加，尤其是男性由于压力引起勃起功能障碍，导致失去怀孕的机会。女性也可能因为压力的原因引起激素分泌失调，这些都可能引发不孕。

晚婚不孕的治疗需要双方一起努力

说起不孕，很多人认为是女性单方面的原因引起的。这可能和女性担负着怀孕、生育责任有关系，但是经过调查，事实上，引起不孕的原因几乎男女各占一半。引起男性不育的原因也是各种各样的，不经过检查，一般很难确定。数据显示，跟以前相比，现在男性的精子数量更少，这应该不是个别人的问题。因此，不孕是夫妇两个人的事情，在治疗的时候应该齐心协力。

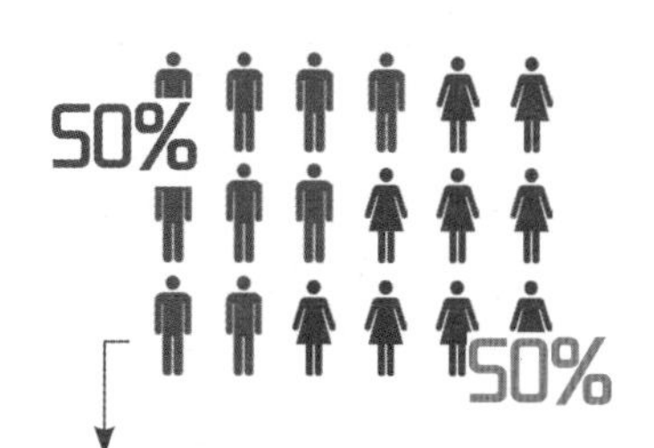

引起不孕的原因几乎男女各占一半。治疗的时候要同时接受治疗

妊娠的过程和不孕的原因

对于不孕，要找出原因也不是一件轻松的事。女性的妊娠结构原本就很精巧，只要有一处出现问题，就可能引起不孕，而且原因还可能不止一个，有的还可能是男性方面的原因。有时候，即使是夫妇一起接受检查，也没有检查出来问题，可就是不能怀孕！而这样原因不明的不孕症患者，居然占不孕患者的 10%。下面，就先让我们来整理一下怀孕的过程和各个环节引起不孕的原因。

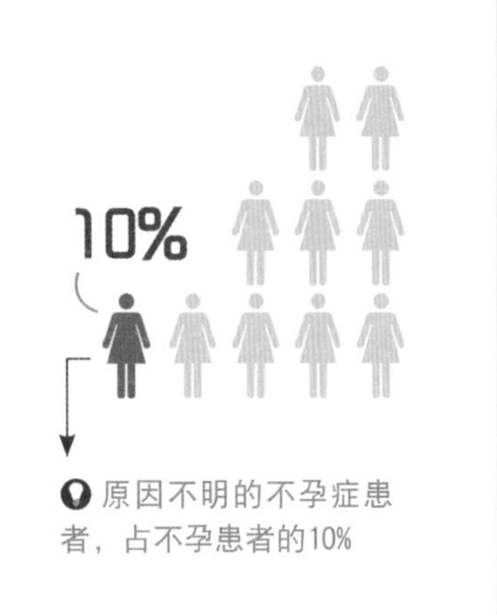

原因不明的不孕症患者，占不孕患者的10%

排卵

▶ 在月经快结束的时候，脑垂体开始分泌刺激卵细胞的激素，受到它的影响，卵巢中的原始细胞中的一个或几个开始发育成长。与此同时，这个卵细胞开始分泌雌激素，受它的影响，子宫的内膜开始充血，为受精卵的着床做准备。月经结束大概 10 天以后，准备工作完成，脑垂体又开始分泌黄体激素，受此影响，成熟的卵细胞排出一个卵子，这就是排卵。排出的卵子最后会进入到输卵管。

▶ 80% 的女性都是左、右两侧的卵巢每月交替排卵，而剩余 20% 的女性是用一侧排卵，单侧卵巢被切除的女性是剩下的卵巢每月进行排卵。

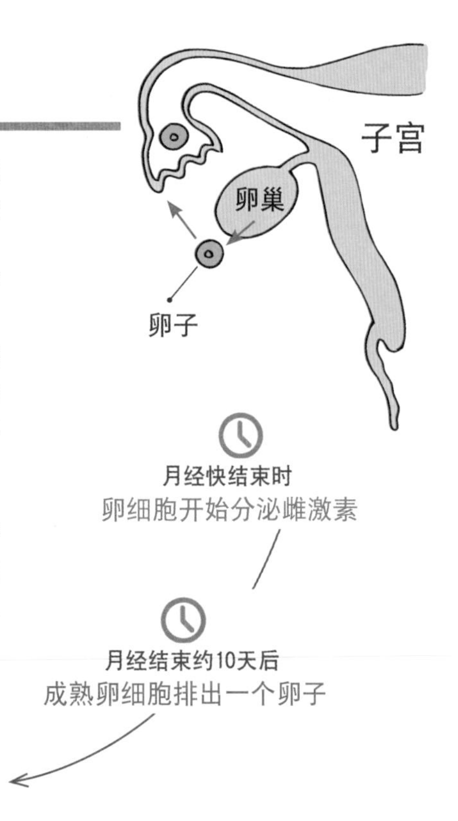

尿检推测排卵日就是检测尿液中的黄体激素的含量

根据基础体温和试纸进行确定

基础体温必须每天一起来就测，它是确定雌激素是否正常工作、每月是否有排卵的重要指标。如果基础体温正常的话，每月高温期和低温期的分界那天前后就有排卵。一般都是体温突然下降，有的时候又有点上升，排卵就是在这个时候进行的，有的女性还可能是在下降的那一刻或正好那之前将体内的卵子排出。

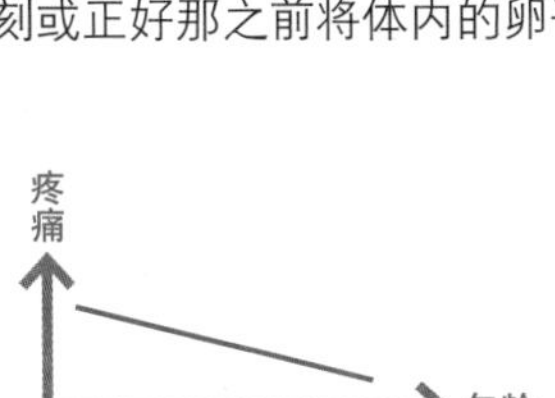

基础体温正常的话，排卵是在每月体温突然升高和下降的那几天

市场上的检查试纸是检测尿液中的黄体激素的含量的，预测含量达到最高以后的15～40个小时之后出现排卵现象。

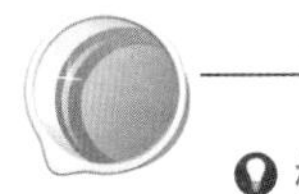

检查试纸是检测尿液中的黄体激素的含量

卵子没有发育完成，没有出现排卵

这个阶段的不孕原因可能是卵子没有发育完成或没有出现排卵现象。这种情况称为排卵障碍，占女性不孕的20%左右。

排卵障碍

ⓐ 激素分泌异常

ⓑ 子宫内膜异位症

ⓒ 炎症

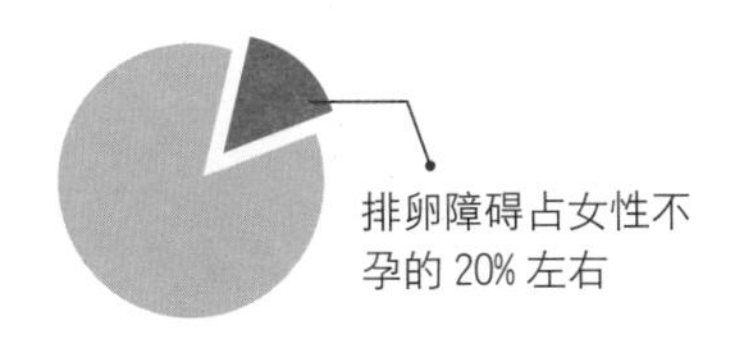

排卵障碍占女性不孕的20%左右

基本上是由于大脑或卵巢分泌的激素出现异常引起的，还可能是由于子宫内膜异位症、性传播途径引起的炎症等原因，卵巢周围出现粘连，导致发育成熟的卵子不能从卵巢中排出。

输卵管伞不能捡拾卵子

由于某些先天性的原因，输卵管伞不能顺利地将排出的卵子接收到输卵管里面（卵子捡拾障碍）。这种异常在普通检查阶段不容易发现，基本上都是在腹腔镜检查或进入治疗之后才可能被发现，这种原因可能性很小。

发病率很小且需要腹腔镜检查或治疗后才会发现

受精

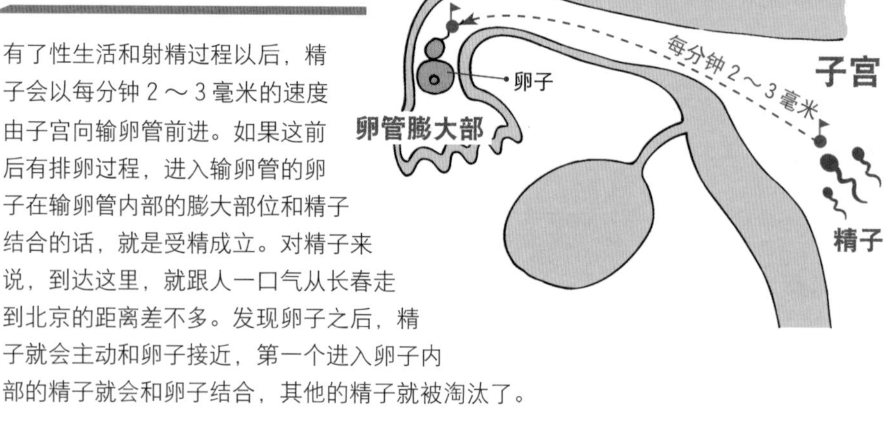

▶ 有了性生活和射精过程以后，精子会以每分钟2～3毫米的速度由子宫向输卵管前进。如果这前后有排卵过程，进入输卵管的卵子在输卵管内部的膨大部位和精子结合的话，就是受精成立。对精子来说，到达这里，就跟人一口气从长春走到北京的距离差不多。发现卵子之后，精子就会主动和卵子接近，第一个进入卵子内部的精子就会和卵子结合，其他的精子就被淘汰了。

一般来说，卵子的生存时间是24～36小时，而精子的生存时间可以达到两天到数天，因此可以说，从排卵前的2～3天开始到排卵的第二天都有受精的可能。

精子不能顺利进入子宫

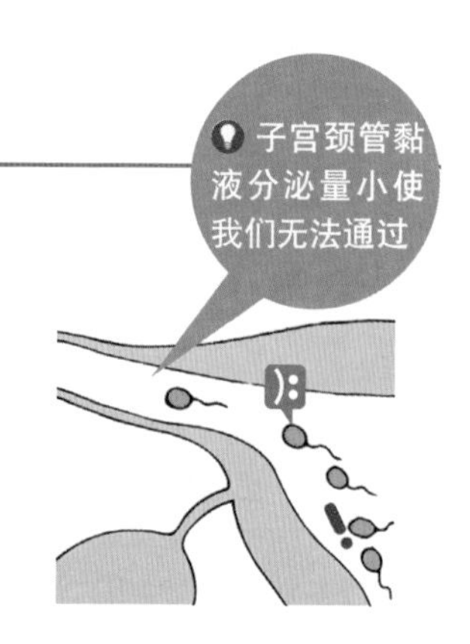

随着排卵日的接近，子宫颈管会分泌很多的颈管黏液，它可以使精子更顺利地通过。如果这种黏液的分泌量不够，精子就可能通不过颈管，这被称为子宫颈管通过障碍。引起这种障碍的原因可能是雌激素分泌量不足，也可能是子宫颈管出现炎症或息肉。

精子不能进入输卵管

是指输卵管堵塞，导致进入子宫的精子不能到达卵子所在位置。这种疾病被称为输卵管阻塞或不通，占女性不孕的1/3，是引起女性不孕的主要原因之一。而引起输卵管阻塞的原因有可能是病菌性性感染症引起的炎症，或子宫内膜异位症产生的粘连等。

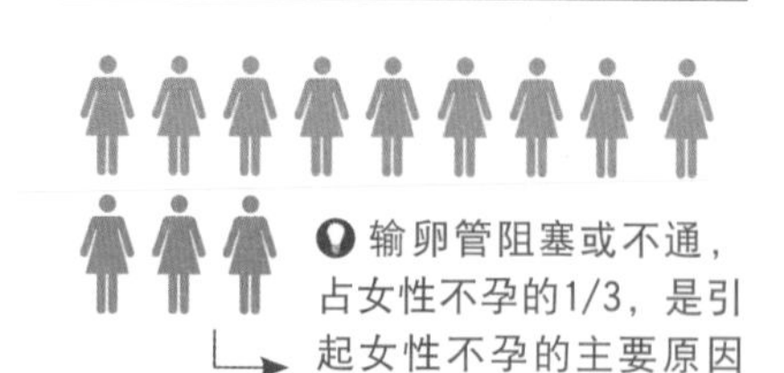

不能有正常的性生活

这种疾病被称为性行为障碍，男女都可能发生。对女性来说，先天性的外阴或阴道有问题、过去的不良性经历造成的心理影响，或子宫内膜异位症等疾病引起粘连引发性交疼痛等原因，都可能引起性行为障碍。引起男性出现性行为障碍的主要原因是勃起功能障碍，这可能和糖尿病、高血压等疾病有关，也可能是心理问题引起的。有的男性虽然可以勃起，但是却不能在阴道里面射精，这也是性行为障碍的一种，称为射精障碍。

精子或卵子的条件不好

如果精液中没有精子（无精症）或数量少（少精症）或活动迟钝（精子无力症）或出现畸形（精子畸形症）等，这些症状综合起来称为造精功能障碍，都可能引发不孕。引起这种疾病的原因可能是平时的压力过大、染色体异常等，如果精囊静脉血管损坏，导致血液向精囊逆流的话，就可能引起精索静脉瘤，这也会引发不孕。女性的卵子出现老化也是不孕的原因之一。

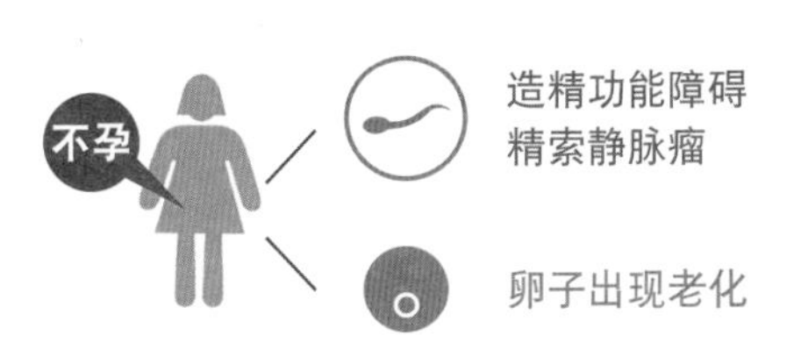

着床

▶ 受精卵会一边分裂一边在输卵管内部移动，受精结束约 4 天之后到达子宫。在子宫进一步分裂之后，就进入了子宫内膜，称为着床，大约在受精以后 6 ～ 7 天发生，到这一步，才可以说妊娠成立。为了使着床更加容易，排卵以后的卵细胞会变成黄体，开始分泌黄体激素，使先前受到卵细胞激素影响已经变得十分厚实的子宫内膜更加柔软。黄体激素还可以促使体温上升，使身体进入高温期。

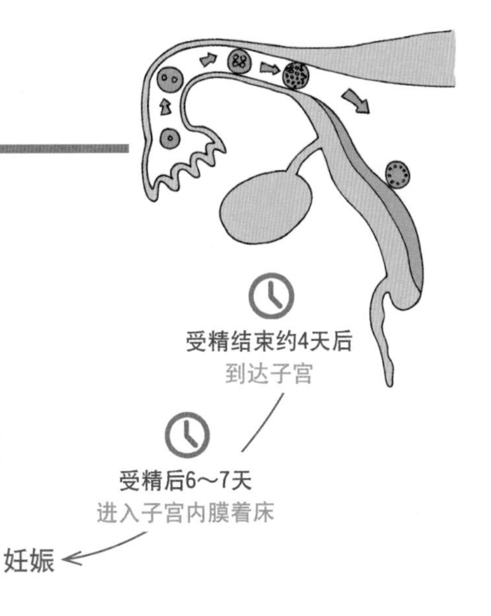

输卵管阻塞，导致受精卵移动困难

和受精的时候一样，如果输卵管阻塞，好不容易受精成功的受精卵就不能顺利向子宫方向移动，也就不能顺利着床。输卵管只有铅笔芯那么细，是很容易受到伤害的，但是因为有两条输卵管存在，如果一条出现阻塞，另一条也可以正常工作，也有怀孕的可能。

两条输卵管为受精卵着床提供了更多保证，一条堵塞，还有另一条

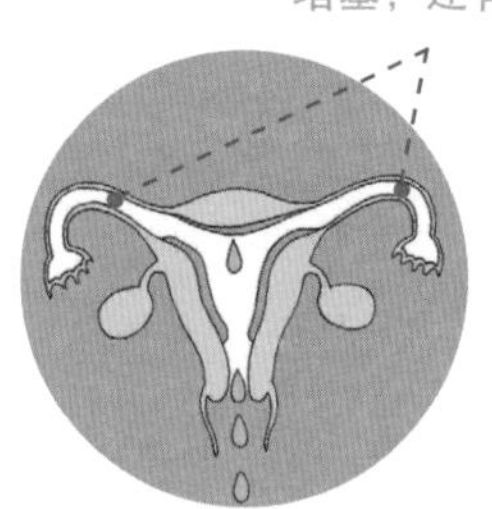

输卵管

子宫

受精卵

输卵管细度＝铅笔芯

输卵管只有铅笔芯那么细，如果堵塞，受精卵就不能顺利着床

子宫内膜状态不好，导致不能顺利着床

子宫肌瘤是出现在子宫肌肉层内的良性肿瘤，根据大小和位置的不同，可以引起受精卵不能顺利着床或出现流产现象。另外，子宫腺肌症、子宫内膜息肉、子宫内膜粘连等都可能妨碍着床。而引起子宫内膜粘连的原因可能就是性感染症引发的炎症，或流产对子宫内膜伤害过大引起的细菌感染等。如果本身黄体激素分泌不足或先天性的子宫畸形等也会导致受精卵不能顺利着床。

受精卵 ✕ 着床

子宫肌瘤
子宫腺肌症
子宫内膜息肉
子宫内膜粘连
先天性的子宫畸形

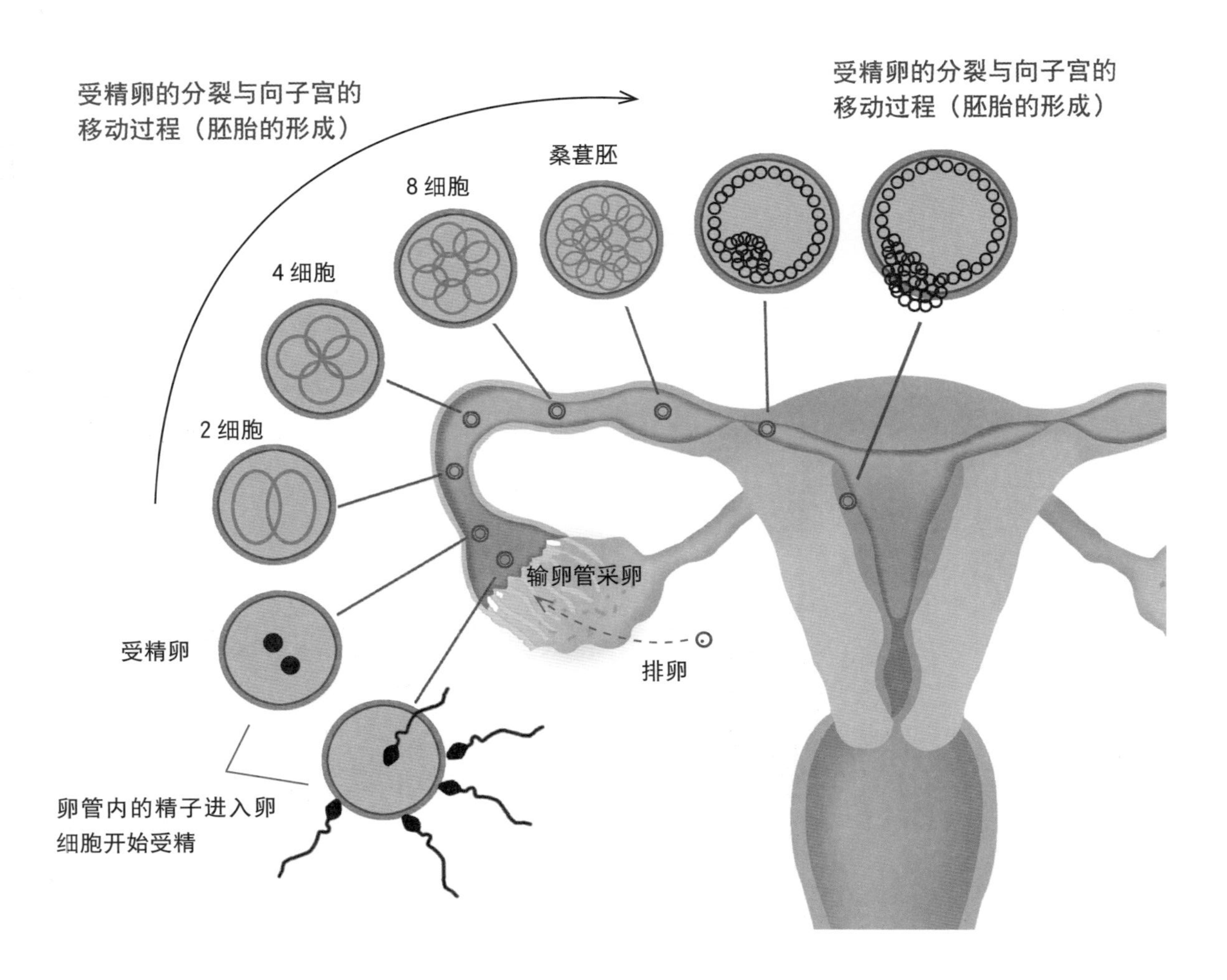
受精卵的分裂与向子宫的
移动过程（胚胎的形成）
受精卵的分裂与向子宫的
移动过程（胚胎的形成）
桑葚胚
8 细胞
4 细胞
2 细胞
受精卵
输卵管采卵
排卵
卵管内的精子进入卵
细胞开始受精

目前社会上引起不孕的普遍原因

就女性出现不孕现象来说，约1/3是输卵管阻塞引起的，1/3是子宫内膜异位症造成的，有1/5是由于排卵障碍，可能会有重复情况出现。另外，大概有10%的不孕患者属于原因不明。

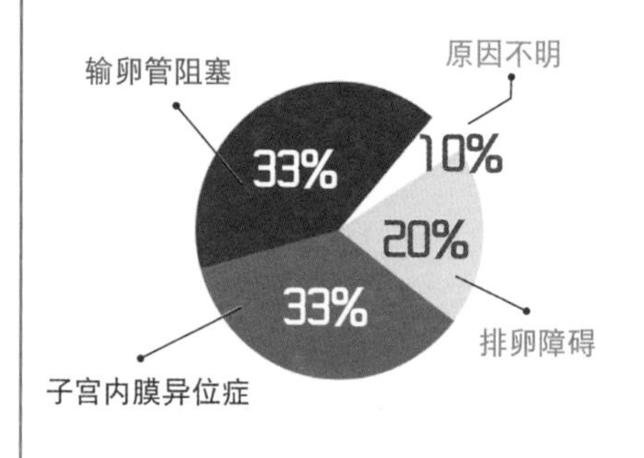

其中，引起不孕的原因里面，增加较快的是女性的子宫内膜异位症和非淋菌性性感染症，男性是勃起功能障碍问题。前面也提到了，女性子宫内膜异位症的增加和晚婚有很大关系，性的自由化又导致了性感染症的增加，而男性勃起功能障碍的增加又和社会压力增大密切相关。

因压力引起的勃起功能障碍

▶ 大脑的兴奋对男性的勃起来说是不能缺少的，正是由于大脑的兴奋由神经传导到了男性性器上才引起勃起。但是压力却对重要的大脑兴奋起阻碍作用，因此，心理问题是引起勃起功能障碍的一个很大的原因。工作、人际交往、收入情况等，都会给男性造成很大压力，尤其是患不孕症的夫妇，只是为了生育而进行性生活，这本身对男性就是一种很大的压力，只会使男性的勃起功能障碍问题更加严重。所以才会出现类似于在家不行，但是一出去旅行就变正常的现象。

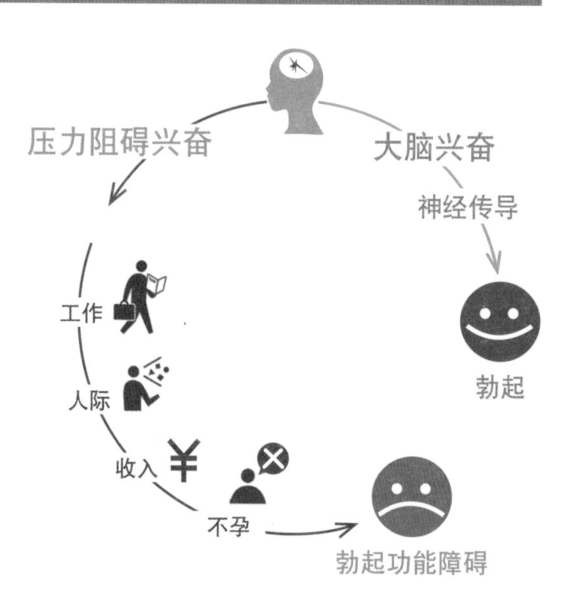

无性生活

▶ 虽然有性能力和条件，但是因为没有兴趣导致长时期没有性交经历的状态称为无性生活或性生活次数少。最近，不但是进入倦怠期的夫妻，连新婚夫妇也出现了这种倾向。虽然是无性生活，但是还想要孩子，同时又觉得太麻烦，这样的不孕夫妇在增加。即使是这种现状，有的夫妇也不去医院检查，而且和别人也没有办法说，所以就自己苦恼。其实，对于这样的问题，正规医院的妇科或不孕门诊都能够解决。

精子数量减少、活动力低下

▶ 根据调查显示，现在男性的整体生育能力下降，和 20 年前相比较，精液中的精子数量只有以前的 2/3。引起精子数量减少、活动能力降低的原因之一是压力导致激素分泌异常，出现男性激素分泌量减少，甚至出现泌乳素过剩等现象，使身体的造精能力衰退。如果受到病菌的感染出现炎症，那么血液中的白细胞就会增加，这也会抑制精子的活动。另外，近年来，环境激素的影响也成为原因之一，在世界各地，都陆续发现了雌性化的动物，因此这个领域还有待于继续研究。

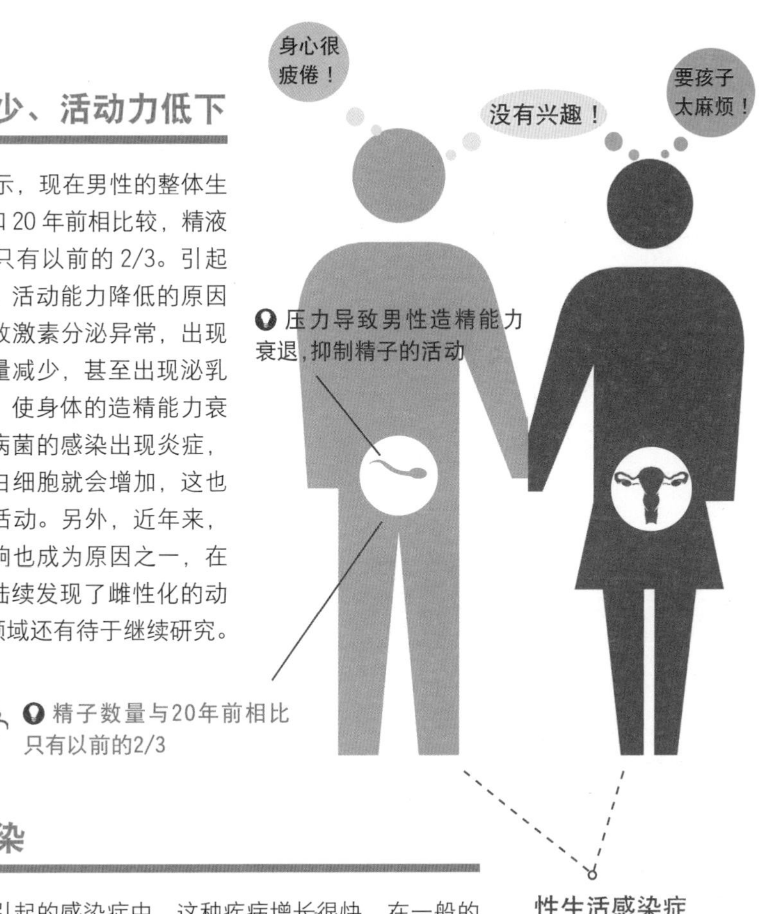

非淋菌性感染

▶ 在由性生活引起的感染症中，这种疾病增长很快，在一般的家庭妇女和年轻女性身上都有发现。这种疾病是由细菌和病毒共同引起的，就治疗感染本身来说，只要服用抗生素等两周左右的时间就可以。但是由于没有什么明显的症状，因此炎症就会逐渐由子宫向输卵管、卵巢、腹腔发展，使输卵管出现堵塞、组织粘连等现象，最后导致不孕。为了防止复发，一般要求伴侣一起接受治疗。

性生活感染症

细菌和病毒共同引起
没有明显症状

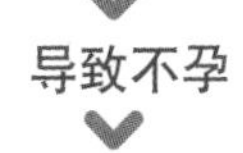

导致不孕

伴侣应一起接受治疗

多囊卵巢综合征

▶ 由于激素出现异常，卵巢内的卵细胞只能发育到一定程度而不能排卵，属于排卵障碍的一种。由于没有排卵，卵巢的皮会变硬变厚，最后发展到再不能排卵。有的患者偶尔会有排卵，而有的患者是完全不排卵。引起这种疾病的原因还不明确，但考虑和体内的男性激素或泌乳激素分泌过多，导致卵巢代谢能力下降有关。因此有时出现的症状还有月经不调和体毛过重等现象。

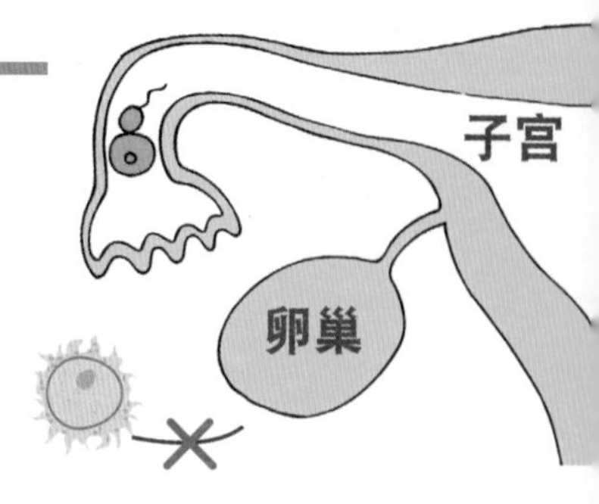

卵巢内的卵细胞只能发育到一定程度而不能排卵。一般的治疗方法是服用排卵诱发剂，以促进卵细胞的发育

高泌乳素血症

▶ 这也是由于激素出现异常引起的疾病。泌乳素也是雌激素的一种，可以促使生育之后的女性分泌乳汁，女性平时分泌过多的话，就会出现胸胀、乳汁分泌等哺乳期现象，而且还会抑制排卵，最后影响着床和引起不孕。如果是男性，就会影响精子数量以及活动情况。引起这种疾病的原因除了平时压力大之外，还可能是脑垂体受到了伤害。

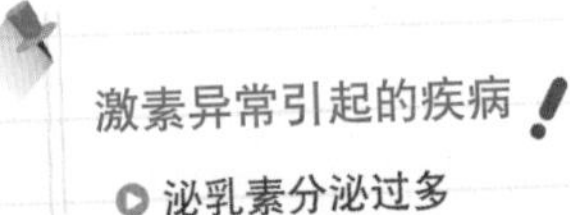

激素异常引起的疾病！

- 泌乳素分泌过多
- 胸胀、乳汁分泌
- 抑制排卵
- 影响着床和引起不孕

子宫内膜异位症

▶ 子宫内膜异位症是指原本应该生长在子宫内部的子宫内膜因为某种原因出现在了卵巢或输卵管里面，并且随着月经周期出现增殖和脱落。这会导致和周围组织出现粘连，以致输卵管堵塞，卵巢内部废血淤积，还可能引发卵巢巧克力囊肿，引起排卵障碍。内膜如果覆盖在卵巢表面，会导致不能排卵，出现在输卵管伞的话会引起卵子捡拾困难。在动物实验中已经得到证实，和多囊卵巢综合征激素类似的环境激素也可以引发子宫内膜异位症，因此，女性不孕的增加考虑和环境激素也有关系。

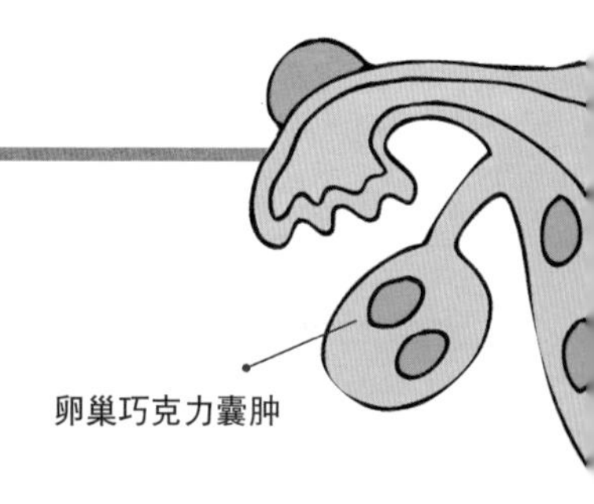

妊娠、生育时期月经停止，子宫内膜异位症可能不治而愈，从这点来说，晚婚、晚育可以引起子宫内膜异位症的增加

不孕怎样治疗

没避孕但两年未怀孕

在妇科上，不孕症指的是：夫妇双方都有生育想法，在没有采取任何避孕措施的情况下，两年都没有怀孕。不孕症在治疗上是需要花时间的，越年轻怀孕的概率越大，因此，不要说两年，即使是一年没有怀孕，也应该去医院接受检查。由于不孕症的治疗是一个长期的过程，因此为了安心，有必要先了解一下具体的治疗过程！

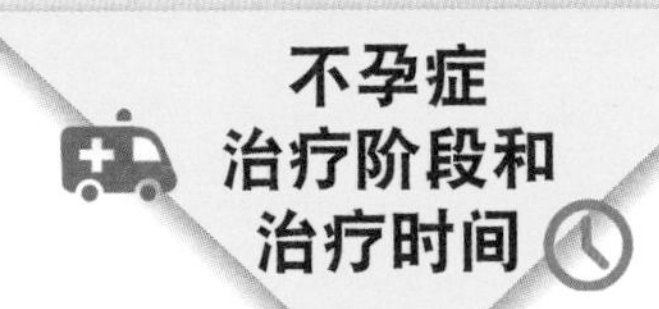

一般的不孕症治疗

第一阶段

寻找导致不孕的原因

治疗时间约3个月

□ 用激素进行调节

□ 根据基础体温对性生活时间进行指导

▶ 这个时期主要是寻找导致不孕的原因。医生会根据女性的基础体温确定排卵日期，对性生活时间进行指导，其中可能还包含了第二阶段的用超声波预测排卵日的方法，有22%的患者只要经过这个阶段就可以怀孕。这也是不孕症治疗中效果比较好的方法。

□ 不孕症学习

▶ 有的医院会开设一些讲座、讨论班等帮助不孕的夫妇更好地了解什么是不孕症治疗，这样能把握治疗的过程。解决了疑问，夫妇就可以自己选择治疗的方法。

□ 辅导

▶ 心理问题也是引起不孕的一个重要原因，因此专业的心理辅导也是必需的。如果有必要，这样的辅导还可以在治疗深入的时候进行。基本上都是自费，可以由医生辅导，有的医院还可能配有临床心理师等专业辅导人员。

第二阶段

针对病因治疗

治疗时间约1年

☐ 利用超声波预测排卵日，对性生活时间进行指导

▶ 不单是依靠基础体温，还可以利用超声波观察卵细胞的变化，预测排卵日，对性生活时间进行指导。

☐ 药物治疗

▶ 从这个阶段才开始药物治疗，例如给排卵障碍的患者服用效果稳定的口服性促排药，给高泌乳素血症患者服用抑制泌乳素分泌的药物，给黄体功能不全的患者服用黄体激素等。

第三阶段

进一步治疗

治疗时间约1年

☐ 人工受精

▶ 将获取的男性精液用专门的注射器从阴道注入子宫，也可以将精液做一下过滤，选择活动能力强的精子注入女性体内。获取精液可以通过手淫的方式，不需要麻醉，5～10分钟就可以完成，然后休息20～30分钟就可以。主要是在女性出现宫颈管黏液分泌不足或有抗精子抗体，导致精子不能顺利进入子宫；或男性精子数量少以及活动能力低下；以及治疗原因不明的不孕症的时候采用。因为这种方式希望在输卵管的膨大部位受精，因此前提条件是女性没有输卵管阻塞或着床障碍。

☐ 药物治疗

▶ 注射强排卵诱发剂HMG，直接促进卵巢排卵，能比口服药产生更多的卵子，使怀孕概率增大。用HMG促进卵细胞发育之后，再注射HCG促进排卵，因此也被称为HMG～HCG疗法。作为不良反应，这种方法下出现双胞胎或多胞胎的可能性有20%，但是也可以用降低HMG使用浓度的方法减少多胞胎的可能，另一种不良反应是出现卵巢肿胀，出现卵巢过度刺激综合征，尤其是多囊卵巢综合征的患者更容易得，因此须谨慎使用。

辅助生育治疗

第四阶段

最先进治疗

治疗时间2～3年

☐ 特殊检查

▶ 如果接受了两年的治疗，还是没有找到确切原因的话，就会进入这个医疗阶段，在进入之前，还必须做一些特殊检查。一个是腹腔镜检查：全身麻醉的情况下，在肚脐下面开2～3个0.5毫米左右的小洞，插入内窥镜对腹腔内部进行观察，可以了解输卵管伞的捡拾障碍、子宫内膜异位症等引起的粘连等情况。症状不严重的话，当天就可以回家。如果发现输卵管堵塞，也可以在第一阶段进行这项检查。

☐ 人工受精

不孕症治疗分为一般治疗和辅助生育治疗

▶ 现在对不孕症的治疗一般分为一般治疗和辅助生育治疗。和以前相比，体外受精的技术得到了很大的发展，相关的医疗器械也有很大进步，因此在治疗的时候，首先是进行一般治疗，如果没有达到怀孕的效果，再进入辅助生育医疗阶段。在一般治疗阶段，除了上述内容以外，还可能进行子宫肌瘤的肿瘤剔除手术、子宫内膜息肉的切除、粘连的剥离等妇科手术。如果是输卵管堵塞，还可能进行输卵管疏通手术。

两年治疗后，一般治疗阶段 40% 的人会妊娠成功，辅助生育阶段的人也有 40% 的妊娠率。也就是说，经过 5 年的治疗之后，有 80% 的患者可以治愈。但是仍然有 20% 的患者，也就是说有 1/5 的人达不到预期的效果。但是随着科技的进步，不久的将来情况就可能会大不一样，这就是这个领域的特点

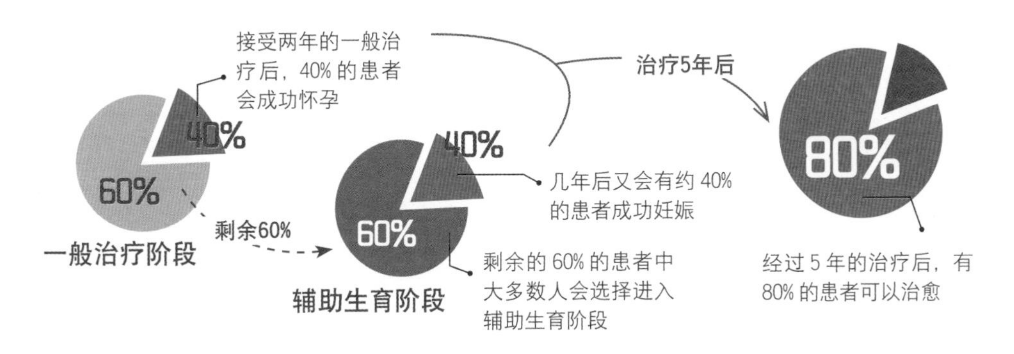

不孕治疗也是长期的过程

▶ 妊娠的机会 1 个月只有一次，就是在排卵的时候，因此，不孕治疗都是以 1 个月为单位，这直接导致治疗时间的增长。以前，体外受精还没有普及时，即使一般治疗没有效果，也只能延长时间继续治疗。但是现在，如果一般治疗进行了两年没有效果，那么坚持下去也没有多大意义，医生就会建议患者进入辅助生育阶段。

最好选择有不孕症专家的医院

▶ 即使同样是妇科，也最好选择挂有“不孕门诊”字样、加大力量进行不孕症治疗的医院。另外，由于需要长期治疗，最好选择离家或单位较近，或交通比较方便的医院。在问诊的时候很认真地提供信息，对于治疗方法的解释也很到位的话，可以考虑在这样的医院就诊，另外，最好还要打听一下是不是有体外受精的设备。

在气氛友好、医生有责任心的医院就诊，心理负担会少一点，治疗过程也能轻松一些

不孕的检查内容

对于不孕的治疗过程来说，只有通过有针对性的不孕检查，为治疗指明方向，才能做出有效的治疗方案，如果不了解不孕的病因，治疗只是纸上谈兵。

月经规律和一般不孕检查的内容

卵泡期

上次月经停止日至排卵日止历时10～12天

宫腔镜检查

□ 检查子宫是否有异常

▶ 将内窥镜伸入子宫进行观察，除非子宫颈狭窄或变硬，一般不需要麻醉。可以检查是否有子宫肌瘤或息肉，是否出现炎症或粘连，输卵管开口是否出现异常等，如果是小的息肉的话，可以当场切除。

声波检查

□ 检查子宫、卵巢的状态，卵子的发育情况

▶ 利用超声波图像检查子宫的形状，是否有子宫肌瘤或卵巢囊肿，还可以确定子宫内膜的厚度和卵巢内卵子的发育情况。具体的方法可以将探头从阴道伸入或憋尿以后在腹部检测，前者更接近子宫，图像也更鲜明，但是后者的图像范围更大。

子宫输卵管造影检查

□ 可以检查和治疗输卵管阻塞

▶ 和检查胃部的钡餐是一样的道理，将造影剂用专用的注射器由阴道注入子宫，再用 X 射线进行透视，检查卵巢和子宫的状况，可以了解输卵管堵塞的情况，子宫的形状、大小等。另外，造影剂还可以起到增加输卵管润滑度和净化作用，因此也有患者在检查结束之后就顺利怀孕的。如果患者有输卵管堵塞或疼痛感觉敏感的话，在造影剂通过的时候，会感到有点痛，但是还是有 30% 的患者没有感觉。如果担心疼痛的话，可以在检查前吃点止痛药等。

排卵期

一般在下次月经来潮前的14天左右

超声波检测

☐ 观察卵细胞的大小，确定排卵日期

▶ 排卵日之前，卵细胞的直径可以达到 10～20 毫米，因此可以通过超声波检测卵细胞大小，预测排卵日。因为排卵之后，卵细胞渗出的水和从卵巢出来的血液会形成积液淤积在子宫内部，因此也可以检测盆腔积液的有无。

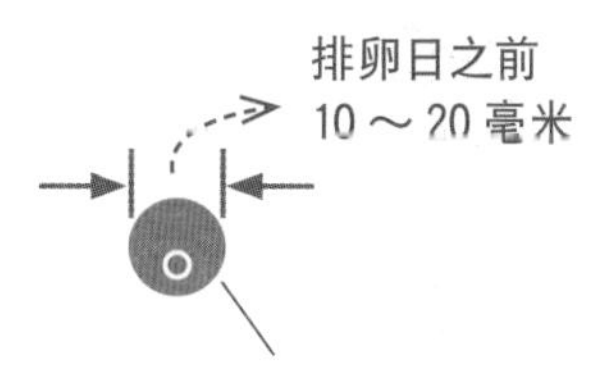

检测卵细胞大小可预测排卵日

子宫颈管黏液检查

☐ 检查子宫颈管黏液的分泌状态

▶ 排卵之前，颈管黏液会结晶成羊齿叶状，如果用显微镜能观察到这样的黏液的话，那么离排卵也就不远了。如果不能确认或黏液较少的话，就有可能是子宫颈管黏液不全。自己也可以根据子宫颈管黏液来测定排卵日。

将白带捏在手指上，如果感觉伸展度比平时好，就离排卵日不远了

激素测定

☐ 检测黄体激素的含量，预测排卵日

▶ 可以通过检测尿液中的黄体激素的含量 LH 值预测排卵日。LH 值通常在排卵前 15～40 小时达到顶峰，虽然这个时间每个人都不太一样，但是结合超声波检测，就可以指导患者进行性生活的时间，如果遇到卵子在发育但是没有 LH 分泌的情况，还可以注射和 HL 有同样效果的 HCG 来促进排卵。

性生活后检查

☐ 性生活以后精子状态的检查

▶ 夫妻性生活结束以后，女方必须来医院检查。通过观察子宫颈管黏液、阴道分泌物和子宫，检查精子的数量、活动情况、有没有出现炎症等等。如果子宫颈管中的精子不运动或子宫内没有精子的话，就有可能是子宫颈管黏液阻碍了精子的活动。

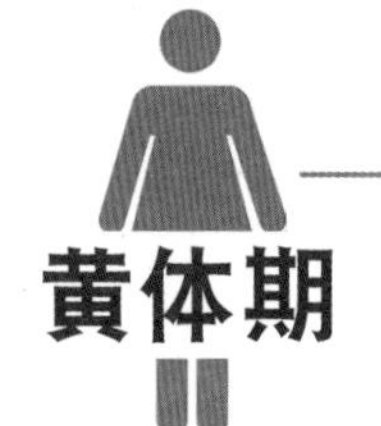

黄体期

排卵后
到下次月经前一天
在14天左右

超声波检查

☐ 检测是否有排卵

▶ 排出卵子之后的卵细胞会由白色变成黄色，称为黄体，可以检测是否有排卵现象，也可以从有无盆腔积液或子宫内膜的厚度来检测。还能检测是不是出现了黄体化未破裂卵细胞，它能导致基础体温上升却没有排卵。

激素测定

☐ 通过检测黄体激素的数值检测妊娠维持能力

▶ 通过血液检测黄体激素的数值，如果比较低，就可能是黄体功能不全，会引起妊娠维持能力低下。另外，还可以检测泌乳素的值和卵细胞激素的数值。

月经期

一次月经持续
的时间
一般为3～7天

激素测定

☐ 检测激素分泌状态

▶ 检测两种雌激素是否都正常分泌。为了检测是否患高泌乳素血症，还必须检测泌乳素的分泌状态。这两项同时检查的话，被称为LH～RH/TRH试验。通过检测注射激素前后的血液，就可以了解激素是否在正常分泌。

LH～ RH/TRH试验 ▶ 检测两种雌激素 ＋ 检测泌乳素

经血培养

☐ 检测是否有结核菌

▶ 培养月经血，用来检测是否含结核菌，结核菌进入子宫的话，会妨碍着床，还可能导致子宫或输卵管出现粘连引发不孕。

♀女性不孕检查

第一阶段 在初诊的时候首先进行综合检查

虽然不同的医院做法也有些不同，但是总体上来说，在初诊的时候，医生会要求夫妇两个人都填写问诊表，说明过去的病历、到现在为止妊娠经历和经过、有没有做过开腹手术或输血、有没有家族遗传病，如果在此之前也接受过不孕治疗，还应该将详细经过写清楚。医生根据问诊表的内容进行诊断和检查。

姓名 ______ 年龄 ______

- □ 过去的病历
- □ 妊娠经历和经过
- □ 是否做过开腹手术或输血
- □ 有无家族遗传病
- □ 接受不孕治疗的详细经过

夫妇两个人都填写问诊表

医生根据问诊表的内容进行诊断和检查

接下来是对全身进行检查，包括：

- □ 身高、体重、血压
- □ 尿液中的蛋白质含量和尿糖
- □ 贫血、风疹
- □ 乙型／丙型肝炎
- □ 子宫内膜异位症等肿瘤
- □ 梅毒、艾滋病
- □ 血糖、甲状腺功能等
- □ 子宫颈癌、性病等检查

第二阶段 对月经规律的检查需要一个半月

接下来进行的各种检查是为了诊断不孕原因，选择合适的治疗方法。因为女性的身体都是在月经周期下变化的，因此对照前几页的图表，会在各个时期进行相对应的检查。

检查并不都是从卵泡期开始的，一般都是从初诊的时期开始相对应的检查，整个过程需要大概一个半月的时间。

通过进一步的检查，诊断不孕原因，选择合适的治疗方法

♂男性不育检查

由压力引起的勃起功能障碍也成为了造成男性不育的重要原因，对于这种疾病，心理辅导很重要

第一阶段 基本的检查是精液检查

对男性不育的检查一般都是精液检查，这种检查也可以在妇科进行，获取了精液，一般就可以了解引起不育的50%的原因。因此，最初的诊查最好是夫妇一起来。

精液检查需要之前禁欲4～5天，在医院通过手淫方式提取精液，然后检查精子数量、活动情况、畸形率等。精子数在4000万/毫升以上、运动率在50%以上的话，理论上就有可能自然妊娠，但是也必须满足健康的精子在2000万/毫升以上。

但是精子检查的结果也受到当天的身体状况和精神状态的影响，多的时候能达到1.8亿/毫升的健康男性，低的时候也只有1000万/毫升。因此如果没有达到标准，也可以下次再检查。

精子数 >4000万/毫升
运动率 >50%
健康精子 >2000万/毫升
有可能自然妊娠

第二阶段 由于压力引起的勃起功能障碍也可以通过辅导治疗

如果精液检查出现异常，为了寻找原因，可以去泌尿科进行精囊检查，有的医院也可以在妇科检查。作为治疗手段，如果发现有重症的精索静脉瘤的话，可以接受相关的外科手术。如果是精子数量减少或活动力低下的话，轻的可以用药物疗法，严重的话可以进行人工受精。如果患无精子症但是精囊里面有精子的话，也可以进行显微镜下受精。

最近，由压力引起的勃起功能障碍也成了男性不育的重要原因，对于这种疾病，心理辅导很重要。一般医院的泌尿科、男性不育门诊、有不孕门诊的妇科都可以进行这样的心理辅导。

精子数量减少或活动力低下的话，轻的可以用药物疗法，严重的话可以进行人工受精

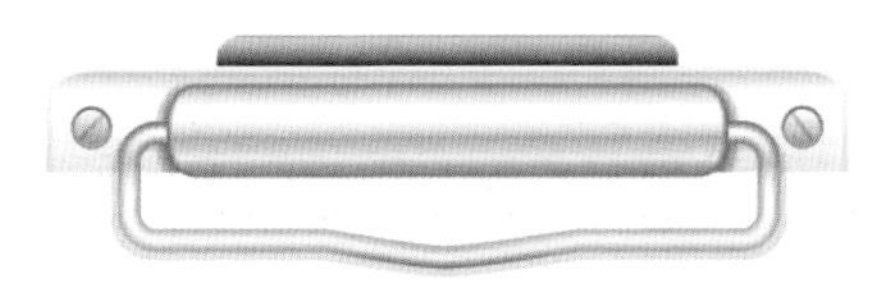

什么是辅助生育治疗方法

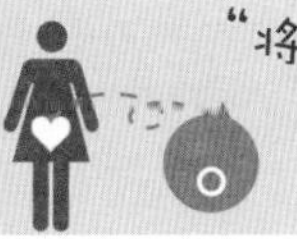

“将卵子拿到体外”！

□ 辅助生育方法已经普及

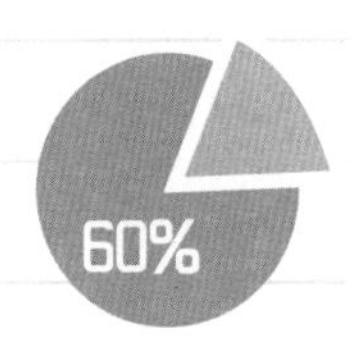

▶ 辅助生育治疗是指“将卵子拿到体外”的治疗方法。这在以前是极少数的患者才可以享受的特殊治疗法，但是现在，经过两年的一般治疗以后，40% 的患者成功怀孕，剩下的 60% 的患者中的绝大多数人可以选择进入辅助生育阶段。

□ 一般治疗阶段无法治疗的女性
□ 少精的男性患者
□ 身上带有抗精子抗体的女性
□ 原因不明的患者

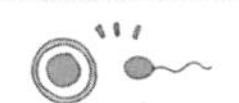

选择辅助生育治疗 ▶ “将卵子拿到体外”

▶ 还有的患者考虑年龄或引起不孕原因复杂等，没有等到两年就进入了辅助生育阶段。尤其是经过输卵管造影检查之后，发现输卵管堵塞，但在一般治疗阶段无法治疗的女性患者，或少精的男性患者，或身上带有抗精子抗体的女性患者，还有原因不明的患者，很多人在一开始就选择进入辅助生育阶段。正是因为有了辅助生育，才使以前除了选择放弃就没有别的办法的患者重新获得了希望。

□ 选择适合自己的治疗方式

▶ 由于手术设备和技术的制约，现在还不是每一家医院都可以做这种辅助生育。因此最好在一开始接受不孕治疗的时候就考虑这个问题。另外，治疗进行到什么程度，需不需要进入辅助生育治疗阶段等，这些都是由患者自己决定的，应该结合夫妻双方的经济状况、年龄、心理负担、住院事宜等方面，综合考虑之后再做决定，而且，选择一个能认真回答患者疑问、有责任心的医院也十分重要。辅助生育治疗后的妊娠率也有差别，有的医院会将数据公布，有的则不会。

结合夫妻双方经济状况、年龄、心理、住院事宜等，综合考虑后再做决定

有责任心的医院

辅助生育治疗的 3 种类型

体外受精

妊娠率
一般为15%～30%

治疗方法

☐ 提取卵子体外受精

▶ 将卵子直接从卵巢中提取出来，并使其在体外受精成功，然后将受精卵重新放回子宫内部。根据设施的不同妊娠率也会有点差别，但一般在 15%～30%。能一次成功的话就很幸运，大多数患者需要重复几次。

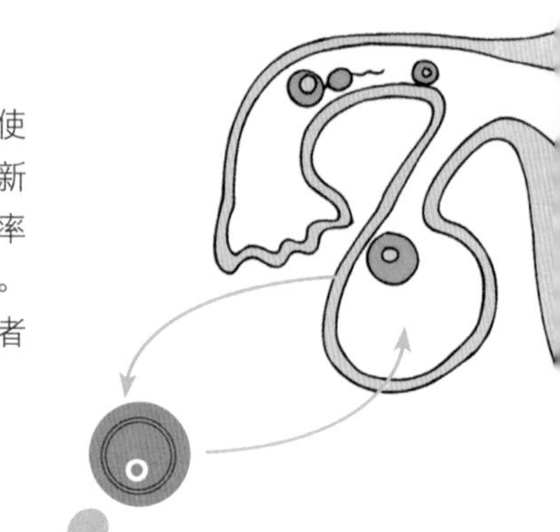

具体治疗过程

☐ 获取卵子和精子经体外受精后将受精卵放回子宫

▶ 先注射排卵诱发剂（HMG～HCG 法）促进排卵，然后在超声波探头上安上针头，将探头伸入阴道，医生会根据超声波图像，将探头直接插入卵巢，提取卵子以及卵细胞液。提取的卵子经过清洗、筛选之后，就会被放到培养液中培养几个小时。

▶ 手术需要 5 分钟左右，一般会在全身麻醉的状态下进行。但是如果提取的卵子只有 1～2 个的话，针头刺激卵巢的疼痛就像打针一样，有时也不需要麻醉。

▶ 与此同时，男性患者需要用手淫的方式获取精子，经过清洗、筛选，然后将精子和卵子放在同一个专用容器中，使其自然受精。当受精卵分裂到 40%～80% 的时候，就可以将其注入母体子宫，这个过程和一般治疗阶段的人工受精一样，在几分钟内就可以完成，基本没有疼痛。

▶ 患者可以在床上休息 10 分钟到 1 个小时，当天就可以回家。在接下来的日子里，通过检查确认受精卵已经成功着床，妊娠就成立了。

显微受精

妊娠率
一般为15%～30%

治疗方法

☐ 显微镜下进行体外受精

▶ 是人工帮助精子和卵子在体外顺利受精的方式，因为是在显微镜下进行的，因此被称为显微受精。正是因为有了这样的方法，才使精子受精能力低下等重症男性不育患者有了希望。这种治疗方法的受精率为20%，比体外受精稍微低一些，除了人为促进受精，其他过程和体外受精一致。

受精率为20%，比体外受精稍微低一些

具体治疗过程

☐ 不同方法将精子注入卵子

▶ 具体分为3种方法。

“透明带开孔法” 在卵子外围的透明带上开小孔，帮助精子进入。主要是针对透明带过厚、阻碍精子进入的患者。

透明带开小孔

帮助精子进入卵子

“卵泡内精子注入法” 是用细针将数个精子注入卵子透明带的方法。

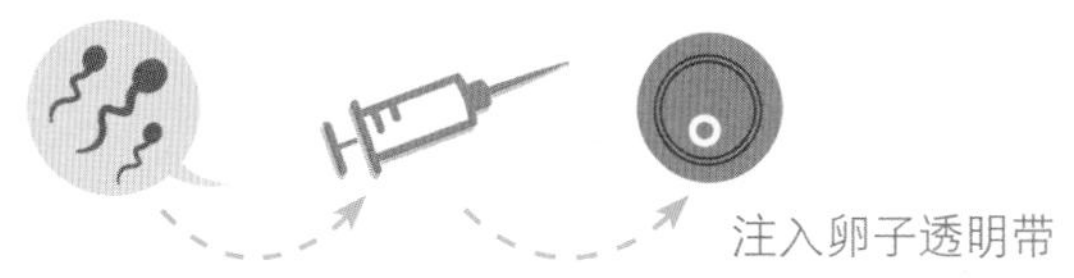

注入卵子透明带

“细胞内精子注入法（ICSI法）” 是将一个精子直接注入卵子细胞质中的方法，由于这种方法的发明，即使是无精患者，只要他的精囊里面有一点精子或有可以发育成精子的细胞存在，受精就有可能，妊娠率也是3种方法中最高的。有的人担心这种方法的安全性，怀疑是否会伤到卵子，但是根据国外的跟踪调查，只要父母没有染色体异常，自然妊娠出生的孩子无论在生理上还是心理上都是正常的。

人工受精

妊娠率
一般为15%～30%

治疗方法

□ 什么是人工受精

▶ 是把提取的卵子和精子混合之后注入输卵管的方法。跟体外受精不同，受精的过程是在输卵管里面进行的，因此更接近于自然。可能是由于这个原因，这种方法的妊娠率很好，将近 40%，设备好的还可能达到 50%！但是条件是至少有一侧的输卵管是畅通的。另外，由于需要手术，患者需要住院 1～6 天，即使不住院，也需要来回 2～3 次，而且还受到设备的限制。

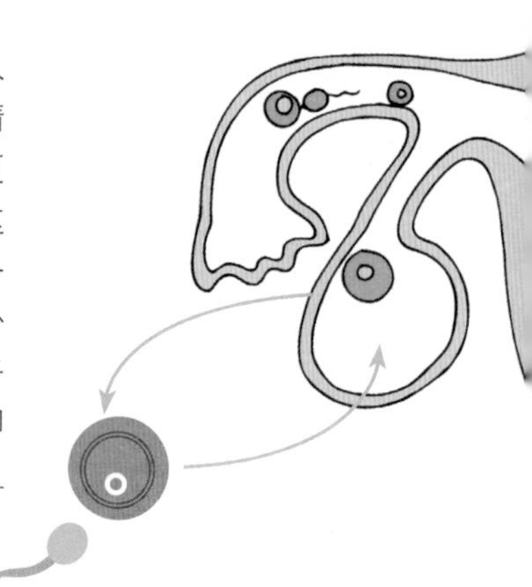

具体治疗过程

□ 人工受精的具体方法

▶ 提取卵子和精子的过程和体外受精一致，只是不是在容器中受精，是采用手术方式，经过输卵管伞、将混合液直接注入到膨大部位。为了提高妊娠率，一般都是左右两侧输卵管同时进行。

▶ 具体的手术方式有开腹式和腹腔镜式两种。手术的时候，有时还能发现在造影检查中未能发现的输卵管伞畸形或与周围粘连等情况。能发现至今为止都不明确的不孕原因也是赠予法手术的优点。

“开腹手术” 需要在阴毛际位置横开 3～4 厘米，这样可以清楚地看到腹腔内部，也可以对粘连采取措施。但是需要住院 5～6 天。

“腹腔镜下手术” 在肚脐的下面和腹部两侧开 3 个约 1.5 厘米的小孔，将器具伸入之后，根据图像进行手术。住院时间只需要 2～3 天，但是由于视野狭窄，手术花费的时间长，技术要求也高。

腹腔镜下手术

开腹手术

肚脐的下面和腹部两侧开 3 个约 1.5 厘米的小孔

阴毛际位置横开 3～4 厘米

有月经也可能无排卵

月经是很脆弱的，很容易出现紊乱，其中的一个紊乱就是出现“无排卵月经”——即使每个月月经都正常来临，但没有排卵现象。虽然名称不怎么熟悉，但也不是少数人才出现的疾病。

月经不调是没有出现排卵的信号

卵巢中有数万个原始细胞存在，它们是对妊娠成功至关重要的卵子的源头。每个月，在激素的影响下，其中的某几个原始细胞都会开始朝着卵细胞方向发育，然后从第一个成熟的卵细胞（原始细胞）内部就会弹出卵子。这就是排卵。正常女性的卵巢每月会定期排一个成熟卵子，有的特殊情况可有多个成熟卵子。但患有排卵障碍的，要么是卵巢不排卵，要么排卵了卵泡也长不成熟。

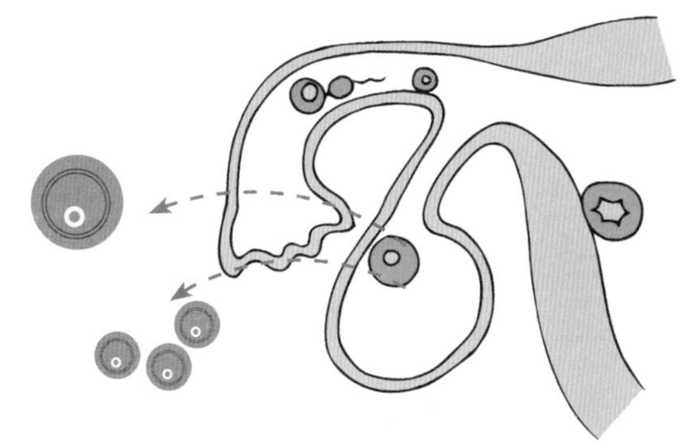

正常女性的卵巢每月会定期排一个成熟卵子，有的特殊情况可有多个成熟卵子

排卵障碍早期信号

>月经稀发

>量少

>经期延迟

>断续出血等

排卵障碍诱发的不孕问题经常可以见到。女性排卵障碍常以月经不调为信号。比较好辨认的早期信号是：多数有排卵障碍的女性都有月经不调的诸多表现，包括月经稀发、量少、经期延迟或断续出血等，有利于及早发现和就诊。但有少部分排卵障碍患者也可能月经很正常，就是不能怀孕，通过超声波检测才发现没有排卵。不排卵但月经正常的女性往往很难自我发现问题，可对于排卵而月经异常的状况却可以提早引起重视，尽早到医院检查。

肥胖
暗疮增多
皮肤粗糙

乳房泌乳
头痛
失眠

特别是伴随肥胖、暗疮增多、皮肤粗糙、毛孔粗大的女性，患上排卵障碍中最常见的多囊卵巢综合征的概率相当大，而伴随乳房泌乳或头痛、失眠的女性，则可能与另一类同属于排卵障碍的高泌乳素血症脱不了干系。

女性排卵障碍常以月经不调为信号，因此如果出现月经不调不要掉以轻心，一定要尽早检查治疗，并要注意月经不调的预防

没有出现排卵也会有月经来潮

▶ 可能很多人会问：为什么没有排卵也会有月经呢？实际上，控制月经来潮的是女性体内的两种激素：卵细胞激素和黄体激素。卵细胞激素能促进子宫内膜充血，为受精卵顺利着床做准备。如果没有受精、着床的话，充血的子宫内膜就会出现萎缩、脱落，就形成了月经来潮。

没有受精或者没有着床，充血的子宫内膜就会萎缩、脱落，这就形成了月经

月经来潮 ≠ 有排卵
月经样出血 ≠ 月经

▶ 为了促进排卵，还需要大量的黄体激素。但是在子宫内膜充血完成之后，也有可能黄体激素没有按时分泌，这样的话就不能出现排卵。但即使是这样，没有接收到受精卵的内膜还是会按时萎缩和脱落，形成出血。这种出血严格上不属于月经，因此被称为“月经样出血”或“无排卵月经”。因此，认为有月经来潮就有排卵是不正确的。

无排卵月经主要是由激素出现紊乱引起的

▶ 虽然直接引起月经来潮的是卵细胞激素和黄体激素，但是这两种激素的具体分泌量其实是受下丘脑的控制，因此，大脑可以说就是激素的中枢，是指挥激素正常分泌的司令部。排卵的发生，首先是卵巢向大脑发出信息，说明卵细胞已经发育成熟。大脑收到信息之后指示成熟的卵细胞开始分泌能够促进排卵的黄体形成激素。但是如果下丘脑出现紊乱，就不能顺利接收到卵巢发出的信息，即使接收到了，也不能做出正确的反应，因此也就不能按时分泌黄体形成激素，也就不能促进排卵。

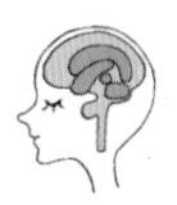

下丘脑紊乱

▼

不能接收卵巢发出的信息

▼

不能按时分泌黄体形成激素

▼

不能促进排卵

导致下丘脑出现紊乱的是压力过大或过分减肥

控制激素分泌的下丘脑其实是很脆弱的，很容易受到身体上或精神上的刺激而出现紊乱，其中最典型的刺激就是工作的压力和过度疲劳等，比如换工作、搬家、入学、就业、转校、出国留学等生活环境上的变化和家人的去世、住院、失恋、失业、考试等精神方面的刺激等都可以引起下丘脑出现紊乱。最近，过度减肥也成了一个引起无排卵月经的重要原因。它会给下丘脑造成很严重的破坏，很容易引起月经异常。

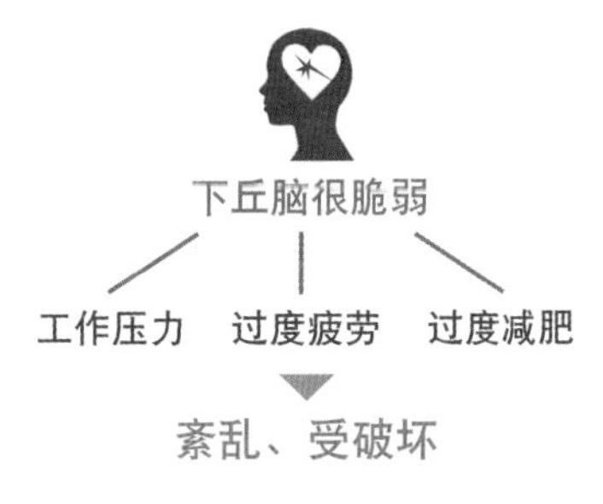

如果出现经血淋漓很长时间的话，就可能是无排卵月经

下丘脑紊乱

子宫内膜持续增殖

经血淋漓的现象

无排卵月经信号

前面提到的月经异常现象都有可能是无排卵月经的信号，其中最常见的是经血淋漓的现象。正常的月经，在排卵的时候，卵细胞激素的分泌量开始减少，黄体激素开始分泌。如果没有受精、着床的话，这两种激素的分泌量就会开始减少，受此影响，子宫内膜就萎缩、脱落。但是如果下丘脑出现紊乱，没有及时指示分泌能促进排卵黄体化激素的话，排卵就不能顺利进行。在这种情况下，卵细胞激素就会继续分泌，促使子宫内膜持续增殖，最后引发月经淋漓不断。

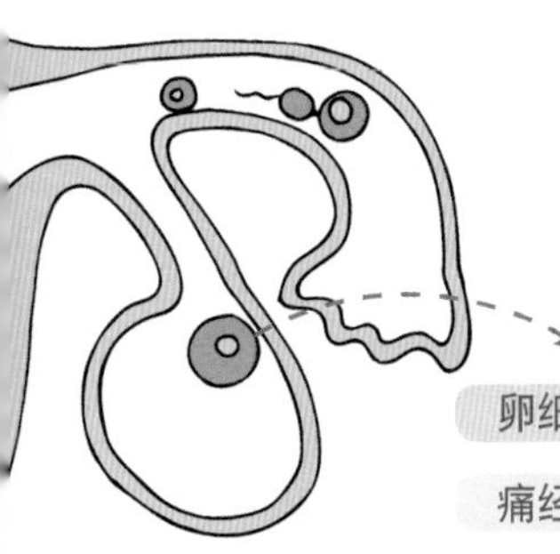

另外，分泌卵细胞激素、促进内膜充血的卵细胞没有发育成熟就中途萎缩的话，卵细胞激素的分泌量就会突然减少，子宫内膜充血停止并且开始脱落，这样就会引发月经周期缩短、经血量减少。

卵细胞中途萎缩 ▶ 引发月经周期缩短、经血量减少

痛经突然减轻或消失 ▶ 黄体激素可能没有正常分泌 ▶ 可能没有排卵

排卵结束之后开始分泌的黄体激素能使子宫合成另一种激素，它能促使疼痛感产生，因此也可以说，黄体激素是导致痛经产生的间接因素。因此，如果痛经突然减轻或消失的话，就说明黄体激素可能没有正常分泌，也就是说可能没有出现排卵。

月经周期如果少于24天或多于40天的话，就说明身体内部分泌某种激素的功能出现了异常！

不要因为暂时不想要孩子而无视无排卵月经

排卵是受孕的重要条件之一，因此如果没有排卵，就肯定不能自然受孕，虽然无排卵月经不会因为没有及时治疗而变得更加严重，但是因为容易引起经血淋漓、流量多等现象，对日常生活造成影响，所以原则上还是建议及早治疗。

无排卵月经容易引起经血淋漓、流量多等，最好及早治疗

即使目前正常，也不能排除以后出现无排卵月经的可能

一个月减重3千克可能引起月经不调！

一个月减重5千克以上可能导致月经停止！

初潮之后的 3 ～ 4 年内，由于下丘脑还没有发育成熟，有可能出现无排卵月经，但是随着时间的推移，等到下丘脑发育成熟之后，月经就会正常，因此不必担心。但是即使是成熟了，下丘脑还是很脆弱，很容易因为一点小的刺激而出现异常，因此即使目前正常，今后也可能因为某种原因引发无排卵月经。为了减少对下丘脑的刺激，首先要注意的就是不要过度减肥。一个月减重 3 千克的话，也可能引起月经不调，或排卵无法顺利进行。如果一个月减重 5 千克以上的话，就有可能导致月经停止，这比无排卵月经更加难以治疗，情况会更加糟糕。

月经形成过程

卵巢中有很多的原始细胞存在，它们可以说是产生卵子的源头。每个月其中的某几个原始细胞都会受到下丘脑的指示，开始向着卵细胞的方向发育，开始为排卵做准备。卵细胞激素是由卵细胞分泌的，作用于子宫之后可以使内膜增殖，并且向下丘脑发送卵细胞已经成熟的信息。

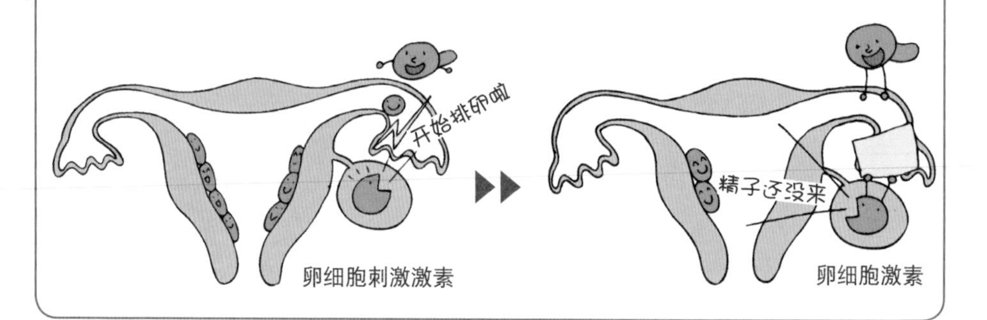

正常情况下的月经形成

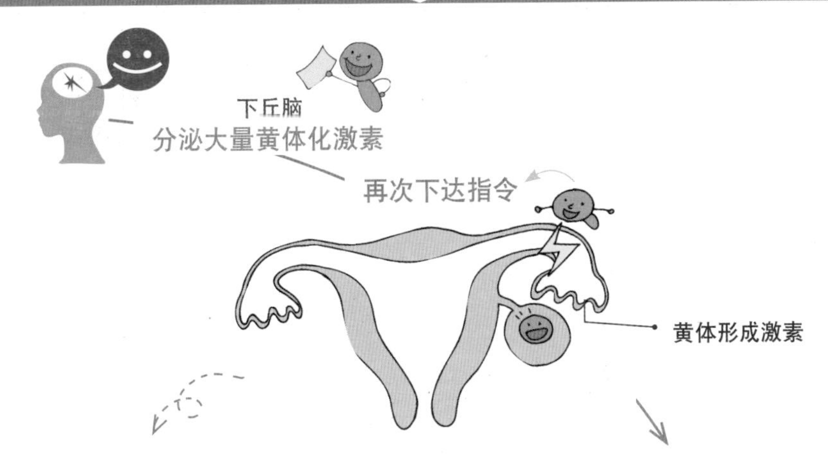

收到卵细胞已经成熟的信息之后，下丘脑开始分泌大量黄体化激素，促进成熟的卵细胞破裂并且排出卵子。这就是排卵。

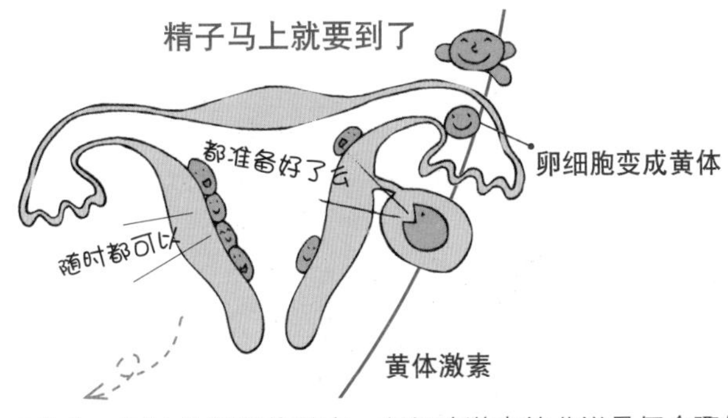

排卵之后的卵细胞就变成了黄体，开始分泌黄体激素，卵细胞激素的分泌量便会骤然减少。黄体激素能促使已经充血的子宫内膜分泌黏液，为受精卵顺利着床做准备。

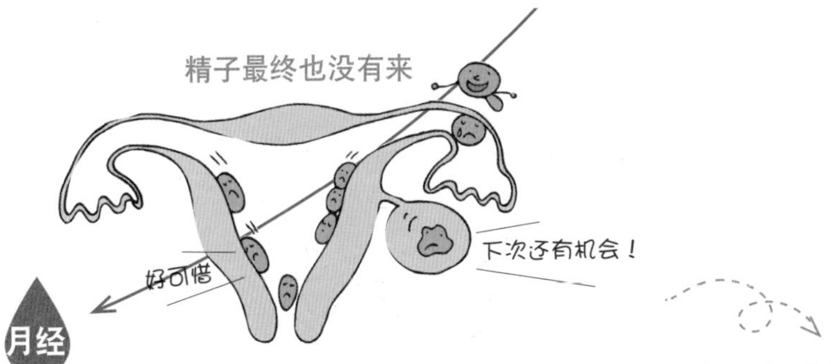

如果卵子受精成功并且顺利地在子宫内膜上着床的话，黄体激素量就会继续分泌以支持子宫内膜（妊娠）。如果没有着床，黄体就会出现萎缩，黄体激素的分泌量也会减少，受此影响，内膜就会萎缩、脱落，就形成了月经。

由于压力等导致激素不稳定时的月经形成

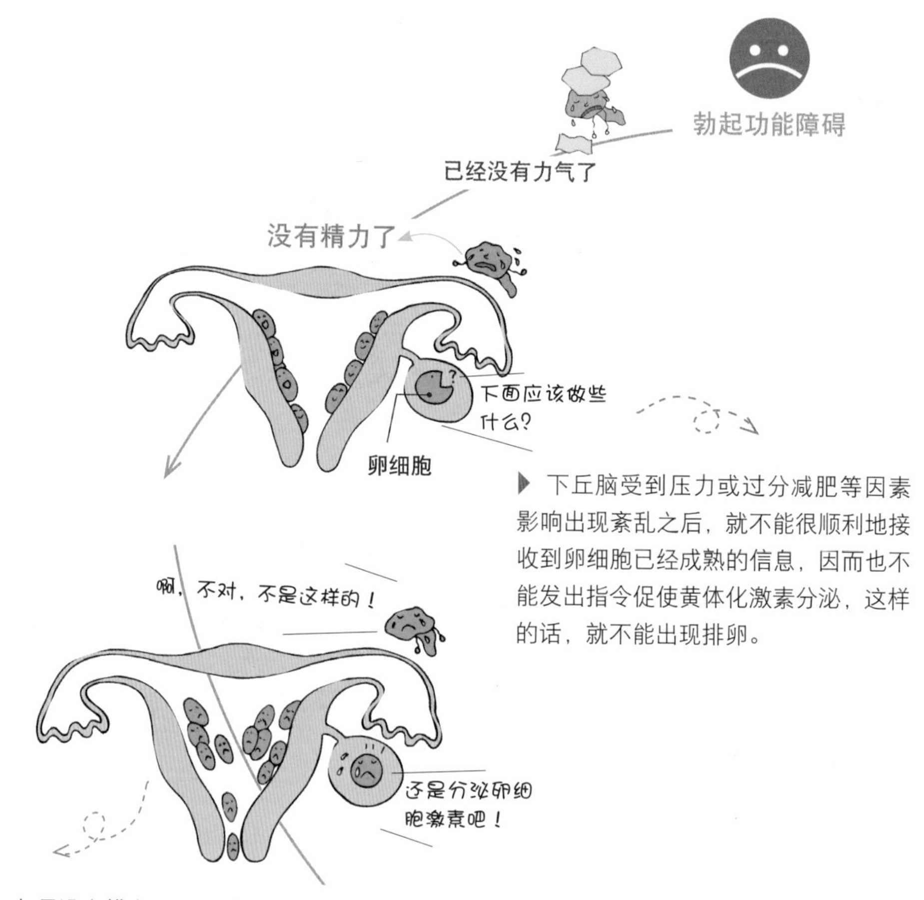

▶ 下丘脑受到压力或过分减肥等因素影响出现紊乱之后，就不能很顺利地接收到卵细胞已经成熟的信息，因而也不能发出指令促使黄体化激素分泌，这样的话，就不能出现排卵。

▶ 如果没有排卵，卵细胞就会继续分泌卵细胞激素，但是正常的情况是排卵之后，卵细胞变成黄体，开始分泌黄体激素。

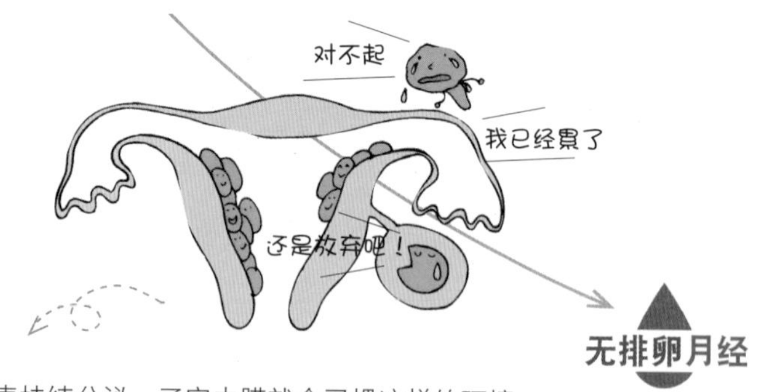

▶ 如果卵细胞激素持续分泌，子宫内膜就会习惯这样的环境，很长时间以后才会脱落。这就是无排卵月经。

无排卵月经的辨别

如果月经持续 10 天以上的话，就有必要对基础体温进行检测，检测结果如果没有高温期，就很有可能是无排卵月经。

通过基础体温了解女性身体规律

▶ 如果怀疑出现了无排卵月经，尤其是出现月经持续 10 天以上这种无排卵月经的典型症状的话，就有必要检测一下自己的基础体温，基础体温指的是身体安静的时候的温度，由于受到激素的影响，女性的体温会出现周期性的变化，因此通过测量基础体温，就可以检查激素有没有正常分泌，也就是说有没有出现排卵。测量的时候，最好使用比较精确的女性用体温计。由于基础体温变动幅度很小，普通的水银体温计无法达到测量精度。除了每天检查测量外，还需要将每天的体温数值记录，并画成基础体温曲线图，才能直观地发现自身是否排卵。市面上已经有产品可以解决体温精确度和画体温曲线图的繁琐问题，例如孕橙基础体温计和孕橙 APP。

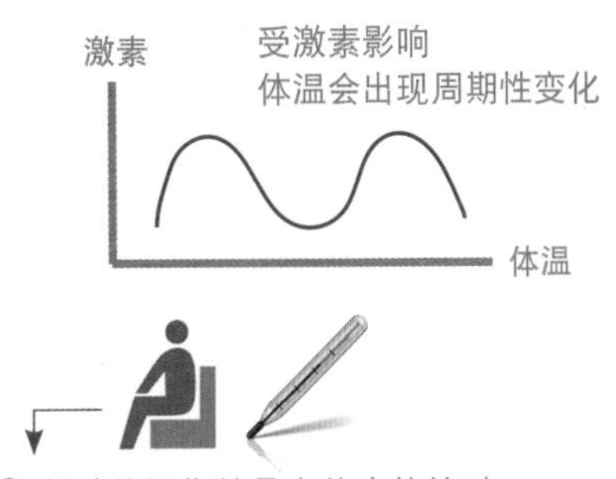

基础体温指的是身体安静的时候的温度

月经正常的话，体温有高温期和低温期的变化

▶ 如果是有排卵现象的正常月经，体温就有高温期和低温期的变化，月经开始之后到下一次排卵之前是低温期，出现排卵之后，体温就开始上升，进入高温期，变化的幅度一般在 0.3℃以上。排卵之后体温出现上升的原因是，排卵后卵巢中的卵细胞变成黄体，开始分泌黄体激素，大脑体温中枢受到它的刺激后，体温就会上升。因此可以说，如果排卵正常，体温就一定会上升。接下来，如果没有出现受精、着床，黄体就会萎缩，黄体激素的分泌量也会减少，体温就会下降，月经就会来潮。如果妊娠成功，黄体就会继续发挥作用，体温也就会一直持续在高温状态。

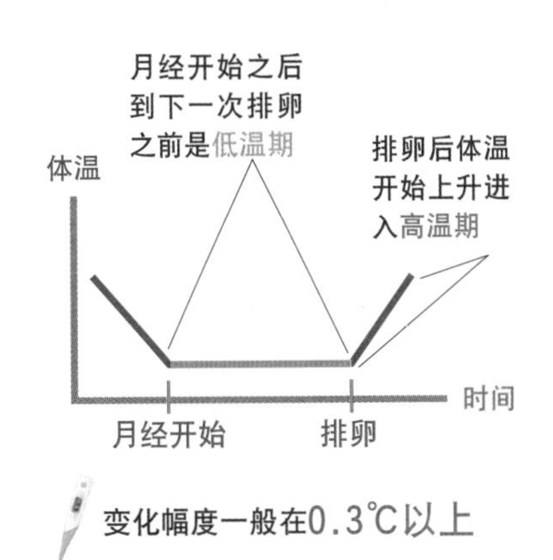

体温变化如果在0.3℃以下，就可能是无排卵月经

▶ 经过对基础体温的测量，如果发现体温一直处于低温期，看不到明显的升温过程的话，就证明没有出现排卵。没有出现排卵的话，卵巢中就不能出现黄体，也就不能分泌能促进体温上升的黄体激素，身体就会一直处于低温状态。这种情况下出现的就是无排卵月经。

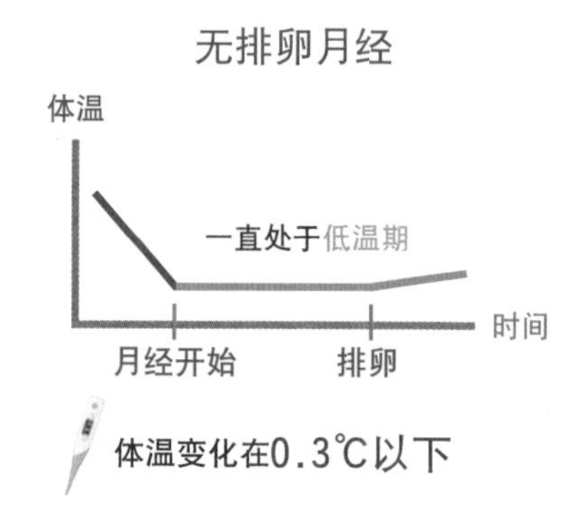

自我检查

▶ 市场上销售的排卵检查试纸主要是通过检测尿液中的黄体形成激素（LH）的含量来预测排卵日期的。由于受到下丘脑的指示，黄体形成激素得到大量分泌，受此影响，成熟的卵细胞就会排出卵子，这就是排卵。也就是说，在排卵之前，黄体形成激素的分泌量一直处于增加状态，尿液中的黄体形成激素的含量也很高，检测药物利用的就是这一点。

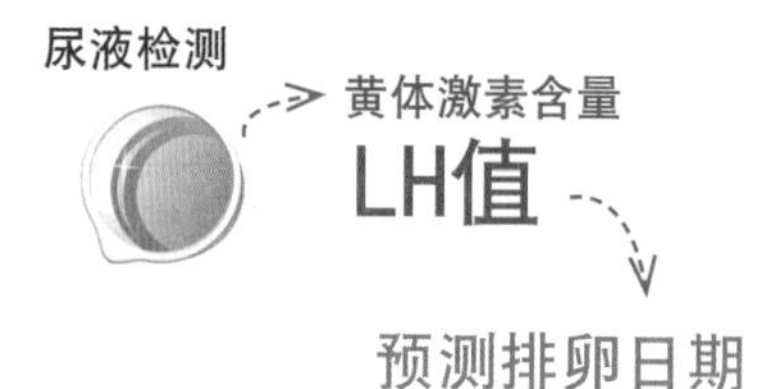

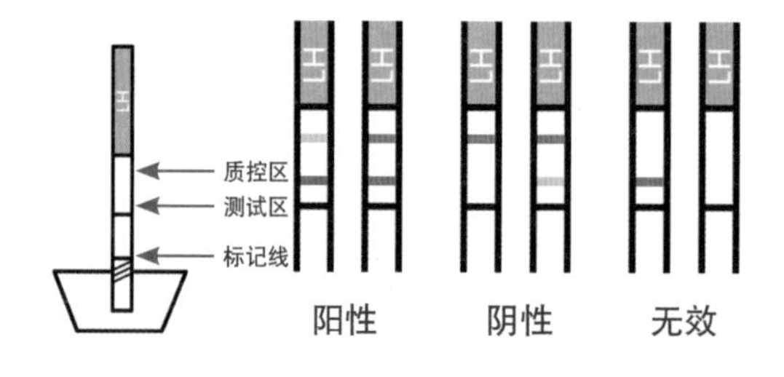

检测的时候，将尿液直接淋在采尿区（或浸入尿杯中），约 15 分钟后就可以显示是否处于排卵日。通过这样的检测，基本上就可以预测排卵日期。

血液检查

▶ 在医院里，可以通过血液检查判断是否出现排卵。通过计算，在理论上认为排卵已经结束的时候，采集血样，对血液中的黄体激素的含量进行检测。前面也已经提到，如果有排卵，卵巢中的黄体就会分泌黄体激素。

虽然通过测量基础体温也可以判断是否出现排卵，但是血液检测的方法更为准确

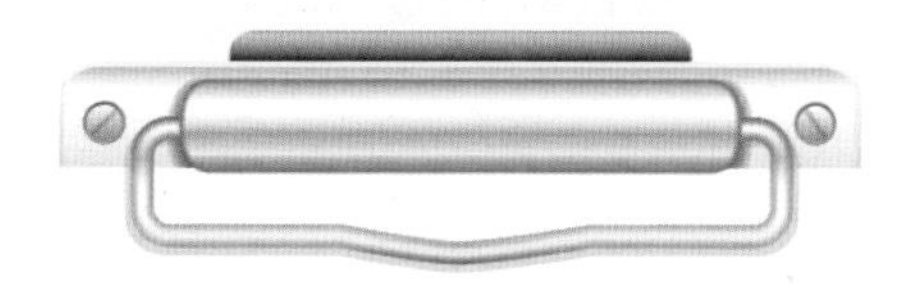

无排卵月经的治疗

应及早检查治疗！

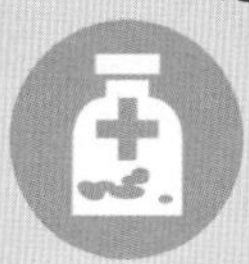

无排卵月经是可以治愈的，如果出血持续两周以上，就应该及早去医院检查。

去医院之前应该做的

为了使诊断和治疗更加顺利，在去医院之前

- □ 应该将自己的症状和疑问进行整理，包括上一次月经的开始时间、结束时间、月经周期、持续天数、出血状态、出血量等。
- □ 记录了基础体温的女性，最好把记录单也带上。引发月经不调、经血量多的原因除了无排卵月经之外，还可能是子宫肌瘤、息肉等子宫疾病，如果有基础体温表的话，对诊断病因十分有利。

姓名＿＿＿＿ 年龄＿＿＿＿

- □ 上次月经开始、结束时间
- □ 月经周期
- □ 持续天数
- □ 出血状态、出血量
- □ ……

如何进行治疗

□ 促排卵药物

▶ 最主要的方法，基本上可以治愈。主要是通过人工的方法促进排卵。药物的种类很多，主要都是药性直接作用于下丘脑，促使黄体化激素的分泌，促进排卵。

▶ 一般在月经第五天开始服用，每天1～2颗，持续服用5天。但是每个人的治疗效果不同，有的患者服用1～2次以后，就可能自体排卵，也有的患者需服用半年到一年的时间才开始排卵。

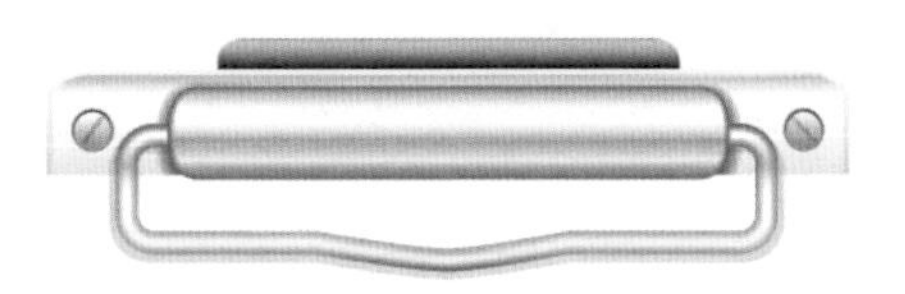

□ 中药

▶ 可以作为辅助治疗。服用和体质相适应的中药的话，可以逐渐恢复下丘脑的功能，也可以增加体力，但是并不能马上见效，而且也不确定一定能有效果。

▶ 一般是作为其他治疗方法的辅助手段，多用于促排卵药物治疗停止之后。

□ 激素治疗法

▶ 针对青春期子宫不稳定的患者。利用激素人工促使月经来潮的治疗方法。主要是补充卵细胞激素和黄体激素，让下丘脑暂时休息，并不直接促使月经来潮，连续服药 4～5 个月之后停止，促使下丘脑做出反应，出现自然排卵。主要针对的患者是处于青春期、子宫不稳定的年轻女性和闭经前的女性。

▶ 连续服药 4～5 个月之后停止，促使下丘脑做出反应，出现自然排卵。主要针对的患者是处于青春期、子宫不稳定的年轻女性和闭经前的女性。

无排卵月经原本只是出现在子宫尚未稳定的青春期和闭经期之前，处于这两个时期的女性，体内激素的分泌很容易出现紊乱，很容易引起排卵不能顺利进行。但是，在现代社会中，像压力、过度减肥、超重肥胖这种能引起激素紊乱的因素过多，导致无排卵月经在性成熟女性中的发病率也很高。

▶ 在现代社会中，像压力、过度减肥、超重肥胖这种能引起激素紊乱的因素过多，导致无排卵月经在性成熟女性中的发病率也很高。

月经是女性身体的晴雨表，是检测身体各项功能的关键标准，每个月准时、正常地出现就表示无论是控制月经的大脑激素中枢还是子宫、卵巢等器官，都在正常地工作。有规律的月经还表示排卵也在正常进行，如果出现月经不调，就可能是排卵出现了问题。促排卵药物基本上没有不良反应，对健康保健也有好处，因此接受治疗的时候不必担心。

▶ 连续服药 4～5 个月之后停止，促使下丘脑做出反应，出现自然排卵。主要针对的患者是处于青春期、子宫不稳定的年轻女性和闭经前的女性。

卵巢疾病

由于生长在肚子里面，很不容易发现疾病症状，特别容易被忽视，因此就更有必要全面地了解卵巢疾病的特征以及具体的治疗方法，这样才可以安心！

了解一下卵巢功能

卵巢虽然体积很小，但是却是和女性一生都有密切关系的重要脏器。它的构造和功能都很微妙，一旦出现问题，就会影响女性的整个生活方式。卵巢位于子宫两侧、输卵管的下面，共有两个，呈椭圆形，只有拇指大小，灰白色；表面凹凸不平。

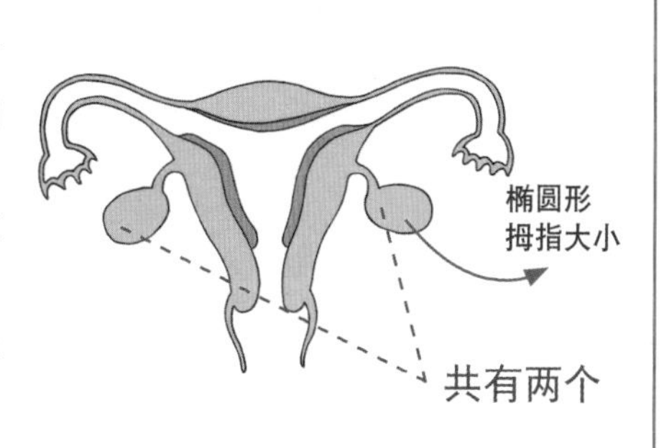

分泌雌激素，保持女性魅力

▶ 卵巢分泌雌激素和黄体激素两种雌激素，这两种雌激素起调节月经规律、掌管妊娠的重要作用，而且还能保持女性特有的魅力。

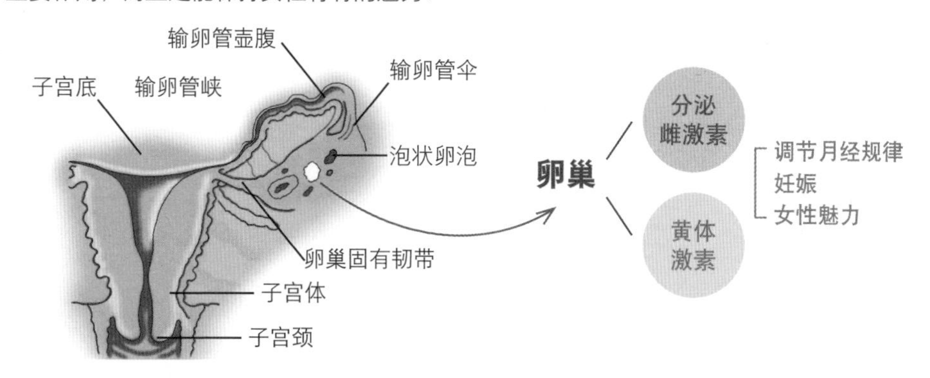

卵巢可以产生卵细胞

▶ 卵巢还可以产生卵细胞，它是胎儿最初的源头。女性出生的时候，卵巢中就有了可以产生数百万个卵子的原始卵细胞，它们会每个月成熟一个，并排出卵细胞。

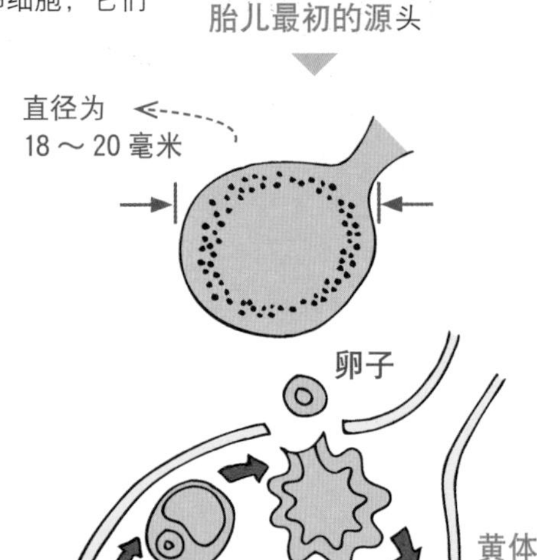

▶ 如右图所示，卵巢的周边部位聚满了原始细胞、发育中的细胞、成熟细胞、黄体和白体。女性自出生的时候开始，卵巢中就装满了原始细胞，而这些数以百万计的原始细胞将来就有可能发展成胎儿。受到脑垂体的激素指令的影响，每个月这些原始细胞中某几个就会向着卵细胞发育，同时分泌雌激素，然后其中的一个或几个会发展成为直径为 18～20 毫米的成熟卵细胞，接着从这些成熟的卵细胞里面就会排出卵子，这就是排卵。排卵结束以后，卵巢中卵细胞的残留部分就会变成黄体，开始分泌黄体激素。如果没有妊娠，黄体就会逐渐萎缩变成白体，黄体激素的分泌也会急剧减少。卵巢就是这样，以排卵为中心，进行着令人眼花缭乱的变化。

卵巢出现排卵，才有可能妊娠

▶ 卵巢的排卵一般以 28～35 天为一个周期。数以百万计的原始细胞之中，可以成熟并且排卵的，一生之中只有 500 个左右，其他的都会逐渐消失。从卵巢中排出的卵子会进入输卵管，如果在那里遇到了精子，受精成功的话，受精卵就会向子宫移动，最后在子宫内膜上着床，妊娠就成立了。卵巢分泌的两种激素除了使子宫内膜增殖、使分泌物增多外，还起到促进妊娠成功并保持妊娠状态的作用。因此，卵巢对妊娠、胎儿的分娩都有十分重要的作用，一旦出现问题，就会对顺利妊娠和分娩产生巨大的影响。

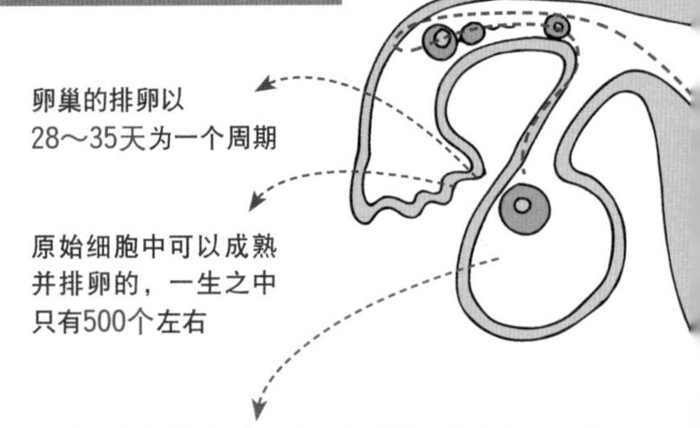

- 卵子排出后，在输卵管内受精成功，最后在子宫上着床，这样才算是妊娠成立
- 如果同时有两个卵子排出，并且都受精成功，那么就是双胞胎
- 着床以后，受精卵需要经过约 40 周的时间才可以发育完成，然后分娩

卵巢是很容易出现肿胀的脏器

卵巢疾病可以通过检查和腹部出现肿胀等自觉症状发现。卵巢的肿瘤在体积还比较小时并没有什么症状表现，很多患者都是在检查和怀孕期间偶然发现的。肿瘤体积增大到一定程度后，腹部就会有肿胀的感觉，这就可以成为自觉依据。下面，让我们来了解一下，什么样的症状应该引起自觉呢?

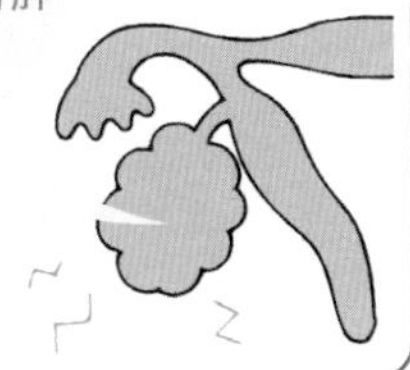

卵巢肿瘤体积增大到一定程度之后，腹部就会有肿胀的感觉

及早发现卵巢疾病的早期症状

▶ 卵巢的肿瘤长到一定程度以后，腹部就开始水肿，用手摸下腹部和腰两侧还可以感觉到硬块。如果身体发胖，以前的内裤和裙子都穿不了的时候，还可能是腹水出现潴留，出现了卵巢肿瘤。如果支撑卵巢的韧带受到撑拉，还可能感觉到类似牵引的疼痛感，体积增大以后的肿瘤还可能压迫其他脏器，导致出现便秘、尿频或排便痛。如果病情继续恶化，肿瘤就开始吸收身体的营养，使身体逐渐消瘦，但是肚子仍然会很大。体积增大的肿瘤还可能因为运动等的关系出现扭转，这就称为蒂扭转，可以引起下腹剧痛或休克，需要进行紧急手术。

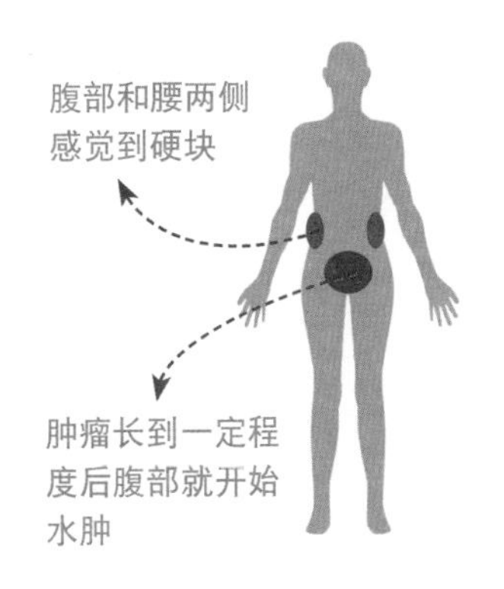

卵巢的定期检查很重要

▶ 卵巢的肿瘤还被称为沉默的肿瘤，在体积很小的时候几乎没有什么症状，很多是在子宫癌检查、白带检查的时候偶然发现的。还有的患者只是单边的卵巢出现了肿瘤，另一边的卵巢还在正常工作，因此对月经等根本没有影响，待到怀孕后进行孕期检查的时候才被发现。有的甚至是在肠胃出现问题进行超声波检查的时候被发现的。其实，卵巢肿瘤如果体积很小，并且确定是良性的肿瘤之后，不必着急手术，可以进行观察治疗，也可以只将病变的部分切除。所以，卵巢出现问题也要引起重视，注意定期检查。

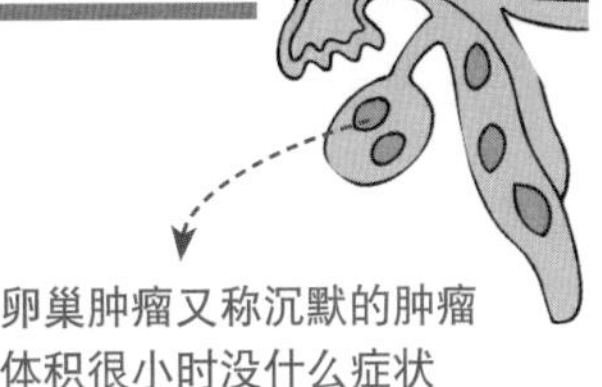

如果体积很小，并且确定是良性肿瘤后，可以观察治疗或只将病变的部分切除，不必急于做手术

确定肿瘤的具体类型

▶ 如果怀疑是卵巢肿瘤，要进行检查，根据检查结果，可以在一定程度上分辨到底是卵巢囊肿还是卵巢囊实性肿瘤，是恶性的还是良性的等等。在卵巢肿瘤中也会出现良性向恶性的转变，如果发现恶性的可能性很大的话，应该通过手术将卵巢全体摘除，再进行组织检查。

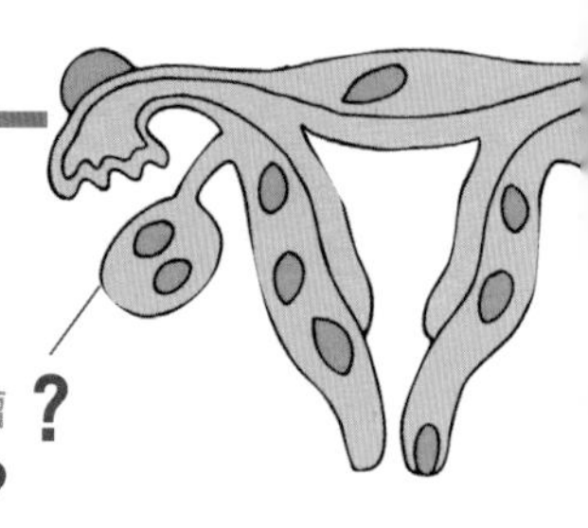

卵巢疾病的诊断程序

▶ 如果有症状，就应该详细地向医生说明，包括月经周期、经血的样子、有无痛经或非正常出血等。另外，初潮的年龄、有无性经历、有无流产或生育经历等也应该向医生说明。有的医生为了了解你的压力状况，会询问你的工作、 睡眠等等，都应该详细回答。

▶ 脱下内裤，在检查台上接受检查。医生会首先对外阴部进行检查，然后利用阴道窥器进行细胞检查和感染症的检查。然后将一只手的手指伸进阴道，另一只手按着腹部，对子宫和卵巢的大小、硬度、位置、活动情况以及子宫和卵巢附近的情况进行确认。如果和子宫相比，卵巢出现肿大的话，怀疑是出现了某种肿瘤，硬度也是判断的标准之一。

▶ 超声波对身体进行照射，利用反射波在屏幕上的图像对身体内部进行检查。具体的检查方法有两种，一种是超声波的探头在腹部进行检查，另一种是伸进阴道内部进行检查。为了使探头离卵巢更近，使检查结果更准确，一般都采用第二种方式。这样可以基本确定肿瘤的内部是液体还是黏糊状的，是否有发硬的组织混在里面，是否是液体和实性的组织混在一起等状况，这样可以判定是囊肿还是充实性肿胀，甚至是更细致的分类情况。

▶抽取静脉血液，对血液中的肿胀检测值进行测定。这种肿胀测定是对发生变异的细胞所产生的特有的激素的测定，卵巢肿瘤的检测是通过检测 CA125、CEA、AFP、HE4 的数值进行判断的。检查结果需要等到第二天，依据结果，可以判定肿瘤是良性的还是恶性的。

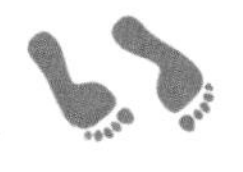

▶是利用磁共振图像对身体进行检查，由于不使用放射线，因此孕妇也可以接受检查。通过检查可以确定肿瘤的位置、状态、和周围脏器的位置关系等信息。有的医院配备的不是MRI 而是CT。这种设备利用的是 X 射线，对身体的横断面进行检测，因此不太适合女性。如果已经怀孕，卵巢就可能出现增大的情况，这是因为卵巢在努力保持妊娠状态。在怀孕初期发现的卵巢肿胀，经过观察发现在妊娠 16 周以后自然消失，那就没有问题。

常见的卵巢疾病

卵巢巧克力囊肿准确来说是卵巢内膜异位症的一种，在 20～40 岁的年轻女性身上很容易出现。另外，卵巢囊肿占了卵巢肿瘤的80%左右，也属于高发病症。下面，我们就先来了解一下，这两种疾病到底是什么，可以有哪些治疗方法。

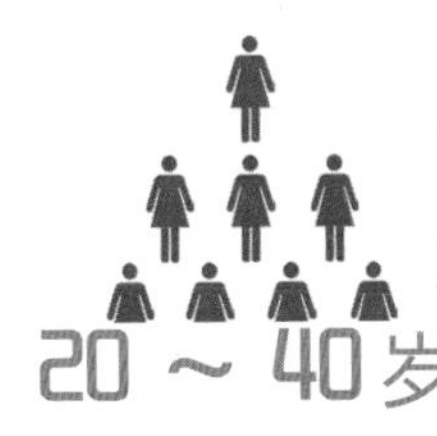

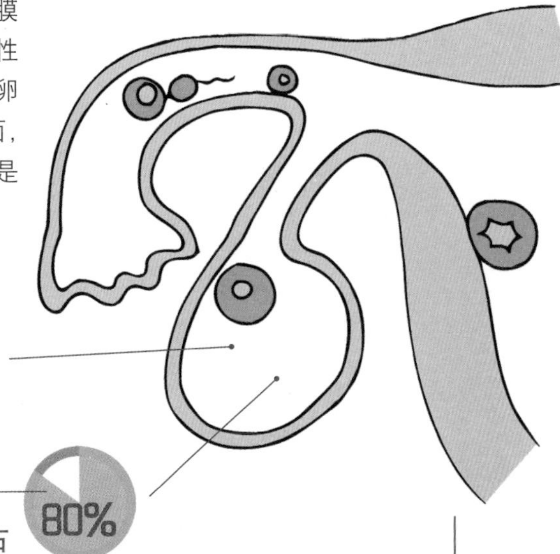

卵巢巧克力囊肿

什么是卵巢巧克力囊肿

卵巢内出现子宫内膜的增生，血液滞留呈巧克力状。

▶ 子宫内膜异位症是指原本应该生长在子宫内侧的内膜由于某种原因生长到其他部位，也会随着月经周期增殖、出血。如果延伸到了卵巢内部，由于没有出口，内膜的血液无法排出，一直滞留的话会形成巧克力状的囊肿，因此称为巧克力囊肿。虽然这种疾病是发生在卵巢里面，但它属于子宫内膜异位症的一种，和卵巢出现肿胀的原因完全不同。

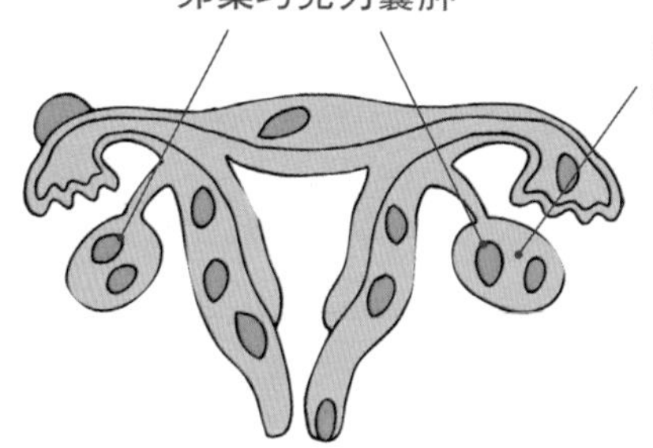

子宫内膜异位症在年轻女性中很常见，据说，30～40岁的女性中1/5的人都患有此症，其中在卵巢内部的频率最高，近一半的子宫内膜异位症患者都同时患有卵巢巧克力囊肿。

症状和诊断

巧克力囊肿主要症状是出现强烈的痛经，可以引起不孕。

▶ 和其他的子宫内膜异位症一样，卵巢巧克力囊肿也会导致痛经。由于受肿大的卵巢的压迫或粘连，还可能出现下腹部疼痛、腰痛、排便痛和性交痛等等。但是也有的患者根本没有明显的症状，和其他的卵巢疾病一样，只是在检查中偶然发现卵巢肿大，仔细检查以后，才发现是卵巢巧克力囊肿。而且卵巢巧克力囊肿容易和卵巢囊肿相混淆，但是两者的治疗方法完全不一样，因此一定要注意。在进行确定诊断的时候，有可能会利用腹腔镜对内部的病变组织进行确认。如果有需要，要插入必要的器械，对病变组织进行手术。卵巢巧克力囊肿会阻碍卵细胞成熟，出现的粘连还可能扩散到输卵管和其他部位，影响受精，导致不孕。

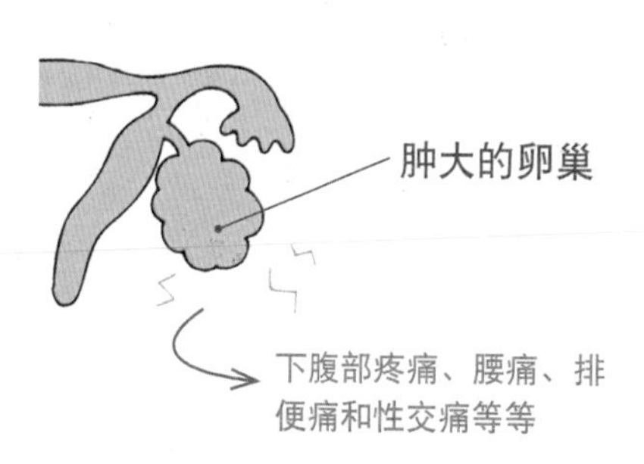

治疗方法

有药物治疗法和手术治疗法等等，可以根据自己的生活方式进行选择。

▶ 药物治疗中，除了用镇痛剂止痛之外，激素治疗法是最主要的方法。利用激素，使身体出现和绝经一样的状态，抑制不舒服的症状的出现。但是考虑到不良反应，服药必须以 4 个月到半年为一个周期，必须有一段时间的停顿。如果不良反应严重的话，可以跟医生商量，采用其他的治疗方法。至于手术治疗，要在考虑年龄及生育情况的基础上，尽量选择只切除病变部分的治疗方式，这样才可以既达到缓解症状的目的，又不影响以后的妊娠。但是这种情况下，复发的概率也很大。具体方式有腹腔镜手术和开腹手术两种。

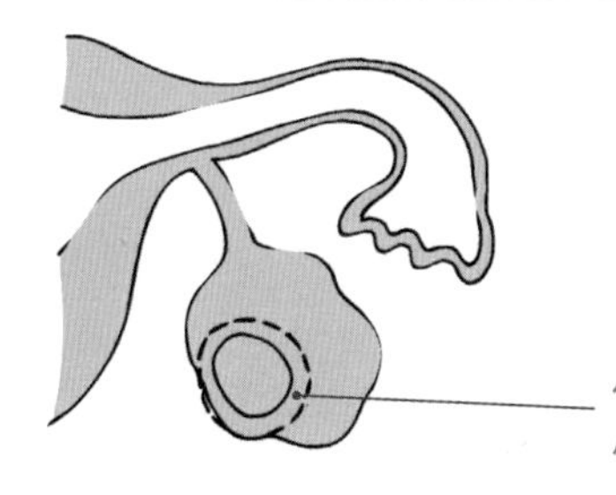

尽量选择只切除病变部分的治疗方式，不影响以后的妊娠

卵巢囊肿

什么是卵巢囊肿

卵巢内的卵细胞里出现水等物质的滞留。

▶ 属于卵巢肿瘤的一种，是指卵巢周边部位的卵细胞里面出现水等物质的滞留，大多数是良性的，但是其中有的也会转化成恶性。根据滞留物质的不同，可以具体分为下面 3 种类型。

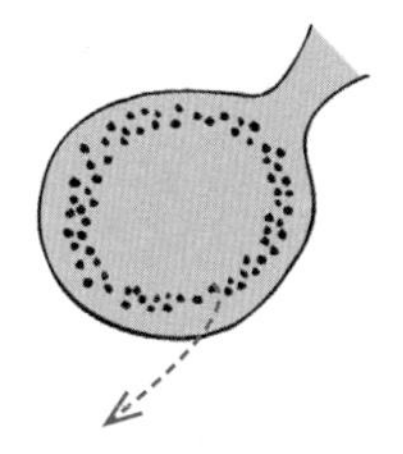

卵巢周边有水等物质滞留

▶ 具体分为 3 种类型：

功能性囊肿

这类囊肿在生育年龄的女性中比较常见，有卵泡囊肿、黄体囊肿、多囊卵巢等，这是由于内分泌机能失调、促黄体素分泌不足或者药物刺激等造成的。

充满透明液体，浆液性囊肿

这种囊肿里面充满了黄褐色透明的液体，体积小的如拳头大小，大的可以达到几千克，使腹部肿大得像孕妇一样，占全部卵巢囊肿的 30% 左右，多见于十几岁到三十几岁的女性。浆液性囊肿基本上是良性的，但是直径超过 10 厘米之后很容易出现蒂扭转，还可能突然恶性化，因此一定要引起注意。

充满黏液，黏液性囊肿

这种囊肿里面充满了黄红色的黏液，体积在拇指大小到成人头部大小之间，占全部卵巢囊肿的20%左右。性质上既有良性的，也有恶性的，如果是良性的，即使体积很大，只要不发生蒂扭转就没有危险，但如果是恶性的，生长速度就会很快，会吸收身体的营养，导致身体衰弱，还可能出现转移。

症状和诊断

很多情况下都没有什么症状，如果体积增大到拳头大就要引起注意了。

▶ 囊肿体积小的时候几乎没有症状，等到增大到拳头大小的时候，就会出现腹部肿大等现象。如果出现蒂扭转，卵巢的供血会突然停止，会出现腹部剧烈疼痛、恶心呕吐等症状，甚至会休克。经过超声波检测之后，如果确定里面是液体的话，就属于良性，没有危险；如果是黏液，良性、恶性就不好区分，而且良性还可能突然发生恶化。另外，如果超声波不能判断是液体还是黏液的话，就需要提取一部分囊肿进行检查。皮样囊肿用超声波检测的话很容易确定，也有的患者是在接受腹部的 X 射线检查时偶然发现有牙齿等物质时才知道自己患了皮样囊肿。

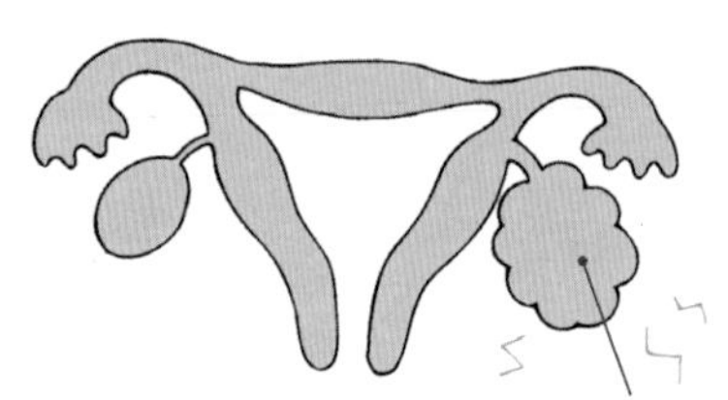

囊肿增大到拳头大小 → 腹部肿大 → 如果出现蒂扭转 → 腹部剧烈疼痛 / 恶心呕吐等

▼

超声波检测 < 里面是液体属于良性 / 里面是黏液，良性、恶性就不好区分

治疗方法

如果卵巢囊肿是良性的，而且体积很小的话，可以接受观察治疗；如果体积较大，就有手术治疗的必要，有蒂扭转必须接受手术切除。

▶ 如果是良性的，只要接受观察治疗，一个月检查一次，对肿瘤的体积进行确定。有的肿瘤体积会慢慢缩小，最后消失。如果发现体积增大，就有可能产生蒂扭转，引发各种症状，因此必须接受手术。另外，即使是良性，如果直径超过了 10 厘米的话，还是建议手术摘除。出现了蒂扭转而不进行治疗的话，最后会坏死，因此必须将卵巢摘除。如果肿瘤的性质无法确定，原则上是将肿瘤切除，但更重要的还是早期发现和早期治疗。只是切除肿瘤的话，对以后的妊娠和生育都没有影响，而且还可以保证激素的分泌。

囊实性肿瘤

什么是囊实性肿瘤

卵巢内的细胞组织增生，出现肿瘤。

▶ 囊实性肿瘤是指出现在卵巢细胞组织内的，手感比较硬的肿瘤，占全部卵巢囊肿的10%左右，在40岁以上的女性中发病率比较高。从组成来看，有的是纤维性的物质，有的是部分黏液加上肿瘤，种类很多。充实性囊肿中有的是良性的，有的是既不属于良性也不属于恶性的中间性，有的从一开始就是恶性的，还有的开始是良性，后来转化为恶性，具体的性质也各有不同。

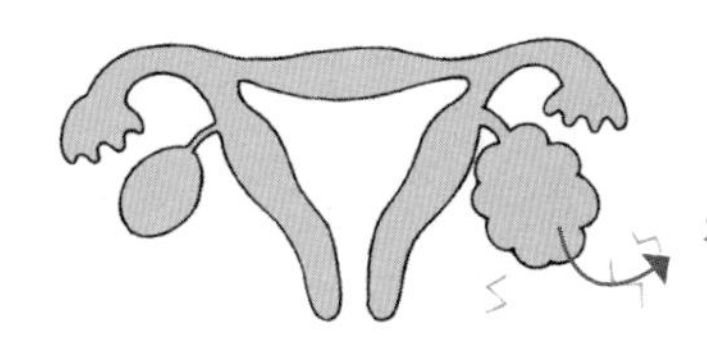

在40岁以上的女性中发病率比较高。

症状和诊断

下腹部出现疼痛，还有非正常出血现象。

▶ 和其他卵巢囊肿一样，当肿瘤的体积还比较小的时候，并没有明显的症状。等到增大到拳头大以后，腹部就可以感觉到有硬块，下腹部还会出现疼痛。根据肿瘤的类型不同，有的会分泌卵细胞激素或男性激素，会引起非正常出血或月经停止，还可能出现声音变低等男性化现象。虽然肿瘤本身很容易被发现，但是因为囊实性肿瘤中还包含了交界型和可以转化为恶性的暂时性良性肿瘤，因此性质很难确定。有的患者一个肿瘤里面既有液体滞留，又有充实性囊肿的混杂，一般情况下，只要有一部分是囊实性肿瘤，那么整体也就诊断为囊实性肿瘤。

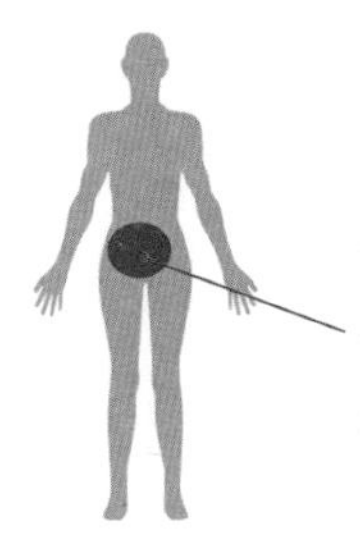

肿瘤增大到拳头大以后，腹部就可以感觉到有硬块，下腹部还会出现疼痛。

治疗方法

重要的是结合自己的生活方式，应该慎重选择。

▶ 相对于卵巢囊肿，虽然囊实性肿瘤的发病率很低，但是由于不能排除恶化的可能，因此在选择治疗方法的时候，还是要慎重。另外，通过内诊、超声波检查和血液检查虽然可以在一定程度上判定肿瘤的性质，但是如果不将肿瘤摘除出来，做一下组织鉴定的话，谁都不能保证肿瘤的性质到底是什么。开腹手术虽然可以只切除肿瘤部分，但是最终决定是只切除肿瘤还是将子宫、输卵管和卵巢全部切除，还得根据肿瘤的性质、大小和患者年龄和生活方式等具体情况。

卵巢癌

什么是卵巢癌

是指卵巢中出现的恶性肿瘤。

▶ 到目前为止发现的卵巢肿瘤中的恶性肿瘤都称为卵巢癌。卵巢癌不仅仅只有囊实性肿瘤有，有的还是从良性的浆液性囊肿和伪黏液性囊肿转化而来。所有的卵巢肿瘤都有转化成卵巢癌的可能。虽然卵巢癌常见于40岁以上的女性，但是也有二十几岁的女性容易得的类型（比如交界型囊实性囊肿等）。虽然原因还不明确，但是未婚的、没有怀孕和生育经历等排卵次数比较多的女性的发病率相对较高。而且，随着饮食的欧美化，发病率也在上升，因此有人认为卵巢癌的发生和动物脂肪和蛋白质的摄入有关。

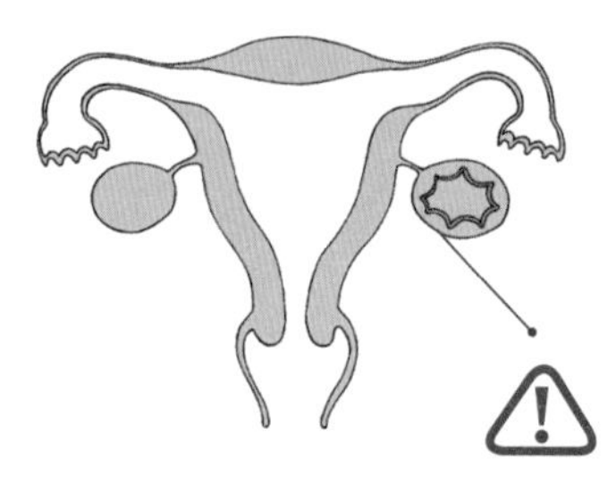

所有的卵巢肿瘤都有转化成卵巢癌的可能。

症状和诊断

一般出现了自觉症状时病情都在加重，因此及早发现很重要。

▶ 和其他卵巢囊肿一样，当肿瘤的体积还比较小的时候，并没有明显的症状。等到增大到拳头大以后，就可以感觉到有硬块，腹部也会感觉到沉重。等到出现这些症状，一般证明疾病已经发展到一定程度了，如果继续发展，就可能出现腹水、发热、疲劳和体重下降等全身性的症状，还可能危及生命。因为初期的时候没有症状，但是卵巢癌的转移是很快的，及早发现很重要，所以一定要做定期检查，可以在平时做子宫癌检查的同时也做一下卵巢癌的检查，也可以定期接受内诊或超声波检查等等。

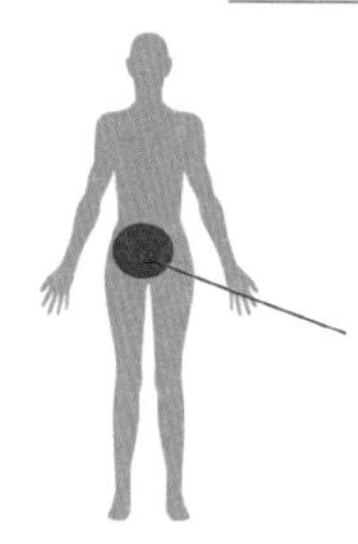

腹部有硬块，感觉沉重。继续发展，会出现腹水、发热、疲劳和体重下降等，甚至危及生命

治疗方法

需要将卵巢摘除，但具体的手术内容都不相同。

▶ 如果确定是卵巢癌的话，就必须将卵巢摘除。根据具体的发展阶段，还可以考虑将双侧的卵巢、子宫、输卵管以及周围的组织都一起摘除。手术之前也可以先接受化疗。如果发现得早，打算以后还生育，可以将子宫和一侧的卵巢留下，但是这样不排除有复发的可能。值得高兴的是，卵巢癌的手术最近一直在发展和进步，还出现了将保守手术和化疗相结合，使妊娠和生育成为现实的病例。

卵巢手术

如果发现了卵巢的疾病，有的就必须接受手术。为了保证今后的怀孕和生育，如果可能的话，医生会尽量只将病变的部分摘除而保留卵巢，这种倾向是目前的主流。但是情况严重的话，也不得不选择将卵巢摘除。所以，每一位患者都应该仔细地听医生的解释，详细了解自己的病情，再结合自己的实际情况，最后做出最适当的选择。

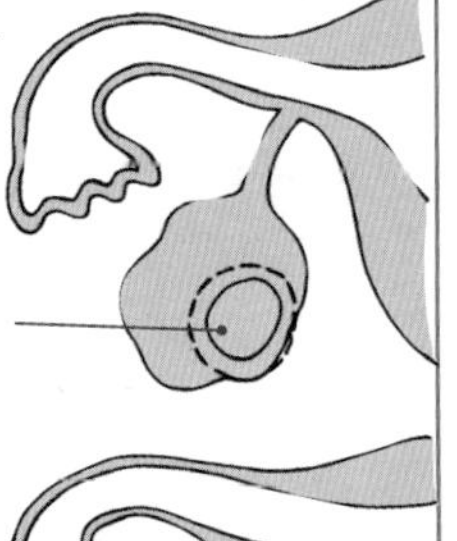

为了怀孕和生育，尽量只摘除病变部分而保留卵巢

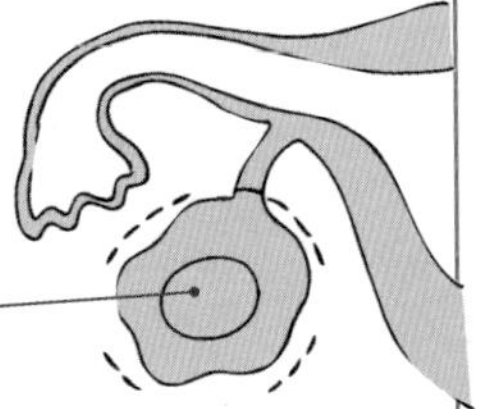

情况严重时就要选择将卵巢摘除

卵巢手术有哪些种类

第一种类 **切开腹部的“开腹手术”**

这种手术是在全身麻醉或下半身麻醉的情况下，在下腹部切开10厘米，具体还分为在阴毛边上开始的“横切开”和从肚脐正下方开始的“纵切开”。虽然横切开留下的瘢痕不明显，但是相对于纵切开，视野会比较狭窄，因此很受具体病情的限制。

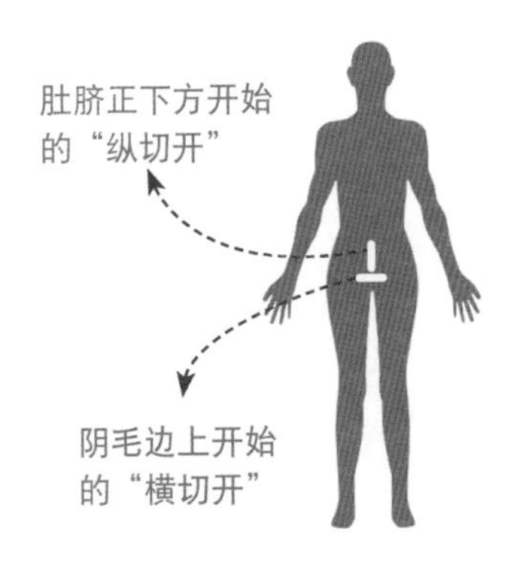

优点

▶ 开腹以后，因为可以看着周围的脏器和周边的情况进行手术，所以在发现病变组织扩散或出现粘连等情况的时候可以及时做出处理。如果是恶性的，即使肿瘤的体积很小，也要进行摘除手术，开腹手术的安全度会相对比较高。

缺点

▶ 会在腹部留下瘢痕，而且需要两周的住院时间。

第二种类　在腹部开几个小口的“腹腔镜下手术”

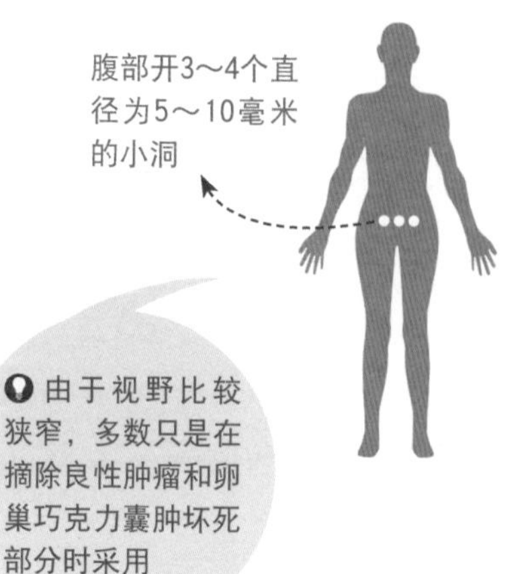

在全身麻醉的情况下，在患者的腹部开 3 ～ 4 个直径为 5 ～ 10 毫米的小洞，将腹腔镜或其他器械伸入，医生可以看着腹腔镜在屏幕上显示的图像进行手术。但是这种手术需要很高的技术和设备的支持，目前并不是所有的医院都可以实施。另外，由于视野比较狭小，因此多数只是在摘除良性肿瘤和卵巢巧克力囊肿坏死部分时采用。根据肿瘤的状态和粘连的情况，也可能在中途改为开腹手术。

由于视野比较狭窄，多数只是在摘除良性肿瘤和卵巢巧克力囊肿坏死部分时采用

优点

▶ 由于没有开腹，因此伤口比较小，住院的时间也只是开腹手术的一半。手术过程可以录像，因此患者还可以在术后听医生进行说明。

缺点

▶ 由于视野比较狭窄，肉眼所见的部位有限，因此对疾病已经扩散到其他脏器、出血严重等情况的应变能力比较低。在这种情况下，就必须中途改为开腹手术，考虑安全性和可行性，结合具体病情，或许从一开始就采用开腹手术比较好。

卵巢疾病手术可以分为两大类，一类是只切除肿瘤，另一类是将整个卵巢全部摘除。如果只是部分切除，卵巢的功能还保留着，因此对激素的分泌和妊娠等都没有影响。

部分摘除
只是将病变部分切除

因为卵巢有左、右两个，所以即使将出现病变的那个整体摘除，另一个也能发挥作用，也是没有问题的。人的身体很奇妙，一点小的伤害并不能使重要的功能丧失。

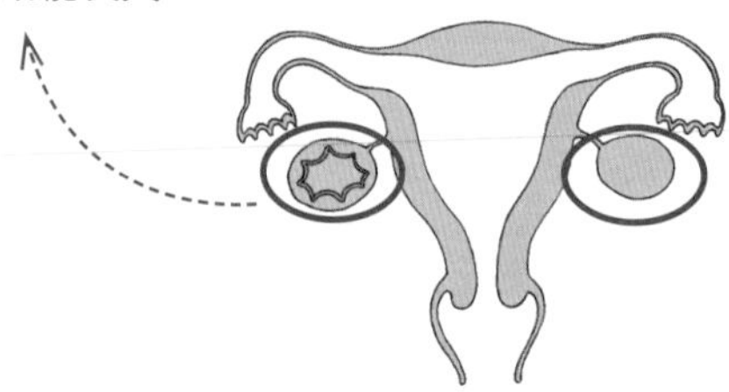

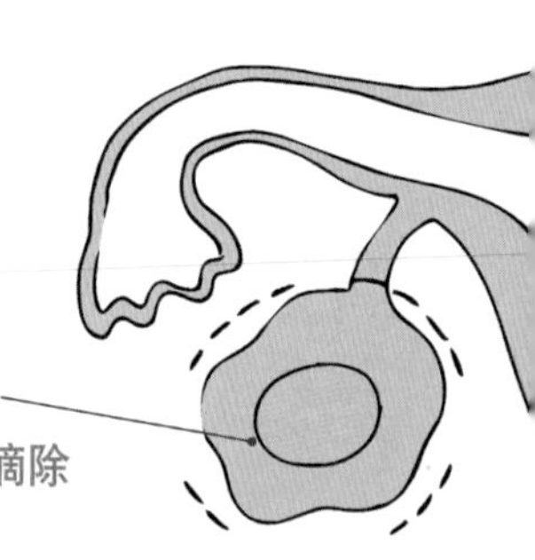

全摘除
将整个卵巢摘除

选择最适合的手术方法

▶ 手术本身没有好坏之分，应该根据症状、肿瘤的状态以及患者的年龄、生活方式等，选择最适合的手术方法。比如，患者是 20 ～ 40 岁的女性，并且还有生育需求，就应该尽量选择只切除病变组织的手术。如果患者超过了 40 岁，那就要检测一下另一侧的卵巢是否有异常，如果没有，就只摘除病变的卵巢。如果已经接近绝经年龄，而且患的还是有恶化可能性的肿瘤的话，为了减少危险性，建议将两侧的卵巢全部摘除。

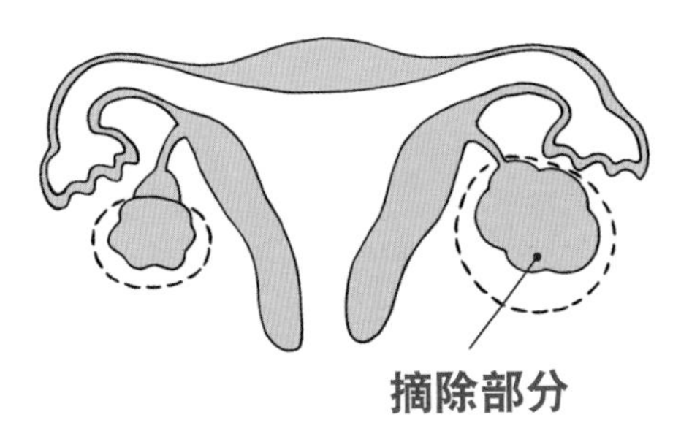

20～40岁	**有生育需求** 尽量选择只切除病变组织
超过40岁	**另一侧卵巢无异常** 只摘除病变的卵巢
接近绝经年龄	**肿瘤有恶化可能** 将两侧卵巢全部摘除

卵巢即使只剩下一部分，也有怀孕的可能

如果碰到一点说明都没有直接要实施手术的医生，不如去别的医院。

▶ 任何一种手术，本身都是有危险的。所以，如果一发现肿瘤就进行手术，也不管具体是良性的还是恶性的，体积是大还是小，这种方法是很不可取的。只切除肿瘤部分，卵巢即使只剩下一部分，只要卵巢细胞还有，里面就可能含有卵细胞，妊娠就有希望。因此，必须听医生进行充分的说明，接受以后再进行手术，毕竟是自己的身体，如果碰到一点说明都没有直接要实施手术的医生，莫不如去别的医院，听听别的医生的解释。

摘除了卵巢更年期症状没有问题

身体有两个卵巢，只要有一个保留着，就会有雌激素分泌，因此不必担心。

▶ 有的人可能会担心，卵巢摘除以后，雌激素的分泌停止，那么出汗、烦躁等更年期的症状是不是也会出现？事实上，无论是哪侧的卵巢，只要有一部分存在，就会分泌雌激素，如果只是卵巢部分切除的话，这个问题完全不必担心。万一两侧的卵巢全都被摘除，没有了雌激素的分泌，但是只要接受激素治疗法，这些更年期症状也会减轻。如果真的没有了卵巢，一段时间以后，肾上腺也会分泌一些雌激素，症状也可以减轻。

是不是会失去女性魅力

雌激素可以通过药物补充，因此不用担心魅力问题。

▶ 目前，激素治疗法也得到了改善，可以针对患者的身体进行个别配制。激素治疗法是将卵细胞激素和黄体激素组合着进行治疗。可以根据患者的自身状态，对血液进行检查之后，在两种激素中再加入必要量的药物，使治疗更加适合。因此，当出现不良反应或问题持续出现的时候，尽可以向医生进行咨询，选择适合自己的药物。

重新审视“女性魅力”的机会

因为失去了卵巢，认为自己没有了女性魅力，很失落。

▶ 有的患者因为失去了卵巢，没有了月经，就认为自己没有了女性魅力，心理上产生很大的失落感，甚至对性生活也开始担心。其实 ，女性在绝经以后，体内的激素也会消失，但是并不是说就不能再有性生活，也不能说从此再也不是一个女性。同样的道理，卵巢摘除以后，激素没有了，但是并不会出现如不能有性生活、失去女性魅力等问题。应该努力向前看，想想以后可以从意外怀孕和月经的麻烦中解放出来，这样心情就会开朗起来。

摘了卵巢，激素虽没有了，但并不会出现如失去女性魅力、失去性生活等问题

贴士

有时，即使有月经，也不一定有排卵，这种现象称为无排卵月经，是由于平时压力过大或过度减肥，引起激素分泌平衡受到破坏或卵巢功能下降导致的。只要测一下自己的体温，就可以知道有没有排卵。如果有排卵，体温就会有高温期和低温期，排卵就是在变成高温期之前进行的。如果一直是低温期，那么没有排卵的可能性很高。这样下去会导致以后不能生育，因此必须及早治疗。希望怀孕的人也可以利用排卵日检查药检测自己是否有排卵现象。

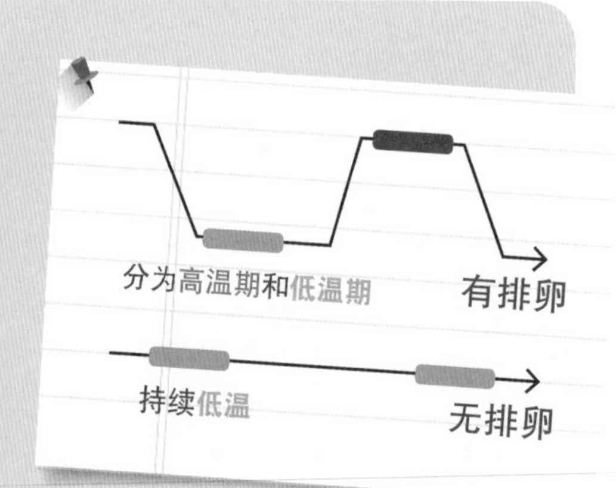

卵巢的健康检测

卵巢还被称为沉默的脏器和海底的脏器，但是即使是这样，如果平时稍加注意的话，我们也可以从每月的月经周期、身体状况的变化等方面发现重要的信号。现在，就让我们赶快行动起来吧！在一年一度的子宫癌的检查中，顺便也做一下卵巢检测！

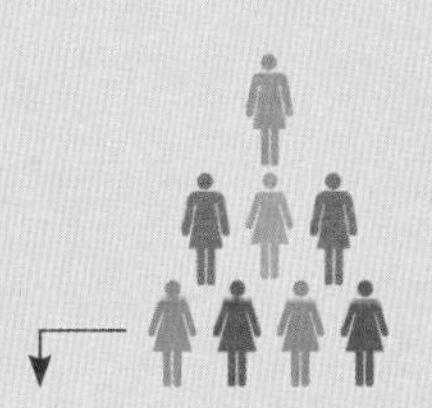

从月经周期、身体状况变化等发现重要信号

月经的周期、经血量有变化吗

☐ 月经停止或出现不调

▶ 如果平时压力过大或生活没有规律，就会影响大脑的激素中枢，使雌激素分泌出现紊乱，这样会引起月经周期紊乱、月经不调等现象，甚至还可能导致月经停止。平时过度减肥或运动过量的话，也可能引发月经停止。哪种现象都可以使卵巢功能下降，应该及早接受治疗。

☐ 月经流量减少

▶ 月经流量的减少也应该引起注意，这可能是激素功能衰退或分泌量减少引起的。这是一个很重要的信号，千万不要因为经期变得轻松而高兴，应该及早去医院检查。

☐ 出现了非正常出血现象

▶ 虽然排卵期的时候可能会有少量出血现象，但是更可能是激素的平衡受到破坏的信号。即使不是大的疾病的征兆，也应该早点接受检查，这样才可以安心。

身体状态、体形等有变化吗

□ 腹部突出

▶ 卵巢出现肿瘤或出现恶性肿瘤导致腹水滞留的话，会引起腹部突出。如果没有怀孕，下腹部却异常突出，腰围变大，连平时的裙子都穿不进去了的话，就应该引起注意了。

□ 胸部或臀部变小

▶ 身体变得不再圆润、胸部或臀部变小等，可能是雌激素分泌减少引起的，还应该注意不要过度减肥和压力过大。

□ 腹胀有便秘倾向

▶ 下腹感觉到异常的压迫感，经常感觉里面充满气体，小便频繁，这可能是卵巢出现肿瘤的征兆。另外，体积增大的肿瘤还可能压迫大肠，导致便秘。

□ 腹部感觉有硬块

▶ 肿瘤长到拳头大小的时候，自己就可以感觉到腹部的硬块，尤其是躺着或洗澡的时候更容易察觉。定期做做检查，平常多注意一下自己的腹部、腰部。

□ 小便频繁、腰痛

▶ 卵巢的肿瘤体积增大以后，会压迫膀胱，导致小便频繁，压迫周围的血管的话，就可能引起腰痛。

□ 出现非正常出血

▶ 卵巢肿瘤中，也有可以引起非正常出血的种类。另外，子宫癌也会引起非正常出血，无论是哪种疾病，都应该尽快检查。

卵巢的功能性疾病

卵巢虽然体积很小，但却是和女性一生都有密切关系的重要脏器。它的构造和功能都很微妙，一旦出现问题，就会影响女性的整个生活。而且由于生长在肚子里面，很不容易发现疾病症状，因此就更有必要全面地了解卵巢疾病的特征以及具体的治疗方法，这样才可以安心。

体积很小的卵巢是和女性一生密切关联的重要脏器

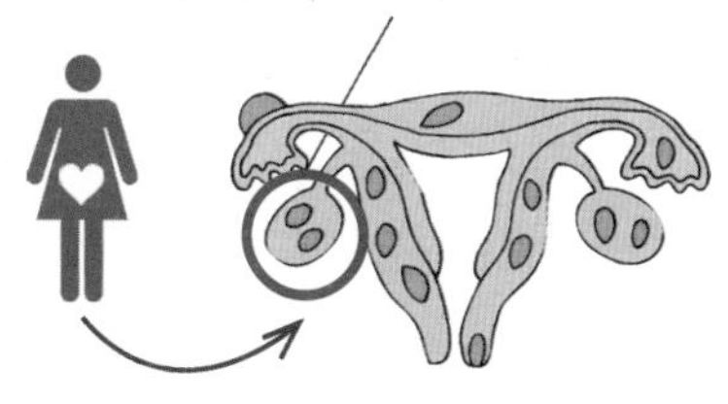

卵巢功能你都了解吗

▶ 卵巢位于子宫两侧、输卵管的下面，共有两个，呈椭圆形，只有拇指的大小，灰白色，表面有凹凸。

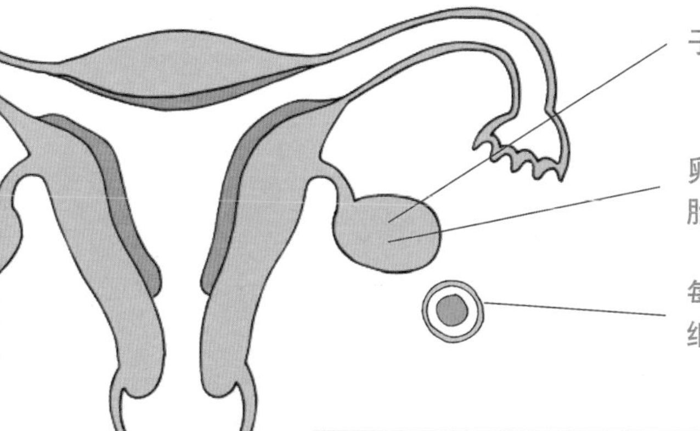

分泌雌激素，保持女性魅力

卵巢分泌雌激素和黄体激素两种雌激素，这两种雌激素起调节月经规律、掌管妊娠的重要作用，而且还能保持女性特有的魅力。

卵巢可以产生卵细胞

卵巢还可以产生卵细胞，它是胎儿最初的源头。女性出生的时候，卵巢中就有了可以产生数百万个卵子的原始卵细胞，它们会每个月成熟一个，并排出卵细胞。

原始卵细胞每月排出一个成熟卵细胞

压力过大或过度减肥会造成卵巢功能不全

▶ 过度减肥等会引起雌激素分泌失调，如果不采取措施，卵巢的功能就有可能下降，进而引发不孕。

卵巢分泌的雌激素会出现紊乱

卵巢分泌雌激素的过程受到脑的性中枢（下丘脑和脑垂体）分泌的激素的控制，并有一定的规律性。下丘脑同时还是自主神经的中枢所在，平时压力过大或受到刺激都会引起自主神经平衡失调，进而影响雌激素的分泌。另外，过度减肥或运动过量的话，会造成身体能量不足和营养不足，这也能影响激素的正常分泌。如果身体的脂肪率在 18% 以下，就应该引起注意了，一旦到了 16% 以下，就可能导致月经停止。

身体脂肪率BMI在18%以下，就应该引起注意，一旦到16%以下，就可能导致月经停止！

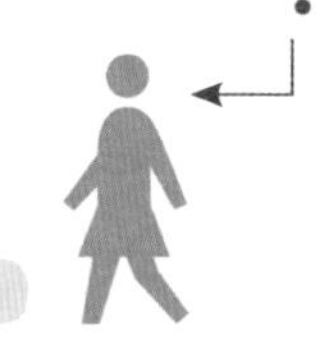

BMI ＝体重（千克）÷【身高（米）× 身高（米）】

雌激素的紊乱长时间得不到调整，会导致月经和排卵的停止

压力过大和过度减肥，会引起雌激素分泌失调，进而引发月经不调或月经停止。即使是有月经，也不一定有排卵；即使是有排卵，分泌黄体激素的卵巢的功能也可能出现异常，最终还可能影响怀孕和生育。可能肉眼看不到，但是卵巢的功能确实在受到破坏。这种情况下如果不采取措施，卵巢的功能就有可能下降，进而引发不孕，一定要引起注意。

卵巢外观上的疾病

当腰围持续增长，女性常常忽略的肥胖可能是种假象，应去医院排查一下卵巢疾病非常有必要。特别是生育后的女性至少每年定期超声检查一次，尤其对有不孕、卵巢肿瘤病史、卵巢癌家族史等高危因素者，更应该加强对卵巢的监测。

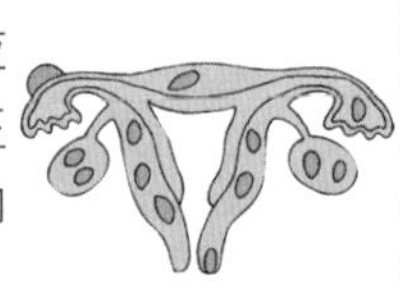

卵巢属于身体上比较容易出现肿瘤的脏器

▶ 卵巢肿瘤是女性生殖器常见的肿瘤。卵巢作为内分泌器官，所含细胞成分多，组织结构复杂，可以产生不同类型的肿瘤。

卵巢在很短的周期之内发生很多的变化，很容易出现肿瘤

卵巢内有数目庞大的原始细胞，它们都在进行着周期性的发育和变化，同时还在有规律地分泌雌激素。像这样瞬息万变的脏器，体内再也找不出第二个。因此，卵巢就和男性的精囊一样，是体内比较容易出现肿瘤的脏器。但是即使都是肿瘤，具体的类型也有很多种，有良性的也有恶性的。

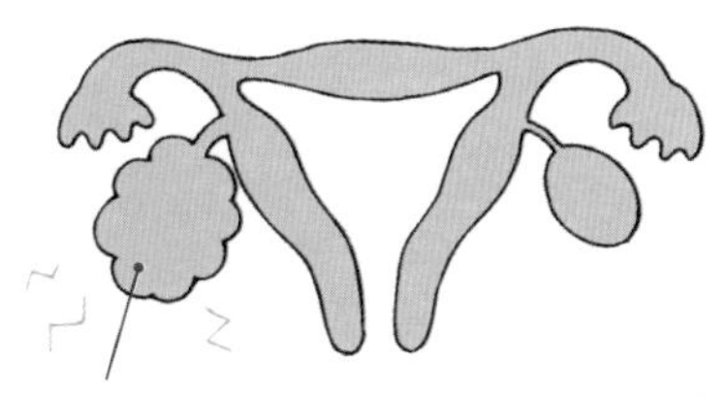

像卵巢这样不断在变化的脏器，体内找不出第二个

肿瘤可以分为柔软的囊肿和硬邦邦的实性肿瘤两大类

卵巢肿瘤有很多种分类，但是基本上可以归类为以下两种。一种是卵巢的周边细胞中出现液体潴留，感觉很柔软，称为卵巢囊肿。卵巢上出现的肿瘤 70% ～ 80% 都属于这种，是良性肿瘤。另外一种是卵巢细胞或组织出现增生，形成像结一样发硬的肿瘤，称为囊实性肿瘤。无论是哪个类型的肿瘤，基本上都是良性的。但是其中的少部分也可能是恶性的，或可能向恶性转化的。另外，由于卵巢在身体内部，即使出现了肿瘤，初期也是很难发现的，因此一定要注意。

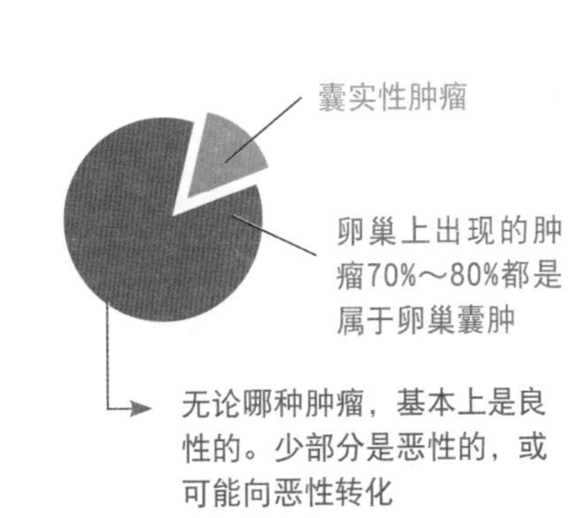

卵巢受到伤害会导致雌激素分泌紊乱

女性进入青春期后，卵巢开始分泌雌激素，以促进阴道、子宫、输卵管和卵巢本身的发育，促进女性第二性征的出现等。一般情况下，女性 45 岁后由于体内雌激素分泌减少，出现更年期症状，即以自主神经系统功能紊乱为主的更年期综合征。

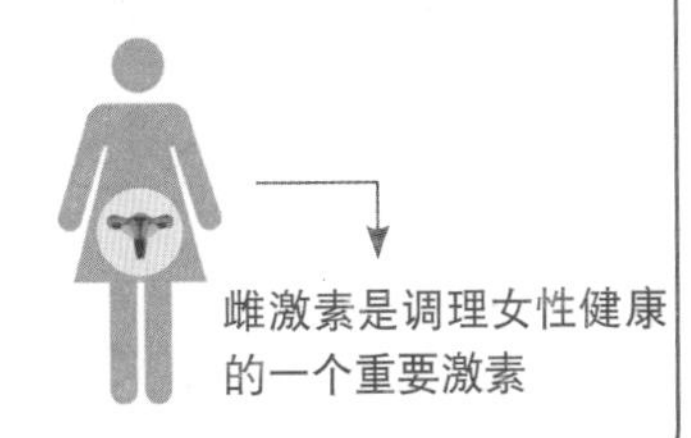

雌激素是调理女性健康的一个重要激素

雌激素

▶ 月经以后分泌开始增多，到排卵前达到顶峰。可以使女性身体更加丰满，使胸部和性器官发育成熟，卵巢中的卵细胞发育成熟并产生排卵，使子宫内膜充血，为接受受精卵做好准备。还可以防止骨质疏松和动脉硬化。

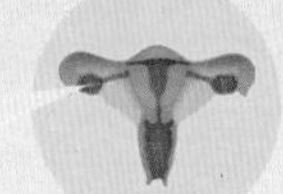

黄体激素

▶ 在排卵结束之后分泌增多，可以使子宫内膜变得更加柔软，便于受精卵着床，还可以作用于脑部的体温中枢，使体温升高。如果妊娠成功，为了维持内膜的状态，分泌会一直持续到胎儿成熟。

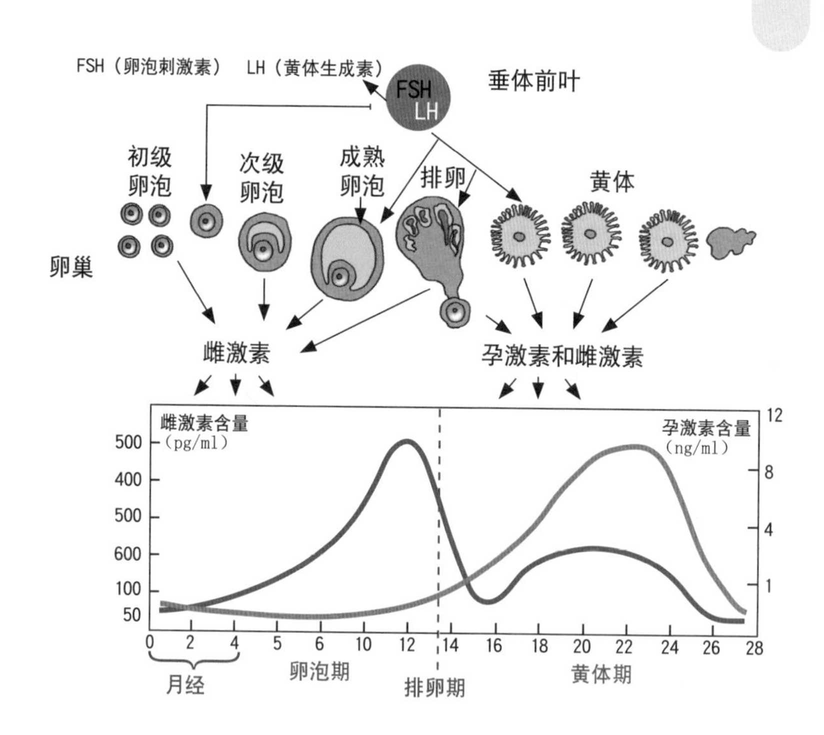

雌激素可以使身体保持女性的魅力

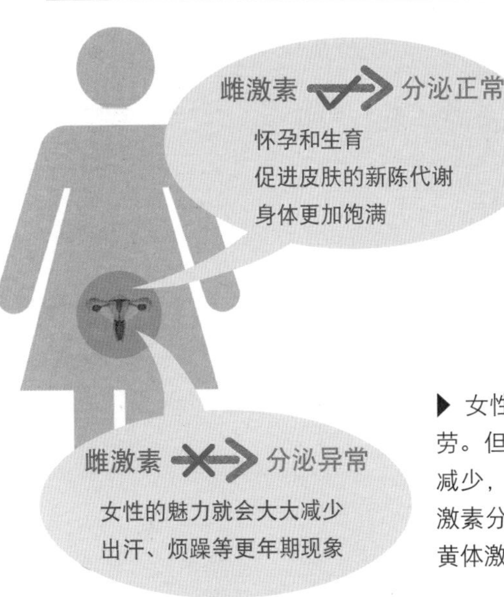

▶ 卵巢的作用之一，是受到脑垂体的指令，分泌雌激素。作为女性，每月有排卵和月经现象，还有怀孕和生育的使命。而卵巢分泌的雌激素就起到帮助女性更好地完成这个过程的作用。另外，雌激素还可以使女性的身体更饱满，这就是女性在青春期以后乳房和臀部会变得圆润的原因。雌激素对全身也会起作用，能促进皮肤的新陈代谢。

▶ 女性之所以能展现出迷人的魅力，全是雌激素的功劳。但是如果激素出现了异常，女性的魅力就会大大减少，闭经以后出现出汗、烦躁等更年期现象就是雌激素分泌减少引起的。卵巢分泌的雌激素有雌激素和黄体激素两种。

两种激素的共同作用形成月经的周期变化

▶ 看右边的图示就可以明白，卵细胞激素在月经结束以后分泌量开始上升，到排卵之前达到顶峰。在这个过程中，卵细胞发育成熟，做好了排卵的准备，子宫内膜也充血完成，等待受精卵的来临。排卵结束之后，卵细胞激素的分泌量开始减少。

▶ 另一方面，在排卵之后，黄体激素分泌量开始上升，子宫内膜也变得更加柔软，体温开始上升。如果受精成功，黄体激素的分泌就会持续，但是如果没有受精，分泌量就会减少，约两周之后分泌停止，然后体温也会下降，内膜便会萎缩脱落，并且和经血一起排出体外，这就是月经。

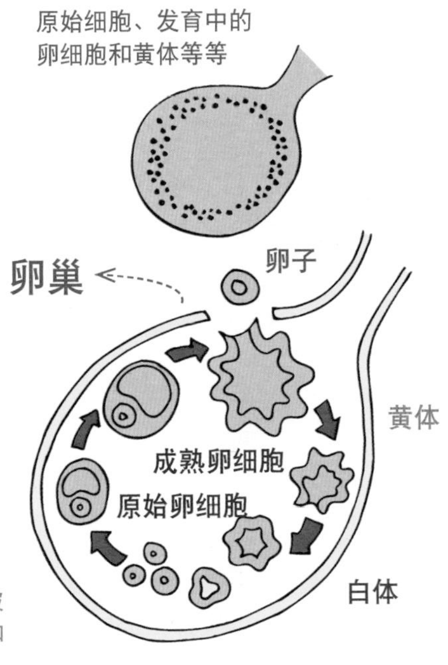

💡 由于压力等的原因，这两种雌激素的平衡受到破坏的话，月经的周期也会受到影响，受精卵的着床和怀孕有可能不能顺利地进行

健康生活，轻松助孕

不孕治疗不但在时间上、经济上是沉重的负担，在心理上也是。月经来临时，想着“还是不行！”周围人无心地问一句“还没有孩子？”，更是受到沉重的打击。很多患者就是在这样一天天的阴郁中患上了心理疾病。

对于不孕的治疗，心理因素很重要

导致不孕的因素有很多，其中一种便是心理因素造成的。如果在治疗不孕症的同时，配合心理咨询及治疗，将对不孕症起到辅助治疗的作用，有些人疾病的原因可能是次要的，而心理因素才是主要的，一旦心理障碍排除，很快就达到了受孕的目的。

出去旅行放松心情

▶ 不孕治疗一旦开始，往往就会变成生活的中心，脑子里面全是关于治疗的事情。因此，为了转移注意力，可以试试培养自己的某种兴趣爱好，专心工作也可以。如果时间允许，还可以做点手工，主要是使心情轻松一点，使自己的生活丰富起来。

为了转移注意力，可以多与外界接触

感到治疗令自己身心疲惫时，适度的休息很重要

▶ 每个月都进行各种各样的治疗，有时还需要注射，要天天往医院跑，时间一长，很多患者都会觉得身心疲惫。如果那样的话，不如下个决心休息一下，暂时停止治疗，好好过几天日子。如果可能，夫妇俩可以出去旅游，放松一下心情。休息一年，说不定医学会有发展，治疗也更有希望了！总之，感到累的时候，适度的休息很重要！

齐心协力共渡难关

▶ 就一般情况来说，即使排卵时期有性生活，当月妊娠的概率也只有 25%，也就是说，正常的妊娠率也是很低的，并不是每个月都能怀孕，无论是男性还是女性，每个月都有精神上和肉体上的疲劳，因此激素的分泌、卵子精子的状态都不一样。即使基础体温正常，也有可能没有排卵。可以说，半年或一年之内能够怀孕就是很幸运的。

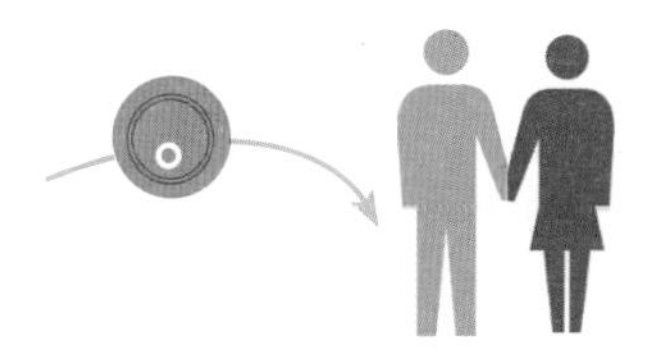

即使排卵期有性生活，当月妊娠概率也只有25%，半年或一年内能怀孕就很幸运

有20%的患者找不到不孕的原因，有必要接受这样的事实

▶ 虽然不孕治疗每天都在发展，但是如同前面说的，还是有 20% 的患者找不到不孕的原因，得不到有效的治疗。在治疗之前 ，有必要接受这样的事实，治疗的时候要有耐心。想要孩子是很正常的想法，但是很多没有孩子的夫妇，日子也过得很充实，有的最后还收了养子。不孕的夫妇不妨经常拿这样的事例来劝自己，经常相互沟通，这样才可以加深彼此的感情，把治疗不孕症的痛苦经历变成夫妻间沟通的桥梁。

不要逼迫自己和爱人

▶ 不孕症的治疗不单是肉体上的负担，对精神上的影响也很大。每年 12 次、每月 1 次的机会在“这个月又失败了”的叹息声中逃走时，心理的痛苦、年龄增大的焦急和无奈，很容易把自己逼得走投无路。为了避免这样的情况，不妨试试把治疗分成几个阶段来进行。

▶ 可以把治疗时间分成半年、一年半、两年。经过最初半年的检查，一般就可以对引起不孕原因和治疗方法有个大概的了解。到一年半的时候，大多数患者就可以了解自己的具体情况了，那时候，夫妇俩就可以商量或和医生讨论是继续进行一般治疗还是进入辅助生育治疗阶段，如果进行辅助生育治疗，是不是有必要转到专门的体外受精医院等关键问题。有的患者会很有信心地进入下一阶段的治疗，但也有的患者在结束两年的一般治疗之后就决定放弃。

治疗时间分成
半年、一年半、两年

最初半年
大概了解不孕原因和治疗方法

到一年半
夫妻商议并和医生讨论继续进行治疗的方式

两年左右
进入下一阶段的治疗

坚持？放弃？

▶ 重要的是根据自己的情况确定目标，做出适当的选择。“治到 40 岁吧！”“辅助生育治疗也坚持两年看看！”有了这样的目标，治疗过程中的迷茫和烦恼就能少一些。在治疗期间，医疗技术在不断发展，而且，随着年龄的增大，想法可能也会有所变化。因此即使效果不好，到时候再做出其他选择也不晚。

辅助生育也坚持两年看看！

治到40岁吧！

和医生沟通也很重要

▶ 即使心里明白，但是在治疗过程中还是免不了心理上的大起大落，想要控制是很困难的。如果情绪上的郁闷或不安很严重的话，可以试着和医生谈一谈，也可以去心疗内科或精神科咨询，或让医生介绍另一家医院。有的医院还可能有经高度生殖医疗研究会资格认定的专家，也可以向他们寻求帮助。相反，如果就诊的医院连起码的介绍等都不做的话，不妨换一家医院治疗。

如果情绪上的郁闷或不安很严重的话，可以试着和医生谈一谈

不孕症的治疗，医院、医生和患者的契合度很重要。经过了解，一旦发现医院或医生有问题，应果断转院

▶ 对不孕症的治疗来讲，医院、医生和患者的契合度也是很重要的。经过半年，一轮检查就应该结束了，这时，对医院整体的氛围患者也应该有所了解。如果觉得不合适、不能信任的话或医院出现对检查不专心、还没有说明清楚就要进行治疗、对患者的疑问也不详细回答等现象，就应该有勇气换掉！另外，也可以因为“搬家”、“医院离家太远，来去不方便”、“丈夫的工作地变了，所以想换家近一点的医院”等理由而提出转院申请。

不孕症的中医疗法

从西医的角度判断，夫妇俩都没有什么问题，但是接受了多年的治疗后还是不能怀孕。像这样的患者，进行中医治疗之后，有的也能成功怀孕。下面，就让我们来了解一下中医对不孕症治疗的独特想法。

西医治疗
不能怀孕

中医治疗
有怀孕可能

从患者体质出发的中医学

▶ 同样是针对受精卵不能顺利着床的病症，西医会认为是子宫出现了问题，所以会采取将病变组织切除、调整激素等治疗方法。但是如果是中医，就不会单从子宫上找原因，会从整个身体加以考虑，子宫出现问题，是不是肠胃出现了问题、营养不能顺利到达子宫才引起的？还是因为血液流通不畅导致的？在这样的思考方式下，接下来的治疗就可能是改善肠胃、改善血液流通等，慢慢将身体建造成一个容易受孕的环境。

子宫出现问题是不是肠胃出现了问题

血液流通不畅导致的子宫缺乏营养

中医先将患者的体质弄清楚后再进行治疗。将身体建造成一个容易受孕的环境

▶ 就是因为有这样的思考模式，中医才将弄清楚病人的体质作为重点。在中医看来，每个人的体质都是不一样的，例如有的人气力、体力不足，那就是虚弱型的（虚证）；气力、体力过剩的是肥满型的（实证），这两种体质就完全不一样。另外，有的患者很容易出现表面症状（阳证），而有的患者的症状都隐藏在内部（阴证），这两种体质也是不一样的。中医就是这样先将患者的体质弄清楚之后再进行治疗，正因为如此，原因不明和久治不愈的不孕症患者也才能够得到对症治疗。

中医治疗不孕的原理

▶ 中医认为，“气”“血”“水”三者在保证人体健康方面有重要的作用，无论哪一方面出现问题，都会导致身体出现异常情况。

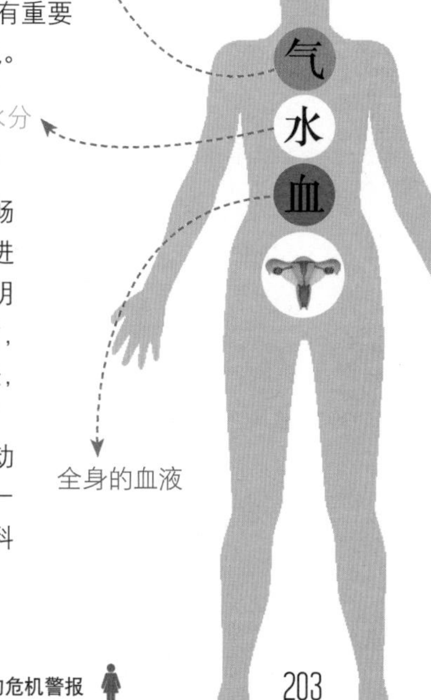

▶ “气”，就是气力、活力等类似于能量的东西。如果“气”不足的话，人就会感觉疲劳、抵抗力下降。“气”流通不顺畅的话，人就会烦躁不安。“水”，就是指储存全身营养、促进新陈代谢的水分。水出现滞留的话，人体就会水肿或出现不明原因的疾病。“血”就是指全身的血液，它可以输送各种物质，制造抗体，保护人体健康。对女性来说，由于每个月都有月经，血的流动就比男性活跃，正因为如此，在“气”“水”“血”三者中，“血”对女性的影响也就最大。“血”一旦出现流动不顺或滞留的话，就很可能引起妇科疾病，因此在中药中，一直以来都有很多能促进血液流通的配方，对治疗不孕症和妇科疾病都有很好的效果。

针对个人体质进行调养

▶ 中药是中医治疗的基本方法，它是由很多种取自自然的植物、动物或矿物等组成，针对不同的体质，调配出不同的组合。因此，为个体调配、在个体上能发挥最大的作用，这就是中药最大的特点。治疗不孕症的主要方法就是通过煎服中药，改善体质，使身体成为一个容易妊娠的环境。要想找到适合自己体质的中药，就需要多咨询中医，接受中医的诊断。

治疗不孕症的主要方法就是通过煎服中药，改善体质，使身体成为一个容易妊娠的环境

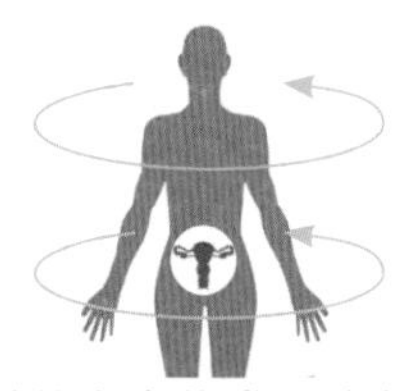

中医对整个身体进行诊断、调节，打造健康的身体大环境。

▶ 在西医中，通过检查找出病因，然后针对病因直接治疗是最主要的方法，例如，激素分泌出现紊乱就用激素药进行调整，没有排卵就服用促排卵药物，如果输卵管出现堵塞，就直接疏通，不能正常受精就采用体外受精等。与此相反，中医并不只是注意出现病变的卵巢或子宫，而是对整个身体进行诊断，找出导致疾病出现的最根本的原因，然后进行调节，打造健康的身体大环境，这可以说是中医最大的特点。

用中医治疗不孕症

中医在治疗不孕症的时候，首先是“问诊”，目的是了解病人的身体状态、确定病人的体质。询问的内容包括身高、体重、月经状态、饮食内容、过去是否去过妇科以及具体的时间和经过、最近是否感到某些异常等等。然后根据病人的回答，医生会进一步检查病人的脉象、舌苔、牙龈的颜色等，但是最重要的还是检查病人腹部的“腹诊”。病人躺到检查床上之后，医生会用手按病人的腹部，检查哪块肌肉比较紧，哪块肌肉比较松弛，通过这样的检查，就可以诊断病人的身体容不容易怀孕。有经验中医的手指可以像 X 射线一样，准确判断病人腹腔内部的情况。

问诊

身高、体重、月经、饮食、是否去过妇科、是否感觉异常等。

进一步检查

检查脉象、舌苔、牙龈的颜色等。

腹诊

医生用手按患者的腹部，检查肌肉松紧度，诊断身体容不容易怀孕。

柔软有弹性的腹部容易怀孕

▶ 容易怀孕的腹部是柔软并且有弹性的，治疗的最终目的就是打造这样的腹部。为什么这样的腹部容易怀孕呢？将子宫比喻成秧田的话就容易理解了，要想稻谷发芽、根基牢固，秧田就必须含有适度的水分和养分。如果秧田里面营养和水分都不足的话，是种不出来好的稻谷的，但是如果水分太多，秧苗的根也扎不实，很容易就被水冲跑了。而有适当的水分，营养又充足的秧田就是柔软有弹性的腹部。

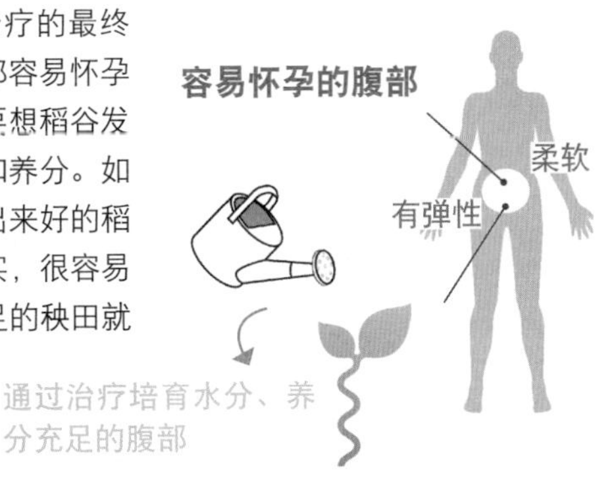

不易怀孕的腹部有两类

▶ 一种是向上顶的或发硬的腹部，这样的腹部会使输卵管受到挤压，导致精子不容易向前运动，也就不容易和卵子结合、受精。另外一种是腹部水分太多，受精卵即使在子宫上着床成功，根基也不牢固，很容易就随着水分流走。这样的情况，如果是西医的话，检查输卵管或子宫都没有问题，大概会被定义为原因不明吧！如果是这种类型的患者，那么经过中医的调理，将腹部调理得柔软有弹性之后，就很有可能妊娠成功。

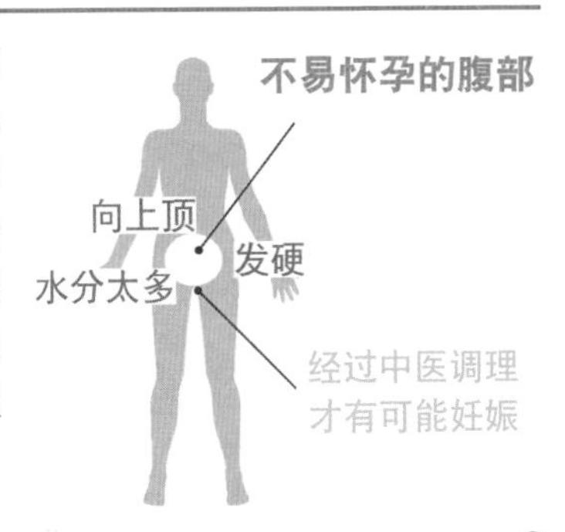

容易怀孕

柔软且有弹性的腹部

像扁面包一样柔软且有弹性的腹部，水分充足，营养也丰富，受精卵的根基也会牢固地扎在子宫上。

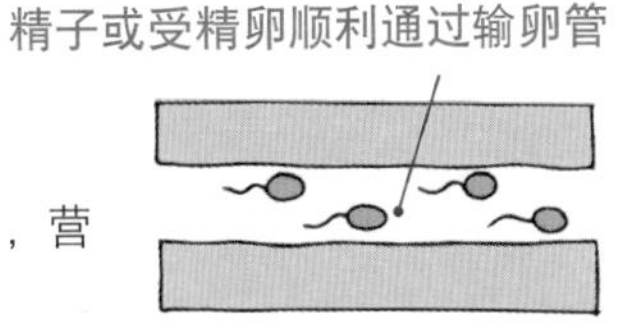

不容易怀孕

向上顶的腹部

腹股沟向上顶，这样的腹部会使输卵管受压迫，导致受精卵或精子不容易活动。有发寒且常吃刺激性食物，或精神压力很大的人很容易流产。

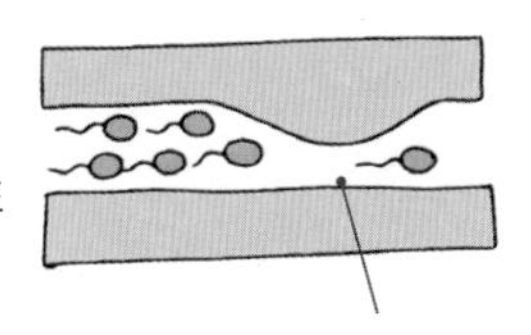

腹部发硬

腹部肌肉僵硬或整个腹部僵硬的人，输卵管也会受到压迫，精子或受精卵也不能顺利通过，因此就不容易怀孕。长期服用激素药物、患子宫内膜异位症或子宫肌瘤的患者容易出现这种情况。

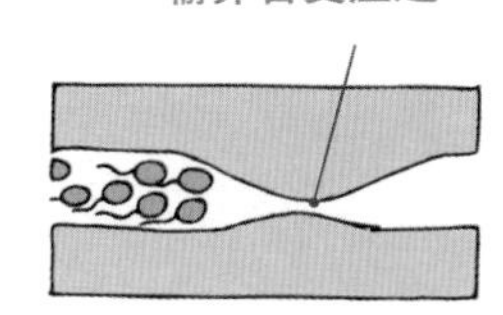

肠胃不好、太胖或太瘦的人都应该注意！

▶ 为了打造柔软且有弹性的腹部，中医会首先为肠胃不好的患者治肠胃，给太胖或太瘦的人调节体重。肠胃不好，就不能很好地吸收食物中的营养，那么到达子宫的营养当然也会减少。太瘦的人也是同样的道理，营养不良的子宫就像是贫瘠的秧田，当然育不出好苗。但是如果太胖，那么体内的脂肪压迫血管，也会阻碍妊娠。

▶ 接受中医治疗之后，每个患者的情况也都不一样，有的患者在服药1年之内就怀孕了，但更多的患者是持续服药一年半到3年后，身体才慢慢变得容易怀孕，继而妊娠成功。

必须先服用中药，对身体进行调理，使身体更加易于怀孕

服用中药过程中饮食也必须注意

▶ 为了使中医疗法取得成功，平时的饮食也应该注意。在中医中，最重要的器官是肾（肾脏、肾上腺、泌尿生殖系统）和胃，因此建议平时多吃一点对肾和胃有帮助的食物。

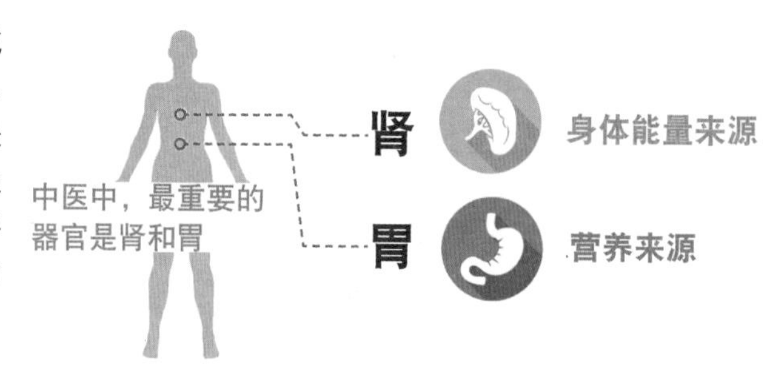

菠菜、茄子等
会使胃和肾出现疲劳

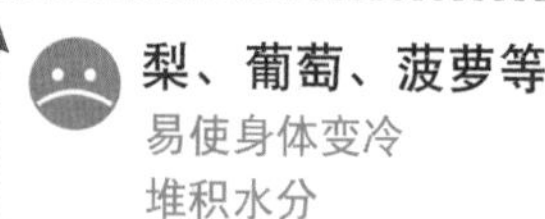

梨、葡萄、菠萝等
易使身体变冷
堆积水分

▶ 在中医看来，肾是身体能量的来源，也是激素分泌的源头。而胃又是对食物进行消化和吸收的器官，是营养的来源。因此，平时应该多吃对肾和胃有帮助的食物，少吃一些如菠菜、牛蒡、茄子、竹笋等涩性比较强的蔬菜，像这类的蔬菜不容易过滤，会使胃和肾出现疲劳。另外，水果类的比如梨、柿子、葡萄、香蕉、菠萝等吃多了会使身体变冷，而且还容易使体内水分堆积，而人体每天只需要5杯左右的水（包括茶水和食物中的水）就可以了。

进食的速度也不要太快！这样会造成消化不良，也不要吃多了，建议要细嚼慢咽，这样才有助于消化吸收

贴士

黑色的食物对保持肾的健康很有帮助，如黑豆、黑芝麻、裙带菜、紫菜、羊栖菜、海带 、冬菇、黑面包、红糖等，平时都可以多吃一点。而红色的食物如胡萝卜、红豆、南瓜、西红柿等，还有苹果、草莓、橘子等水果，对保持胃的健康都有好处，最好保证每天都能吃一些。

从现在做起，远离不孕预备军

不要认为现在没有关系，一不小心，很可能就成了“不孕预备军”的一员！如果现在有以下现象就应该引起注意了，不要等到事情发生的时候才后悔莫及！从现在开始，好好调理身体状态，改正不良生活习惯，在身体上和心理上为怀孕做准备。

经期问题不及时治疗会引起不孕

▶ 你认为月经不调或没有月经是一件很简单的事情吗？如果只是 2～3 个月来一次，就有可能是卵巢功能低下或没有排卵的无排卵月经。另外，出现月经流量过少、经期时间在 10 天以上、月经周期在 24 天以内等情况的话，也有可能是无排卵月经。这两种都属于排卵障碍，是引起不孕的重要原因之一。月经出现异常是很大的预兆，不要拖延，要及时去妇科检查。

2～3 个月来一次
月经流量少
经期时间在 10 天以上
月经周期在 24 天

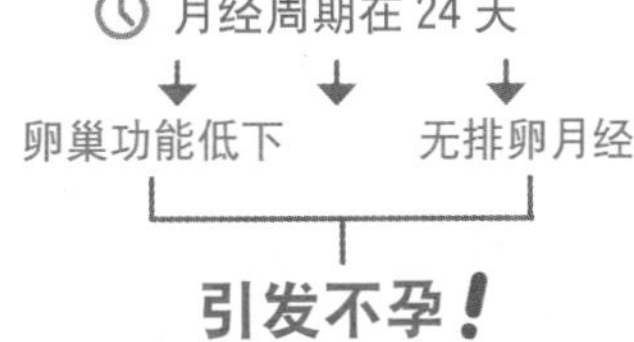

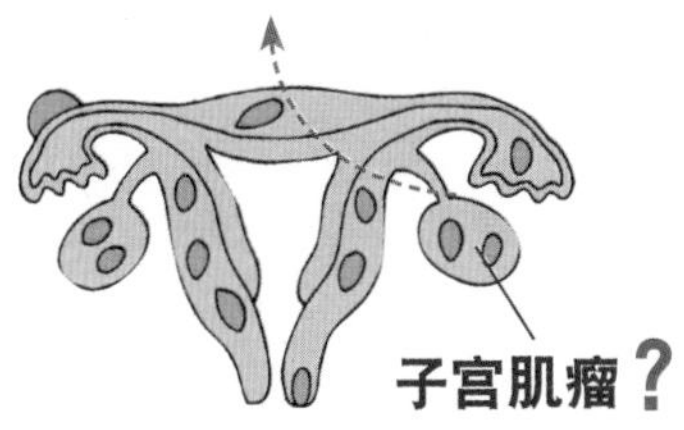

▶ 这些经期问题还可能是子宫内膜异位症或子宫肌瘤等疾病的征兆。尤其是痛经突然严重、月经流量大，或慢慢变得越来越疼，经期以外也出现下腹部疼痛或排便痛、性交痛等症状的话，患子宫内膜异位症的可能性就很高。如果出现月经流量增大、出现血块、贫血、腹胀、非正常出血、腰痛等症状的话，就有可能患了子宫肌瘤，应该及早去医院检查。

过度减肥会导致无月经或无排卵月经

▶ 目前，20～30岁的女性中，由于过度减肥导致成为“不孕预备军”的人数增加很快。平时过度节食减肥会导致停经，有的女性出现这种现象2～3年都不去治疗，时间一长，分泌激素的脑垂体就会出现功能下降，从而引起卵巢活动不畅，引发卵巢功能低下，同时卵巢还可能出现萎缩变硬，里面的卵子数量也会减少。到这种程度的话，治疗就比较困难了。

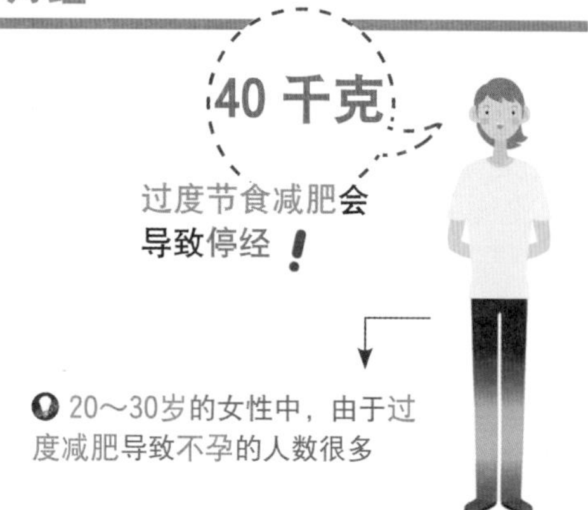

20～30岁的女性中，由于过度减肥导致不孕的人数很多

▶ 长期节食会导致身体营养不良，这也会引起受孕困难。尤其要注意维生素E出现不足。维生素E原来的名称就含有“赠予生育能力”的意思，动物实验也已经证明了这一点，不但如此，它还可以改善血液循环、减轻发寒症状、增强细胞活力等，杏仁、核桃等坚果类、鳗鱼、秋刀鱼、沙丁鱼等鱼类，还有菠菜、南瓜等蔬菜都含有维生素E。

下身衣着太紧导致骨盆内血液流动不畅

▶ 老年人都知道，对孕妇来说，身体受寒是最不好的，这是有科学根据的。身体受寒发寒之后，血液的流动就会不顺畅，子宫和卵巢的活动也会变缓，因此，在有空调的办公室或汽车中以及在冬天时候都要注意保暖，不要直接对着冷风，一定要有所遮挡。为了使骨盆内的血液流通顺畅，下身的衣着尽量不要太紧。尤其是男性，下身太紧的话会阻碍睾丸的正常活动，平时应该多穿宽松的裤子，紧身牛仔裤之类的应该少穿。

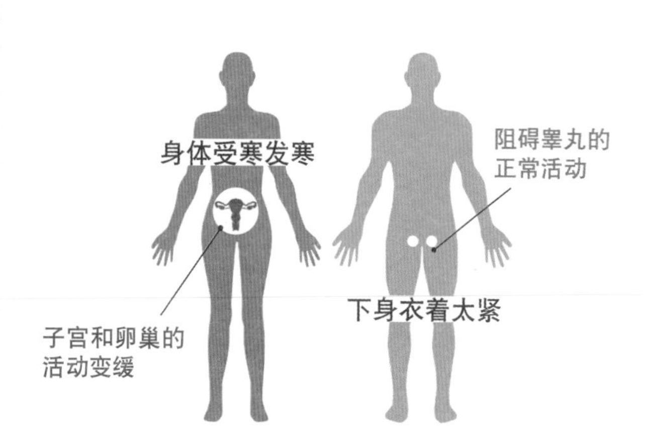

肥胖和排卵障碍有关

▶ 不仅是过度减肥，过度肥胖也可能导致不孕。过度肥胖体内的胆固醇就会升高，引起激素分泌失调，这样一来，卵细胞期就会增长，能导致无排卵。另外，肥胖还能增大患子宫体癌的概率。卵细胞期增长之后，子宫内膜也会因增殖而变厚，这就可能转化为子宫体癌。因此，女性应该努力保持正常的体重。

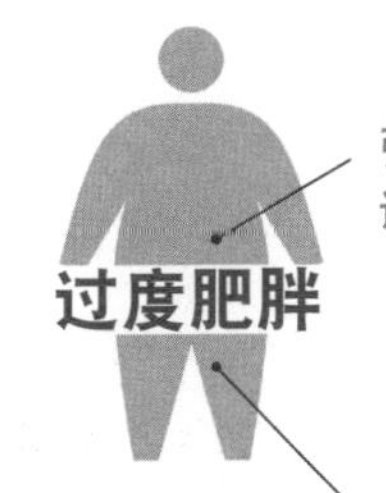

无避孕套下性生活增加非淋菌性感染症的发病率

▶ 前面已经提到了，在性感染疾病中，非淋菌性感染症在年轻女性中的发病率正在上升，已经成为导致不孕的重要原因之一。即使仅仅为了不成为“不孕预备军”，女性们也应学会保护自己的身体。另外，如果男女一方已经受到感染，那么性生活之后传染给另一方的概率就非常大。因此，选择一个安全的性伴侣或在性生活过程中使用避孕套就显得尤为重要。

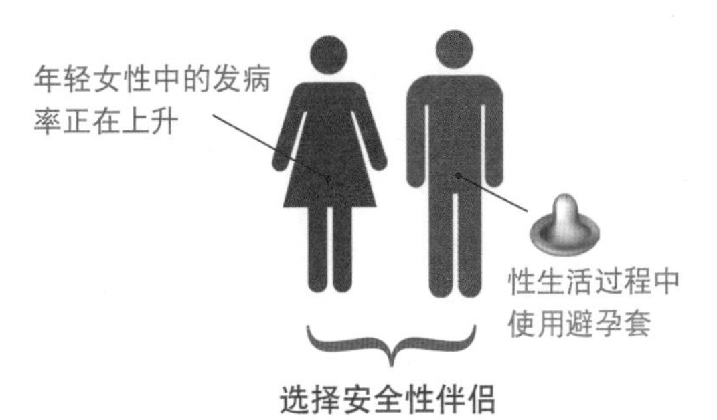

吸烟对男女都有不利影响

▶ 对希望怀孕的女性来说，吸烟是有百害而无一利的。香烟中的尼古丁会使血管收缩，引起血液流通不畅，进而影响子宫和卵巢的正常工作，最终导致不孕。而且，即使已经怀孕，吸烟也会使流向胎盘的血液流动不顺、降低血液中的含氧量，导致胎儿出现营养不良或呼吸困难，阻碍胎儿的正常发育，还可能导致流产或早产。男性吸烟会使精液浓度降低，而且，扩散在空气中的烟雾所含有的有害成分比经过过滤嘴吸进肺部的要多，因此，为了家人和自己的身体健康应该减少吸烟或不吸烟。

乳腺疾病，不再是中年女性的专利

女性的乳腺癌发病率在增加。虽然及早发现可以很容易治愈，但是更多的情况是长时间得不到根治，因此乳腺疾病是对女性的生活方式有很大影响的一种疾病。

乳腺癌被称为女性的现代病

乳腺癌，曾经是 40 岁以上的女性才容易得的病，但是近几年来，患者中出现了三十几岁，甚至是二十几岁的女性，因此可以说，乳腺癌已经是一种年龄范围很大的疾病了。有数据显示，女性的乳腺癌发病率是欧美的 1/4，但是患者的平均年龄却比欧美小 10 岁。

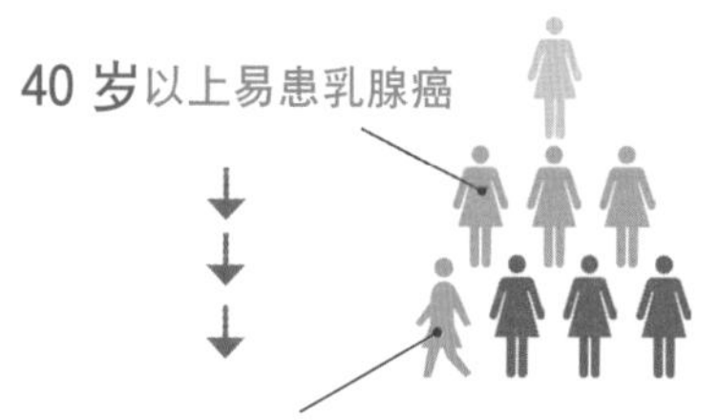

乳腺癌是女性现代病

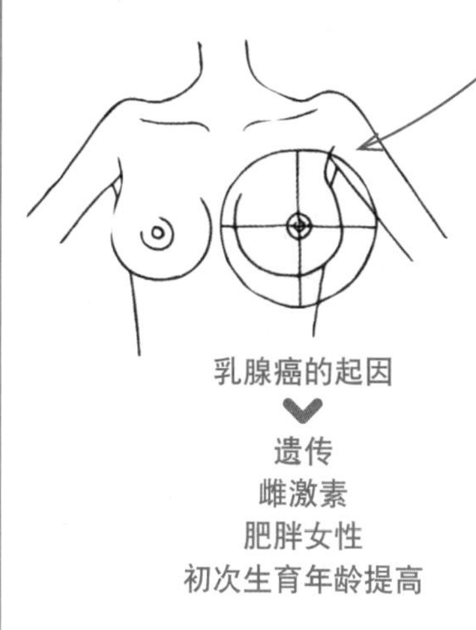

引起乳腺癌的原因有遗传和环境两大因素。就遗传方面来讲，如果亲属中有人患有乳腺癌，那么本人身上带有癌症遗传因子，患乳腺癌的可能性就大。如果后期受到环境的影响，那么就可能引发癌症。环境方面的因素主要是指雌激素中的一种——雌激素。女性中初潮比较早而绝经比较晚、生育经历少、初次生育在 30 岁以上的人群，也就是受到雌激素影响时间比较长的女性，患乳腺癌的概率要比平常人高。另外，日常饮食中动物脂肪摄入较多、肥胖的女性也属于高危人群。

随着初次生育年龄的提高，再加上饮食的欧美化，初潮提前而绝经延后的现代女性，都属于高危人群，因此，就有人将乳腺癌称为女性的现代病。和其他癌症相比较，虽然乳腺癌的手术预后比较好，但是复发的可能性很高，因此对女性的生活影响非常大。对于早期的乳腺癌，只要进行切实的治疗，将病变组织及时切除，就可以防止复发，即使出现了复发或癌细胞转移的情况，有的人用化疗的方法坚持治疗，又继续生存了 20 年。

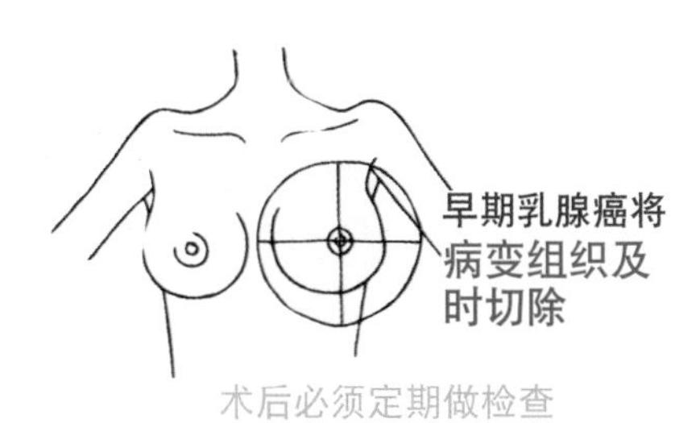

术后必须定期做检查

对于乳腺癌的治疗，并不是接受手术之后就结束了，术后还必须定期做检查，以监测复发情况以及另一侧乳房的健康状况，有必要的话，还可以同时接受化疗和激素治疗法，这些都需要医生和家人的支持。

可以同时接受
化疗和激素治疗法

贴士

乳房手术不仅对女性本人有重大的影响，对家属来说也很敏感，因此选择治疗方法的时候，一定要考虑今后的人生，要以长远的目光来看待乳腺癌。

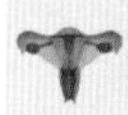

乳腺癌是唯一一种可早期自测的癌症

和其他的癌症不同，乳腺癌可以通过患者自我检测发现。由于出现在身体表面，因此平时就注意经常用双手对胸部进行检查，这是一种很有效的方法。胸部出现的硬块 80% ～ 90% 都是良性的，因此在发现硬块的时候，不必慌张，良性疾病的可能性很大。即使真的是乳腺癌，只要及早发现，及时治疗，还是可能痊愈的。重要的是在发现异常情况的时候，及时去医院接受检查，不要错过了最好的治疗时机。

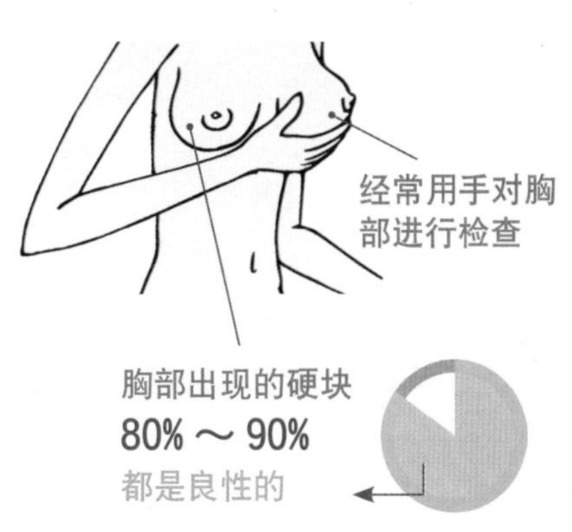

乳腺癌会出现哪些症状

很多女性当确诊患有乳腺癌时都到了中晚期，这其中的主要原因就是乳腺癌的早期症状没有中晚期症状那么明显，而且很多人都忽视了乳腺癌的早期症状。以乳腺肿块为首发症状的乳腺癌占 90% 以上，是最常见的乳腺癌症状。

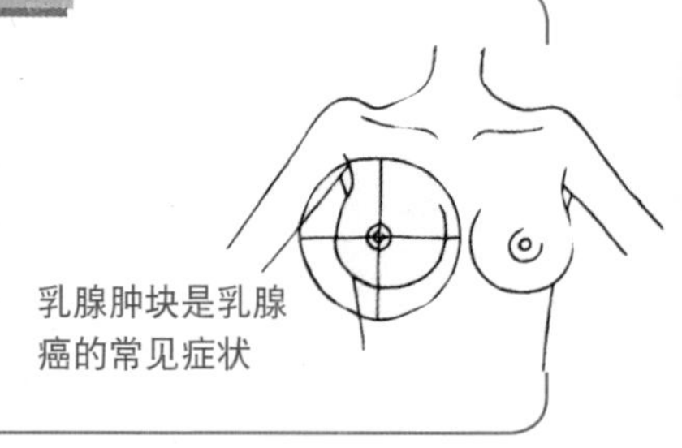

出现硬块

▶ 很多患者都是在洗澡的时候偶然发现胸部的硬块的，也有的是夜里躺在床上的时候发现了硬块。硬块大小不一，有的只有红豆大小，有的却有糖球大小。由于癌细胞性质的不同，硬度也不一样，但是出现异常的异物感等共同的特点。因此，一定要重视自己的感觉，不要因为没有出现疼痛而不去接受检查，这样有可能错过最好的治疗机会。

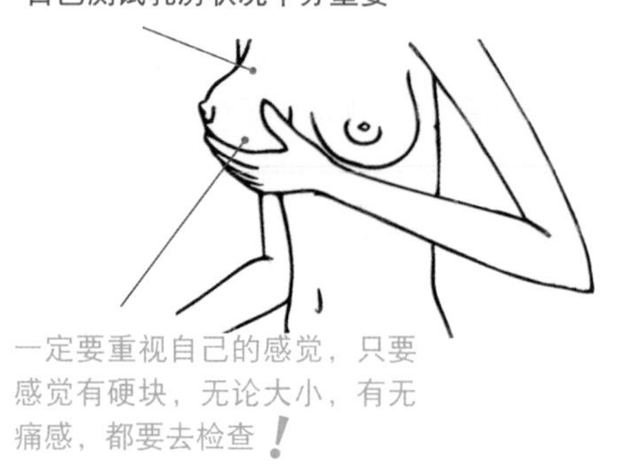

出现凹陷

▶ 癌细胞扩散到周围组织以后，会导致该组织弹性消失，出现萎缩，这样癌和皮肤的距离就会缩小，皮肤就会出现凹陷。所以，当皮肤出现酒窝或凹陷或者有牵引感的话，一定要引起注意。

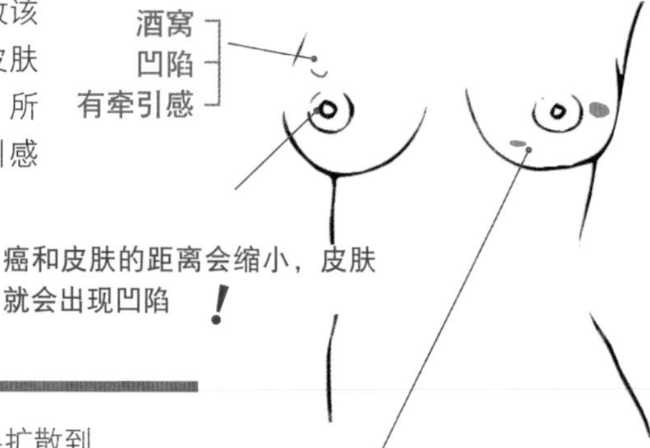

皮肤溃烂

▶ 这也是癌症发展的标志。癌细胞如果扩散到了表皮细胞的话，就可以引起皮肤发红或溃烂的现象。

乳头有出血现象

▶ 如果患了乳腺癌，那么乳头就会分泌一些带血的液体。癌指的就是身体里面出现的像疙瘩一样的东西，本身很容易出血，而乳腺癌的这些血液会通过乳管输送到乳头后排出。但是也不能单凭乳头出现血液就断定患了乳腺癌，乳管内乳头状瘤等良性疾病也可能引起同样症状。无论是哪种疾病，最重要的是及时去医院接受检查。

乳头有血性分泌物

乳头出血可能是乳腺癌，也可能是乳管内乳头状瘤等良性疾病所导致

左右两边的乳房形状和乳头方向不对称

▶ 如果一直以来都是这样，那就没有问题。如果是最近才出现乳房大小、形状、高度、乳头的方向等方面异常，就有可能患了乳腺癌。

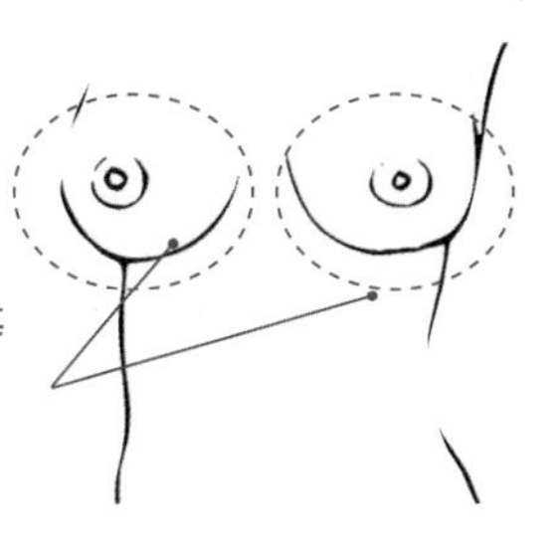

大小、形状、高度、乳头方向等方面异常

90% 的乳腺癌出现在输送乳汁的乳管里面

▶ 乳腺癌是出现在乳房特有的细胞——乳腺细胞上的癌症。乳腺在结构上分为输送乳汁的乳管和产生乳汁的小叶。90% 的乳腺癌都发生在乳管里面。出现在乳房的皮肤或脂肪里面的癌症不是乳腺癌，属于皮肤癌或肿瘤。

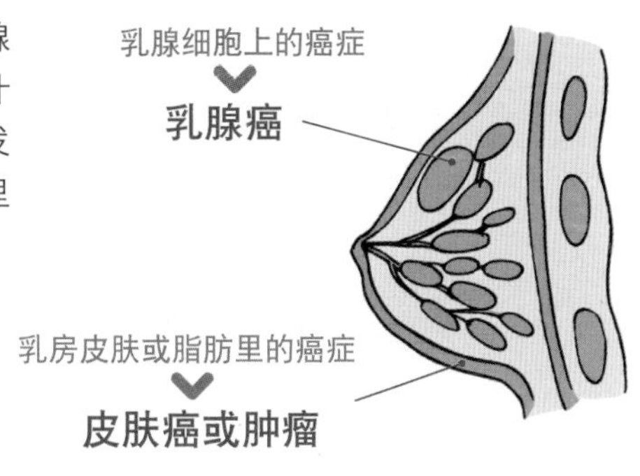

癌细胞顺着血液、淋巴液转移，扩散到肺、肝脏、骨头等部位

▶ 人类的细胞都是从一个受精卵分裂而来的，都有各自的特点。但是癌细胞的分化度会出现倒退，因此癌细胞还是可以向别的组织扩散，并且在乳房以外的地方发育，比如顺着血液 、淋巴液转移，扩散到肺、肝脏、骨头等部位。如果是比较迟钝的癌细胞的话，蜕化的速度比较慢，因此不太容易出现转移和扩散，但如果是恶性细胞的话，扩散速度就会比较快，也很容易出现转移。

乳房的自我检测

90% 以上的硬块都是良性的。为了保护乳房，让我们来做做自我检测吧！不要因为害怕得病而不做检查！比起丈夫或医生，其实自己才是对自己的乳房最了解的专家！

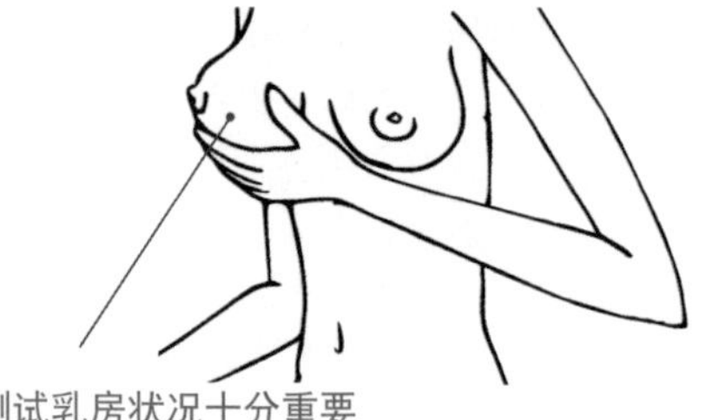

自己测试乳房状况十分重要

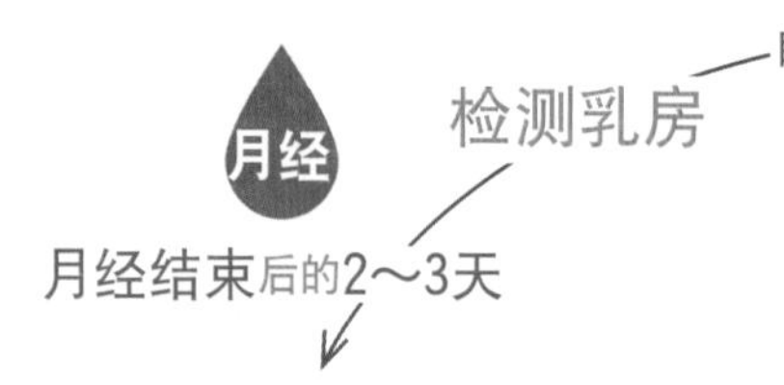

月经结束后的 2～3 天的时间，是最好的检测时间，每月检查一次，自己来守护自己的乳房和生命！

上部外侧是多发区

▶ 注意乳腺癌容易发生的部位，尤其是上部外侧。

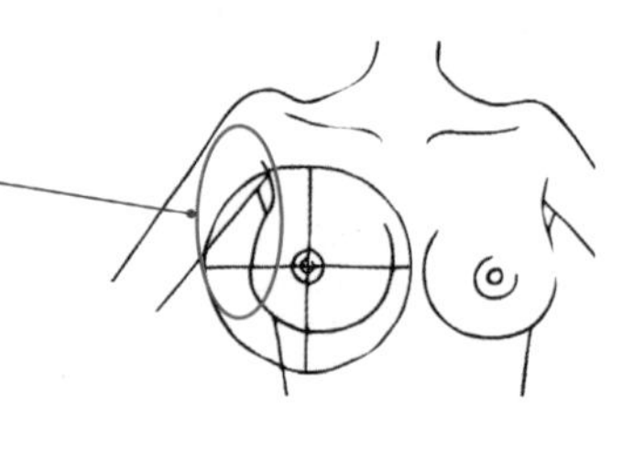

全面的检查

▶ 上面从锁骨开始，中间到通过胸腔中心的线，外侧到腋下，不单是要检查乳房的膨胀部分，还要检查周围的组织。可以先站在镜子前面，双手下垂，检查一下乳房的大小、形状等是否左右对称，有没有出现什么异常的情况等，仔细检查一下有没有出现凹陷、溃烂等症状。然后双手抱头，再做一下同样的检查。

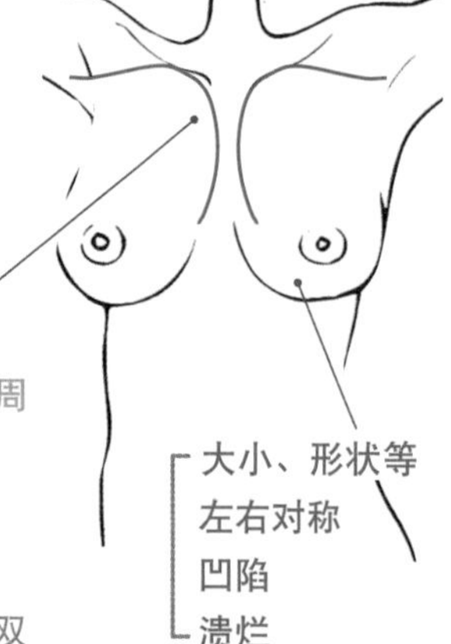

腋下、锁骨、前胸的周围部位也要仔细检查

大小、形状等左右对称
凹陷
溃烂

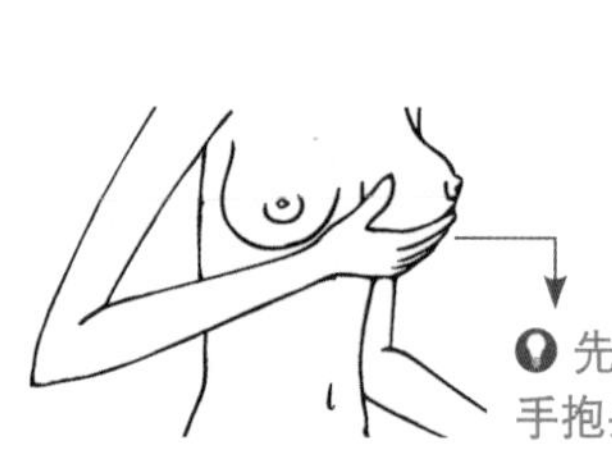

先对着镜子双手下垂检查，再双手抱头检查，不遗漏细节部位

平移式检查

▶ 指腹用力，上下左右移动进行检查，可以从腋下开始，向着和肋骨平衡的方向，由外向里检查。没有什么特别的技巧，只是注意不要太用力。

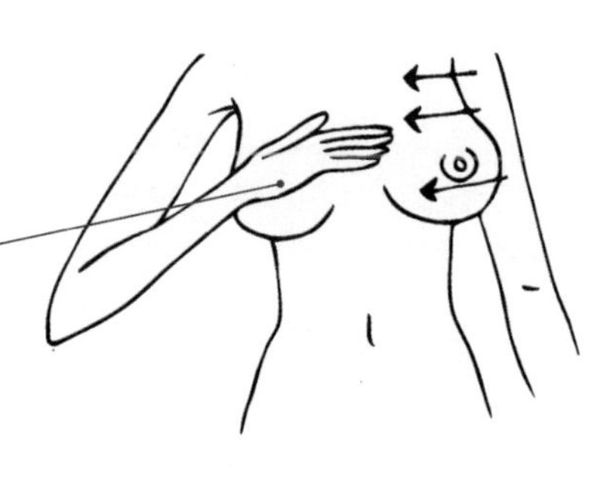

上下左右移动指腹进行检查

绕圈式检查

▶ 也可以在洗澡的时候，先在身上打上泡沫，一手拿着香皂，一手对乳房进行绕圈式的检查，怎样方便怎样进行。

绕圈乳房进行检查

贴士

如果是坐着或站着检查，就可以将要检查的一侧的手臂向上举，然后按照上面介绍的“平移式”或“绕圈式”的方法检查。如果是躺着检查，可以把单侧的手臂放在脑袋下面或压在身下，然后再按照“平移式”或“绕圈式”的方法检查。

捏乳头检查

▶ 最后可以挤一下乳头，看看有没有分泌物出现。

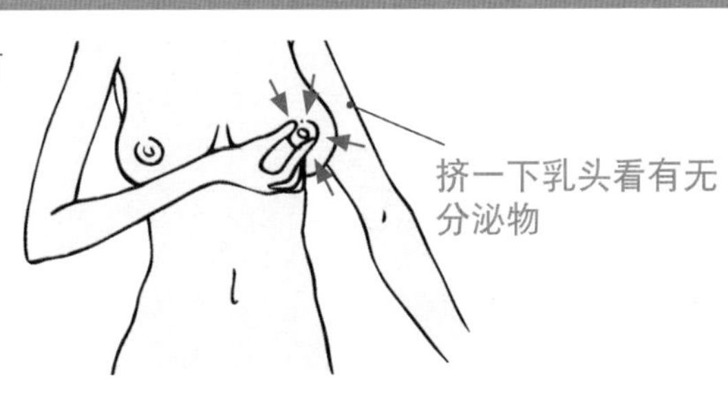

乳房的良性疾病有哪些

发现乳房有肿瘤，第一个反应就是自己是否得了乳腺癌？一般情况下，良性病灶较柔软有弹性，可活动且多发，边缘平滑较清晰。而恶性病灶较硬，边缘不规则，皮肤下陷，乳头出血甚至腋下淋巴结肿大。绝大多数乳房疾病是良性病变，如乳头溢液、溢血，乳腺纤维腺瘤，乳腺增生，乳腺囊肿等。

年轻女性患乳腺纤维腺瘤的概率很大。单发瘤做肿瘤局部切除基本上就可以治愈

乳腺纤维腺瘤

10～30岁的年轻女性

▶ 是出现在乳腺上的良性肿瘤，在 10 ～ 30 岁的年轻女性中较为常见。肿瘤有弹性，形状分明，体积在豆大到鸡蛋大之间，一般没有疼痛感。虽然是良性的，但是不排除部分肿瘤上有乳腺癌的存在，应该引起注意。如果经过仔细检查，确定只是乳腺纤维腺瘤，而且体积不是很大的话就没有治疗的必要，只要注意观察就可以。如果发现体积有变大的趋势，就一定要手术，在皮肤上开口，将肿瘤切除。

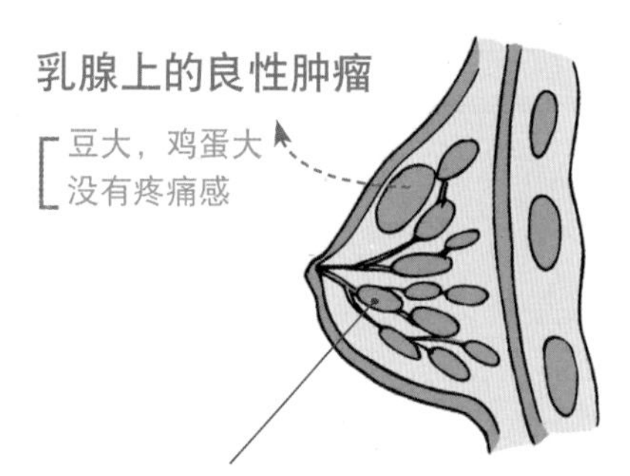

体积不是很大的乳腺纤维腺瘤没有治疗的必要
体积有变大就要将肿瘤切除

乳腺增生

30～50岁的女性

▶ 常见于 30 ～ 50 岁的女性，症状是乳房出现硬块，出现分泌物，有石灰沉着现象。这是乳腺疾病中最常见的一种疾病，特点是硬块形状不清晰。一般都是左右两边的乳房同时出现，而且伴有疼痛感，尤其是在月经前和经期的时候疼痛更明显。虽然进行局部切除以后就没有转化成乳腺癌的危险，但是如果是和乳腺癌并发的话，两者就很难区分，应该引起注意。发现患有乳腺增生以后，一般也是采取观察治疗的方式，很多症状在 3 ～ 4 个月之后就会减轻，到绝经以后就会自然消退。

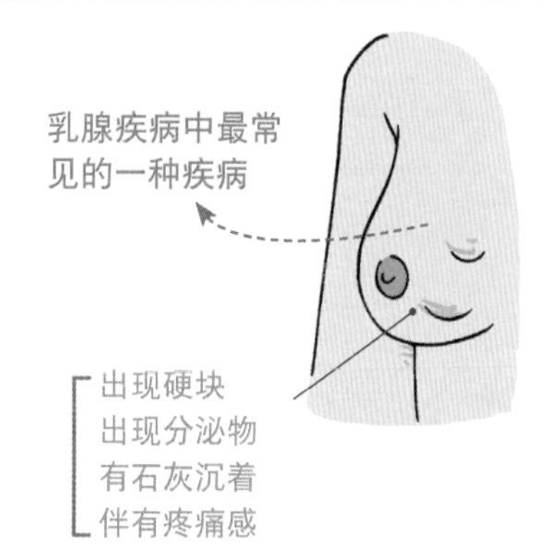

乳腺炎

哺乳期

▶ 由于细菌进入乳房内部，引起感染，产生炎症，一般都是在哺乳期出现。症状是乳房红肿、有硬结、疼痛很强烈，还可能会出现发热，腋下的淋巴结有时也会肿大。主要的治疗方法是暂停哺乳，服用一些抗生素或消炎药，同时还可以用湿冷的毛巾给乳房降温。如果出现化脓现象，就必须切开，将脓水吸出。但是常见于初次哺乳女性的“淤滞性乳腺炎”并不是细菌引起的炎症，它是由于乳管内的乳汁滞留引起的乳房肿大，只要用按摩等方式让里面的乳汁及时排出就可以。

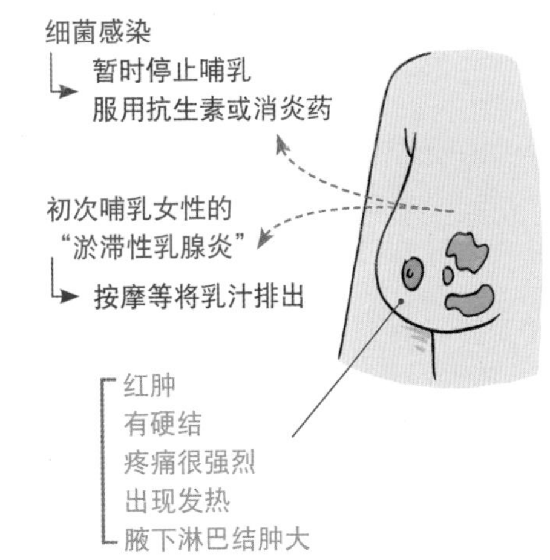

乳腺癌及早发现比什么都重要

如果发现了硬块或其他异常状况，不要迟疑，应该立即去医院检查。就像前面介绍的，硬块90%以上都是乳腺纤维腺瘤或乳腺增生等，都属于良性肿瘤，因此不必过分担心。即使真的是乳腺癌，能早期发现的话对治疗也十分有利。

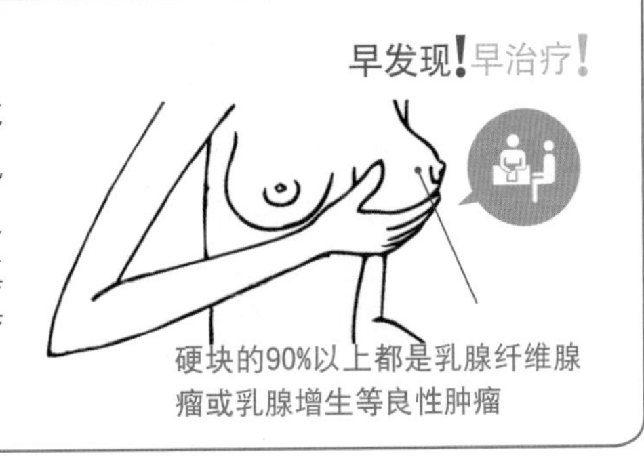

选择专门的乳腺外科接受检查

▶ 乳腺癌的检查诊断和治疗手术都是在外科进行的，有的医院有专门的乳腺外科，即使没有，一周之内也有几天是专门的乳腺外科诊察日，只要在去检查之前电话咨询一下就可以。如果有平时比较熟悉的妇科医生，也可以让她介绍一家专门的医院。检查当天，最好穿容易脱的上衣，还可以带一个本子，将医生的说明做一下记录。

到专门的乳腺外科进行诊治，穿好脱的衣服便于检查

超声波检查是初步诊断

▶ 无论是超声波还是 X 射线，都只能从整体上对肿瘤的大小、有无弹性和活动性、是否已经扩散到周围的组织等做一下鉴定，给出一个初步的判断。而且事实上，即使是癌细胞，种类不同性质也不一样，有的癌细胞很稳定，有的却十分活跃，而这些活跃的细胞还没有分化，感觉就像是从正常细胞中脱离出来的一样，因此显示图像看起来会凹凸不平。

超声波和 X 射线
只是初步检查

细胞检查不能只进行一次

▶ 如果细胞检查结果是阴性，也就是没有发现癌细胞的话，可能有两种情况：一种是肿瘤中真的没有癌细胞，另外一种是针头提取的是其他的良性细胞。有时，良性细胞的附近就存在着癌细胞，如果不巧针头提取到的就是癌细胞旁边的正常细胞，就会做出结果是阴性的诊断。这种情况在肿瘤体积还很小的时候尤其容易发生。因此，即使细胞检查是正常的，但是如果超声波或 X 射线的检查出现了异常情况，也有必要再重新做一次细胞检查。

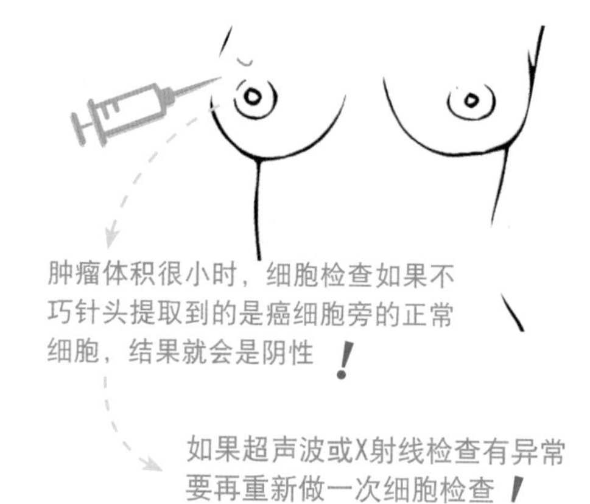

肿瘤体积很小时，细胞检查如果不巧针头提取到的是癌细胞旁的正常细胞，结果就会是阴性！

如果超声波或X射线检查有异常要再重新做一次细胞检查！

即使结果是良性的也应该继续观察

▶ 即使检查的结果为良性，医生说再观察一段时间，那也不应该大意。有的患者将疾病一放就是 3 年，等到再检查的时候，癌细胞早就已经扩散到了肺部。还有的情况是，医生说 3 个月以后再检查，但是患者本人很担心，两个月就去医院复查了，结果就真的发现了癌细胞。因此，即使检查结果是良性的，也应该 1 个月一次进行自我检测，出现一点异常，就立即去医院检查。另外，即使是没有硬块的人，也有必要进行 1 年一次的定期检查。

检查结果是良性的，也应该**经常**进行自我检测，出现一点异常立即去医院检查

即使没有硬块，也有必要进行**每年一次**的定期检查

乳腺癌的检查流程

乳腺癌早期症状不太明显，因此很多人常常忽略治疗的最佳时期。乳腺癌的临床检查很关键，诊断不难，但是，有些情况容易被忽视而导致误诊或漏诊。乳腺手法检查是乳腺癌的临床检查的重要手段，不少乳腺癌患者即是通过有经验医生的临床检查后获得初步诊断，得到了早期治疗，获得了良好的治疗效果。

问诊

▶ 医生会询问胸部具体出现了什么症状，是从什么时候开始的等等。如果是提前预约的医院，这些问题还可能在预约的时候就涉及。其他的问题可能还包括在这之前有没有做过检查、亲属里面有没有癌症患者、之前的病历和现在的健康状况、初潮的时间和月经状态等等，有的还可以提前在问诊单上填完之后直接给医生。

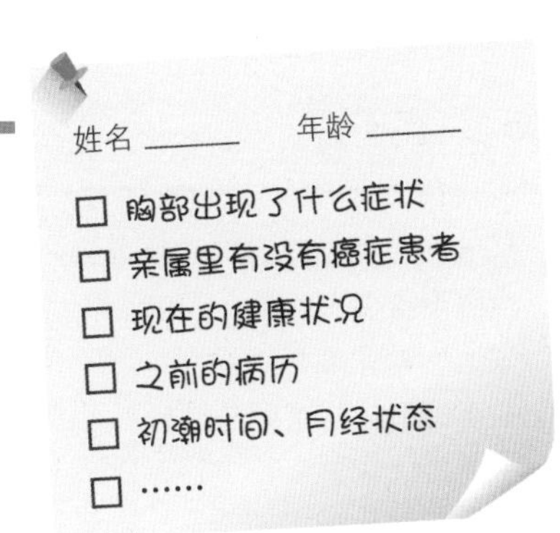

视诊

▶ 将上衣脱掉之后坐在椅子上接受医生的检查，因此最好不要穿像连衣裙之类的衣服。医生会检查有没有出现红肿、溃烂或乳头凹陷等现象。

检查是否有红肿、溃烂、乳头凹陷等

触诊

▶ 接下来是触诊，可以坐着或躺着，按照自测的方式，可以将手臂上举或放在侧面，医生会对乳房进行全面细致的检查。这是发现乳腺癌的第一步，可以给医生提供很多的信息。

医生会对乳房进行全面细致的检查，这是发现乳腺癌的第一步

X射线

▶ 裸露上半身，将乳房放到检查仪器的玻璃台上面接受检查。这样的检查不但可以检测癌细胞的扩散深度，还可以检测到触诊中没有发现的硬块。考虑辐射问题，这种检查 1～2 年检查一次比较好。

考虑辐射问题最好
1～2 年检查一次

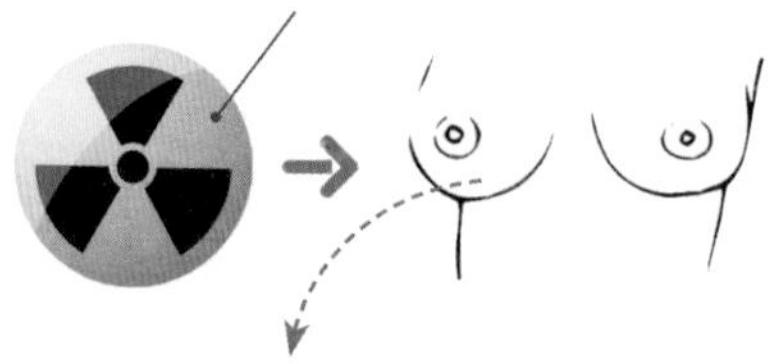

检测癌细胞扩散深度，并能检测到
触诊中没有发现的硬块

超声波检查

▶ 患者身体接受超声波的检测，医生根据形成的图像做出诊断。因为没有疼痛，而且也不像 X 射线那样有辐射，因此可以重复检查。检查的时候，患者需要躺在检查台上面，裸露上身，医生会在患者胸部涂上润滑液，超声波的探头就在身体表面对乳房内部进行检查，可以对硬块的大小、硬度、活动情况和对周围组织的浸润情况进行检测，然后对硬块的性质做初步诊断。

胸部涂上润滑液，超声波的探头在身体
表面对乳房内部进行检查

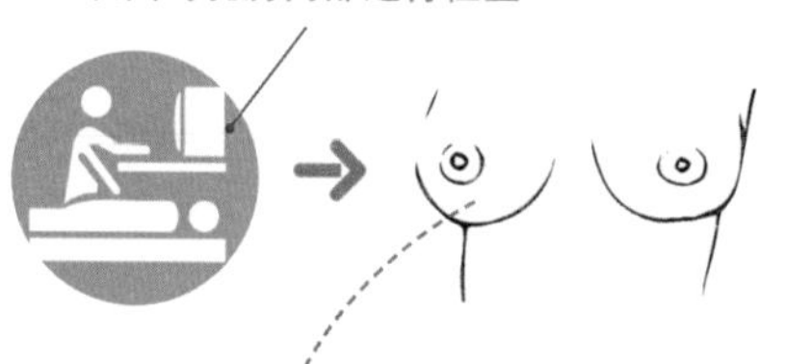

检测硬块大小、硬度、活动情况和
对周围组织的浸润情况

然后对硬块的性质做初步诊断

细胞检查

▶ 经过以上的检查，确定有硬块，就可以用注射器提取硬块的细胞进行细胞检测。因为是普通的注射器，因此不必麻醉，但是检查结果要等到第二天或 1 周以后才能出来。检查结果分为 3 个或 5 个等级。如果是 5 个等级，那么等级 1 是正常，等级 2 是良性病变细胞（既不是良性也不是恶性），等级 3 是有恶性的可能，等级 4、5 是癌细胞。

用注射器提取硬块的细胞
进行细胞检测

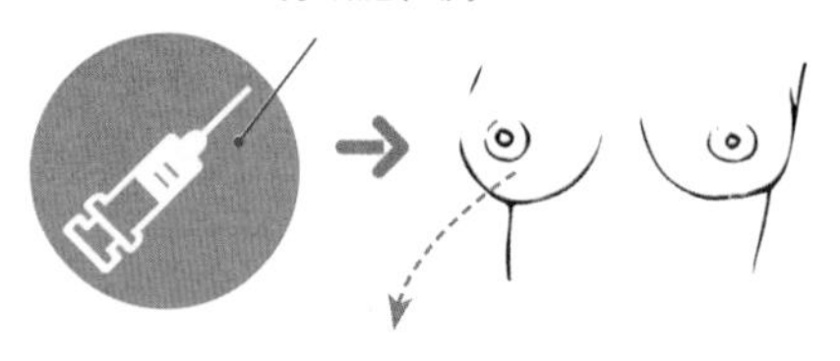

检查结果分为 3 个或 5 个等级
5 个等级的情况是：

- 等级 1 是正常
- 等级 2 是良性病变细胞（既不是良性也不是恶性）
- 等级 3 是有恶性的可能
- 等级 4、5 是癌细胞

病理检查

▶ 在局部麻醉的情况下，将硬块的一部分或整体切除，再对组织进行切片检查，这是最后的确诊。因为细胞检查也可以在一定程度上做出检测，因此不一定都要进行这项手术。如果怀疑有癌细胞的组织，考虑扩散情况，也有可能将周围的组织一起切除。根据检查的结果，再确定具体的治疗方法，如果结果确定癌变组织都已经清除干净，那么治疗就可以结束了。这项检查没有住院的必要，当天就可以回家。

将硬块的一部分或整体切除，再对组织进行切片检查

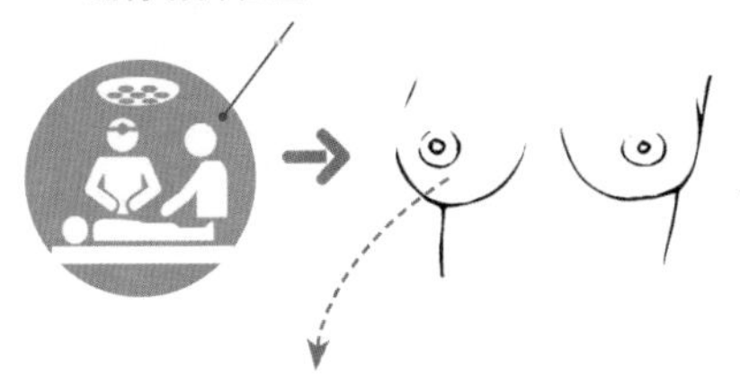

最后的确诊。但由于细胞检查也能在一定程度上做出检测，因此不一定要进行这项手术

乳腺癌要告诉患者本人

有我在别担心

紧张!

如果患了乳腺癌，就需要长期去医院检查。而且，对女性来说，乳房是很重要的器官，因此在考虑具体的治疗方法的时候，也一定要尊重本人的意愿。基于以上的原因，医生一般都会将病情如实地告诉患者。有的医生还可能在进行检查之前就询问患者是不是想知道自己的实际情况。患者如果很担心，可以在问诊的时候就要求医生不要隐瞒。一个人害怕的话，还可以让家人一起听医生的说明。

如果很担心，可以在问诊的时候就告诉医生不要隐瞒病情

在取得患者的允许之后，每个医生都有义务将病情毫无保留地向患者进行说明，因此患者如果有什么疑问，尽管提出。如果对医生的解释不能接受，还可以换一家医院进行检查。但是需要注意的是，在向医生询问的时候，也要考虑等在外面的其他患者，事前尽量把自己的问题点进行整理，以减少询问的时间。

选择自己最适合的治疗方法

如果确诊是乳腺癌的话，最重要的及早治疗。目前，对于 1 期、2 期乳腺癌，切除还是最标准的治疗方法。但是根据癌症具体的发展状况或不同性质，有时并不适宜做手术，有时还必须和其他的治疗方法相结合。

切除还是 1 期与 2 期乳腺癌最标准的治疗方法

由于个人的生活方式不同，选择的治疗方法也不同，因此，必须在听取医生的详细说明之后，自己多收集些有关的信息，最后再结合自己的实际情况，选择一种最适合自己的治疗方法

要考虑硬块的大小和位置

▶ 根据癌症体积的不同，适合的手术方式也不同。保乳手术适合体积一般在 2 ～ 3 厘米以下，有的再大一点也没有关系，有的却一定要在 2 厘米以下。即使癌症体积一样，乳房比较小的话，保留的乳房也会比较少，进行保乳手术也就会比较困难。具体的手术方式有很多，可以从外侧对乳房进行扇形切除，可以只将硬块及周围的一小部分切除，但是如果本身硬块和乳头很接近的话，这样的手术以后，就不能再接受保乳手术。如果要接受保乳手术，必须离乳头至少 2 ～ 3 厘米的距离。

保乳手术适合体积在 2 ～ 3 厘米以下的硬块，且离乳头至少 2 ～ 3 厘米的距离

根据具体情况选择相适应的治疗方法

▶ 如果癌细胞的性质比较稳定，基本上没有向周围扩散，也没有向淋巴结扩散的话，在保证手术以后还能接受放射治疗的话，就可以尽量将切除部分减到最小。如果癌细胞比较活跃，发展速度比较快，已经扩散到淋巴结的话，为了安全起见，建议还是全部切除。癌症的发展可以分为 4 个等级，需要注意的是，即使是 4 期癌症，5 年以后的生存率还是有 1/5 的可能。另外，和癌症的等级不同，如果癌细胞只是滞留在乳管里面，而没有向周围扩散的话，只要通过手术完全清除，那么治愈率是 100% 的。

癌细胞较稳定
没有向淋巴结扩散
可以尽量将切除部分减到最小

癌细胞较活跃
已经扩散到淋巴结
建议还是全部切除

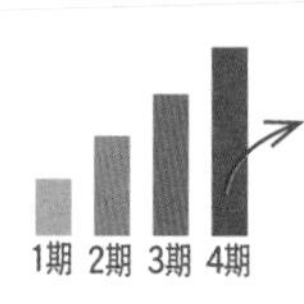

癌症的发展可以分为 4 个等级。即使是 4 期癌症，5 年后的生存率还是有 1/5 的可能

癌细胞会不会对激素做出反应

▶ 雌激素对癌细胞的生长会产生影响，因此，激素治疗法应该能抑制癌细胞的生长。而乳腺癌中，有的对激素有反应，有的却没有。对手术切除的癌变组织进行检测，如果发现癌细胞对激素有反应，那么就可以接受激素治疗法来防止复发；如果没反应，就只能接受抗癌疗法。3 期是指癌细胞没有扩散到其他淋巴结或乳房周围或已经扩散的情况。

癌细胞对激素有反应
可以接受激素治疗法来防止复发

癌细胞对激素无反应
只能接受抗癌疗法

癌症发展 4 个等级的症状

4 期 硬块的体积不清楚，已经扩散到了身体的其他脏器，尤其是肺、骨、肝脏、大脑等部位。

3 期 硬块体积在 5 厘米以上，已经扩散到腋下和其他部位的淋巴结，有可能也扩散到了乳房周围。

2 期 硬块体积在 2～5 厘米，可能已经扩散到腋下的淋巴结。

1 期 硬块体积在 2 厘米以下，没有扩散到淋巴结，属于早期乳腺癌。

1期 2期 3期 4期

本人的愿望以及生活方式

▶ 在了解了上面提到的癌症的等级、适合的手术方式、治疗方法以后，再结合自己的生活方式，选择最适合自己的治疗方法。应该先想清楚，对自己来说，是保留乳房还是身体的安全更重要。

▶ 很多人因为术后没有时间进行放射治疗才放弃保守手术的。也有的人明明知道保守手术复发的危险性，但是认为即使复发了，只要没有转移，到时候再接受手术也是一样的，至少要等到小孩子对自己的乳房没有了依恋之后，再将乳房切除，因此才选择了保守手术。所以在考虑手术方式的时候，不应该单单考虑留不留乳房的问题，还要想想伴侣、家人等因素，最后再做出决定。

在考虑手术方式时，不应只考虑留不留乳房的问题，还要想想家庭等因素

乳腺癌的四种治疗方法

乳腺癌的治疗方法分为手术、放疗、化疗、激素治疗，这四种并列成为乳腺癌有疗效的四大治疗手段。乳腺癌综合治疗的观点已为大家所接受，但是乳腺癌综合治疗并不是治疗越多越好，越贵越好，越新越好，而应当根据病人的具体情况，如病期早晚、转移部位、年龄大小、是否绝经，以及既往治疗效果等等，充分考虑后合理安排治疗，才能最大限度地减少复发转移，提高治愈率。

充分考虑后合理安排治疗，才能够最大限度地减少复发转移，提高治愈率

外科手术

1/4 切除法

只切除乳房的一部分和腋下的淋巴结。

适合状况是癌细胞已经布满硬块周围的乳管。

切除的部分是含硬块的1/4乳房和腋下的淋巴结组织

▶ 发现癌化硬块的时候，实际上癌细胞就已经布满了硬块周围的乳管。因此保守手术需要把硬块及周围 2 厘米左右的组织一起切除，但是乳管是通向乳头的，为了将靠近乳头部位的乳管也一起切除，就有了 1/4 切除法。切除的部分是含硬块的 1/4 乳房和腋下的淋巴结组织。因为是按照一定的角度进行切除，因此只要硬块离乳头有一定的距离，即使硬块有点大，也可以将乳头保存下来。但是这种手术以后，有必要再进行放射治疗，将没有切除干净的癌细胞清除干净。

手术后有必要再进行放射治疗，将癌细胞清除干净

优点

▶ 可以将乳房保留，和其他的保守手术相比较癌细胞残留的可能性比较小，相对安全。将切除的淋巴结做组织检查的话，可以对癌的性质以及发展程度做更详细的了解。

缺点

▶ 虽然乳房留住了，但是切除的部分也不少，因此留下了外观上的问题。而且手术以后还必须做放射治疗，以防止复发，有时还可能需要再次进行手术。由于切除了腋下的淋巴结组织，可能会出现手腕水肿、麻木或活动能力减弱等情况。

扇形（楔状）切除法

根据癌症的位置和大小确定手术角度。

适合的症状是硬块离乳头有段距离，而且癌细胞还没有扩散到四周。

▶ 基本上和 1/4 切除术一样，只是手术的角度小一点，手术之后也需要进行放射治疗。适合的症状是硬块离乳头有段距离，而且癌细胞还没有扩散到四周。腋下的淋巴结组织也要一起切除。

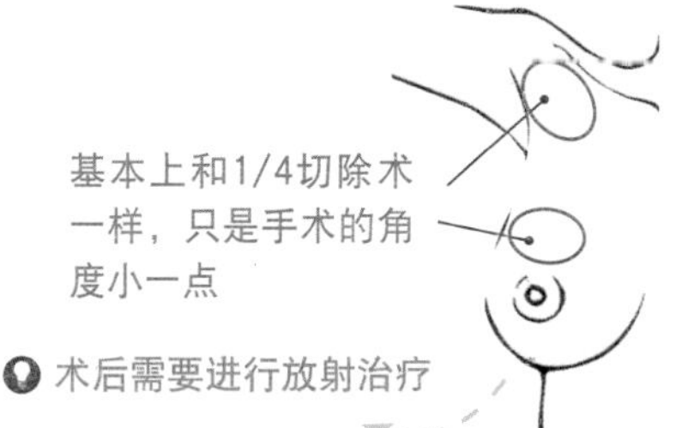

优点

▶ 可以保留乳房，而且乳房剩下的部分形状也比较好。将切除的淋巴结组织进行检查之后，可以对癌症的性质和发展程度做更深的了解。

缺点

▶ 乳房内的癌症有复发的可能，为了防止复发，手术以后必须接受放射治疗。由于切除了淋巴结组织，可能会出现手腕水肿、麻木或活动能力减弱等情况。

核心切除法

只切除硬块及附近的组织。

实施条件是癌细胞没有向淋巴结转移，也没有向周围扩散。

▶ 只将硬块和周围 1～2 厘米之内正常的组织切除，不切除腋下的淋巴结组织。实施的条件是癌细胞没有向淋巴结转移，也没有向周围扩散，而且手术以后也有必要接受放射治疗。说是手术，其实是作为病理检查的一种方式，如果手术之后癌细胞扩散或出现向淋巴结转移的情况，就需要再次进行手术，而且术后同样需要做放射治疗。

将硬块和周围1～2厘米的正常组织切除。

术后需要进行放射治疗

优点

▶ 乳房不但保留下来了，而且切除范围比较小，剩余的形状也比较美观，不会出现手腕水肿、麻木或活动能力减弱等情况。

缺点

▶ 增加了乳房内部复发的可能性，而且淋巴结也有可能复发，为了预防，手术以后必须接受放射治疗。另外，如果乳房内部有癌细胞残留，还必须再次接受手术，否则不能很好地了解癌细胞是否已经扩散到了腋下的淋巴组织以及发展程度如何。

根治性乳房切除手术

全乳房和腋下的淋巴结切除手术。

有利于预防乳房内部的癌症复发。

▶ 是将乳房和腋下的淋巴结全部切除的手术，但是不清除胸肌，因此不会出现肋骨上浮的现象。但如果有需要，也可以将小胸肌一起切除。

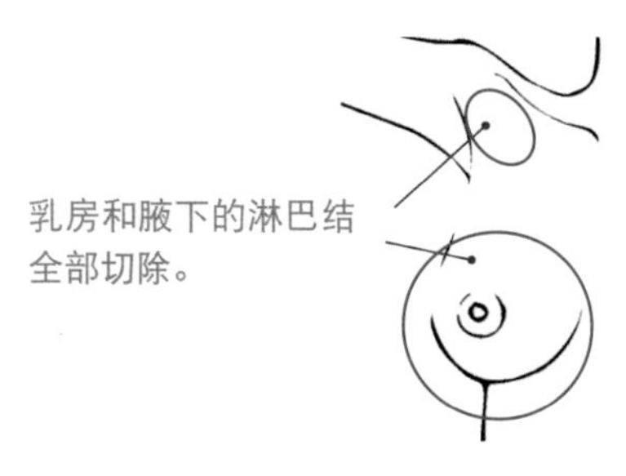

乳房和腋下的淋巴结全部切除。

优点

▶ 可以预防乳房内部的癌症复发，而且对切除的淋巴结做病理检查之后，可以确定癌症的性质和进展情况。而且，原则上术后不需要进行放射治疗。

缺点

▶ 由于切除了乳房，在外观上和心理上都会产生影响。切除了腋下淋巴结组织，可能会出现手腕水肿、麻木或活动能力减弱等现象。

激素治疗法

什么样的治疗

服用能对抗雌激素的另一种激素，抑制、杀死癌细胞。但如果癌细胞对激素没有反应，则无法治疗。

▶ 雌激素能够促进癌细胞的生长，而服用能对抗雌激素的另一种激素，就可以抑制癌细胞的增殖，杀死癌细胞，这就是激素治疗法，它不仅能预防局部的复发，还可以预防全身转移，对已经绝经的女性更有效。属于口服药，可以长期服用，一般需要 2～5 年。但是如果癌细胞对激素没有反应，这种方法就没有效果。

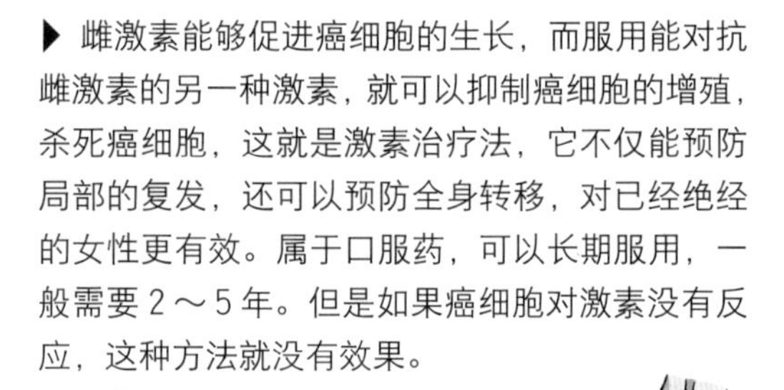

能预防局部的复发，还可以预防全身转移，对已经绝经的女性更有效

有不良反应吗

出现如发热、非正常出血、月经不调等更年期症状。

▶ 虽然不良反应比较少，但是也会出现如出汗、发热、非正常出血、月经不调等更年期症状。和服用避孕药或绝经后的激素补充疗法一个道理，接受这种疗法的女性患血栓和子宫癌的概率就会大一点。

化疗或抗癌剂治疗法

什么样的治疗

破坏癌细胞，抑制癌细胞扩散，延缓癌细胞生长。

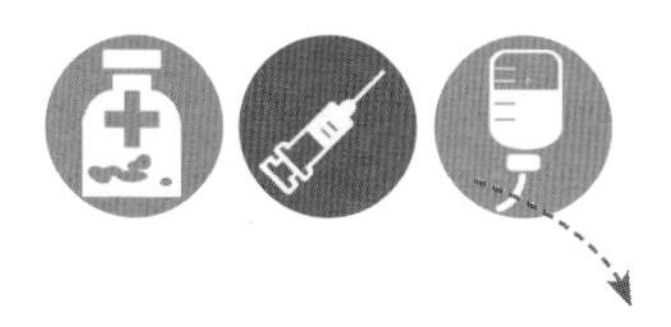

通过口服、注射和点滴等方式服用

▶ 抗癌剂可以破坏癌细胞，抑制癌细胞扩散，延缓癌细胞生长，可以通过口服、注射和点滴等方式服用。在手术前采用的话，可以使硬块体积缩小，手术后还可以防止复发。另外，复发的时候可以用作治疗手段，还可以减轻症状。如果是在手术后，可以在放射治疗之前或之后使用，需要坚持 6 个月到一年时间。如果癌细胞对激素有反应，还可以和激素治疗法一起使用。近年来，抗癌剂也出现了更有效的药物，尤其是闭经前的女性，可以有希望接受化疗治疗癌症。抗癌剂可以单独使用，也可以合并使用。最近，基因治疗法也开始研究，如果在复发的患者身上发现了过剩的 HER2 基因的话，也可以用药物将这种基因置换出来。

抗癌剂
- 手术前采用，可以使硬块体积缩小
- 手术后可以防止复发
- 复发时可以用作治疗手段
- 减轻症状

有不良反应吗

对正常细胞也有同样的危害，但只要停止治疗，症状会消失。

▶ 因为有抑制癌细胞生长、破坏癌细胞的作用，因此对正常的细胞也有同样的危害。患者可能出现恶心呕吐、食欲缺乏、目眩、乏力、口腔溃疡、毛发脱落、抵抗力下降等症状，但是只要停止治疗，这些症状都会消失，但是可能会需要一段时间，比如毛发脱落的现象就需要大概 4 个月的时间才能恢复。

对正常的细胞也有危害。患者可能出现恶心呕吐、食欲缺乏、目眩、乏力、口腔溃疡、毛发脱落、抵抗力下降等症状

放射线疗法

什么样的治疗

通过放射线破坏手术后残留的癌细胞，预防局部复发。放射线对乳腺癌的治疗效果比较好。

▶ 对手术后保留的乳房进行照射，破坏残留的癌细胞，预防局部复发。放射线有杀死细胞，阻止组织细胞生长和分裂的作用。受了放射线照射之后，正常的细胞可以恢复，但是癌细胞由于分裂速度很快，受到的破坏要比正常细胞严重。和其他癌症相比较，放射线对乳腺癌的效果还是比较明显的。虽然和癌细胞的残留率也有关系，但是在接受了乳房保守手术的患者中，进行放射治疗之后的复发率仅在 5% 以下，而没有接受放射治疗的患者的复发率能达到 20% ～ 40%。放射治疗一般在手术以后 2 ～ 3 周开始，进行 5 周，一共需要 25 次。照射的时间是一次一分钟，此过程中没有疼痛感，可能会出现皮炎，但是几个月以后会恢复。但是不适合有皮肤或结缔组织疾病的患者和孕妇。

受放射线照射后，正常细胞可以恢复。癌细胞由于分裂速度很快，受到的破坏比正常细胞要严重。

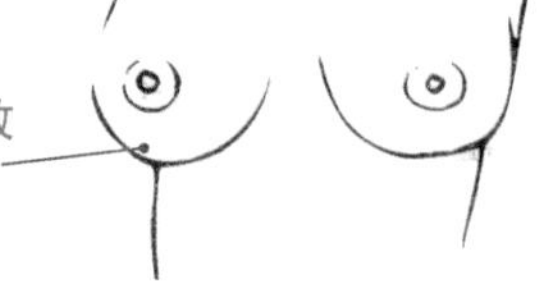

接受乳房保守手术的患者中，进行放射治疗之后的复发率仅在5%以下。

➔ 不适合有皮肤或结缔组织疾病的患者和孕妇 !

有不良反应吗

出现易疲劳、皮肤干燥、变黑等现象。不良反应比化疗要小。

▶ 没有化疗那么严重的不良反应，和内脏癌症的放射治疗相比，不良反应也相对比较小。有的患者会担心白细胞减少或毛发脱落等，实际上，一般只会出现易于疲劳、皮肤干燥、皮肤有些变黑现象。有的患者可能还会出现胸部烧伤的现象，但是无论怎么样，几个月以后都会恢复。

不良反应也相对较小，一般几个月以后都会恢复

住院和术后恢复

由于癌细胞的活跃和顽固，很容易使乳腺癌患者面临术后复发的窘境，因此术后是否住院要根据手术程度及自身条件综合考量，术后需要恢复和检查，同时为了使患者能够尽快恢复，通常会做一些术后的功能锻炼和心理康复，帮助患者尽快恢复，而且可以有效避免乳腺癌复发，同时也能提高患者的身体抵抗力。

术后的住院、功能锻炼、心理康复等，帮助患者尽快恢复

住院时间

▶ 住院时间根据医院和患者的具体情况而不同。一般来说，根治性手术需要 2 ～ 3 周时间；乳房保守手术，如果切除了腋下淋巴结，需要 1 周左右，如果是核心切除术，因为只是局部麻醉，当天就可以回家。

根治性手术	需要住院2～3周时间
乳房保守手术	需要住院1周左右
核心切除术	当天就可以回家

手术后可以住院来进行恢复和检查

手术以后需要做康复训练

▶ 手术切除了乳房和腋下的淋巴结组织之后，患者的日常动作可能会失去平衡，由于切除了淋巴结组织，还可能会出现手腕水肿、麻木或活动能力减弱、不能上举等现象。因此手术以后的康复十分重要。不但是身体上，有的患者心理上受到的影响也很大，既有对日后复发问题的担心，也有失去乳房的失落，不是简单就可以恢复的，有的患者甚至从此否定了自己作为一名女性的价值。因此，手术以后帮助患者进行康复训练，对其进行心理辅导，帮助她们顺利度过手术之后的悲伤期等都是很重要的。

由于切除了淋巴结组织，还可能会出现手腕水肿、麻木或活动能力减弱、不能上举等现象。因此手术以后的康复十分重要

手术后的功能锻炼和心理康复，可以有效避免乳腺癌复发，快速恢复健康状态

术后对乳房的补救和再建

▶ 手术以后，可以利用专门的胸衣或胸垫对乳房进行补救，解决两个乳房对称的问题。如果患者十分想使乳房还原的话，在手术恢复比较好的情况下，也可以将背部或腹部的脂肪、肌肉等移植到胸部，做隆胸手术。如果情况允许的话，这样的再建手术可以和切除癌变组织的手术一起进行。但是，手术之前有必要确认疾病没有再复发的可能，否则就不可以做这样的再建手术。

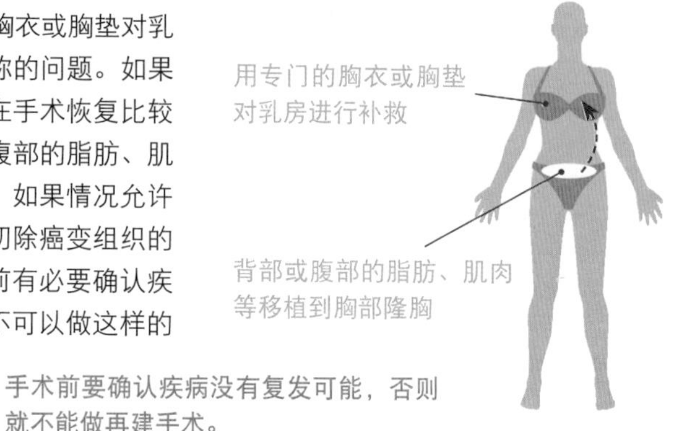

手术前要确认疾病没有复发可能，否则就不能做再建手术。

术后预防复发

接受了乳腺癌手术的女性，每个人都会担心术后复发问题。如果真的复发了，那么对女性来说，就又是一次很大的打击。但就现在的医学来说，即使复发了，也有有效的治疗方法，可以继续生活很多年！在这种情况下，家人和周围朋友的支持就显得十分重要。下面，就让我们一起来了解一下术后的恢复和预防复发方面的情况吧！

即使复发了，也有有效的治疗方法，此时家人和朋友的支持就会显得尤为重要

要做好长期的心理准备

▶ 根据资料显示，在乳腺癌病例中，有 35% 的患者在手术以后 10 年之内出现复发，65% 的患者 10 年之内都没有复发现象。而且复发的病例中，有 60% 是在手术之后 3 年内出现的，还有 20% 出现在术后 4 ～ 5 年，剩余 20% 的患者则是 5 年之后出现复发的。因此，手术以后 5 年以内，有必要经常去接受检查，即使已经过去 5 年了，也存在复发的可能，所以应该在医生的指导下继续坚持，不能懈怠。有的患者都已经当奶奶了还出现复发现象，因此，一定要从一开始就以长远的目光看待乳腺癌，做好和疾病长期做斗争的心理准备。

手术以后 5 年以内，要经常去医院接受检查，即使已经过去几年了，也存在复发的可能，所以应该在医生的指导下继续坚持

术后需要做定期检查

▶ 乳腺癌即使复发了，也可以采用激素治疗法、化疗等方法或将各种方法结合在一起，也可以起到很好的治疗效果。但是无论怎样，早期发现才是最重要的。术后的自测和去医院定期检查也是必不可少的，自我检测可以频繁一点，至少是每月一次，而且每3～6个月应该去医院做一次定期检查。

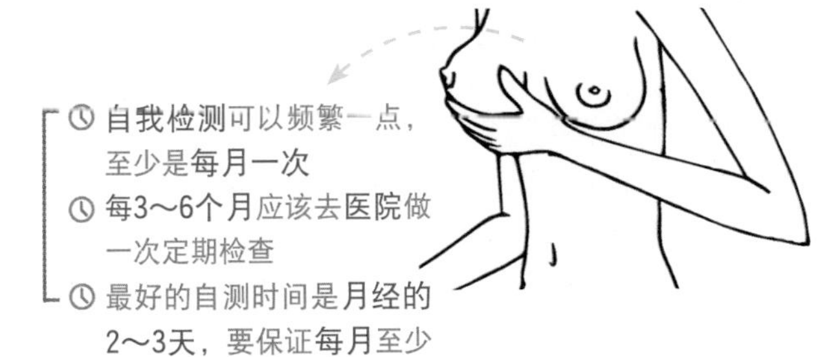

术后有复发的可能。应注意全身的情况，如手腕、脚、腰等部位疼痛，脖子水肿等。

▶ 对还有月经的女性来说，最好的自测时间是月经来后的2～3天，要保证每月至少在这个时期自测一次。根据具体手术的不同，有的患者可能会有不方便进行自测的部位，这种情况下，可以咨询医生，让医生介绍一种最适宜的检测方法。同时，也应该注意全身的情况，比如手腕、脚、腰等部位有没有出现疼痛，有没有咳嗽，脖子有没有出现水肿的情况等等。

谨慎对待乳腺癌的复发

▶ 乳腺癌的复发大体上有两种。一种是乳房内部的复发，为了预防这种复发情况，可以在手术之后进行放射治疗，将残留的癌细胞杀死。另一种是由于淋巴和血液的流动，致使癌细胞扩散到其他脏器引起的复发。乳腺癌患者有很多出现肺部、肝脏、大脑等部位复发的现象，一般可以用激素治疗法和化疗预防这种复发。有一种复发发生在腋下的淋巴结，称为领域再发。

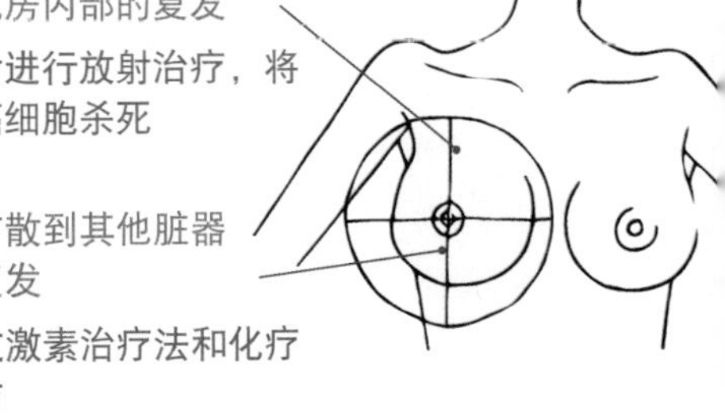

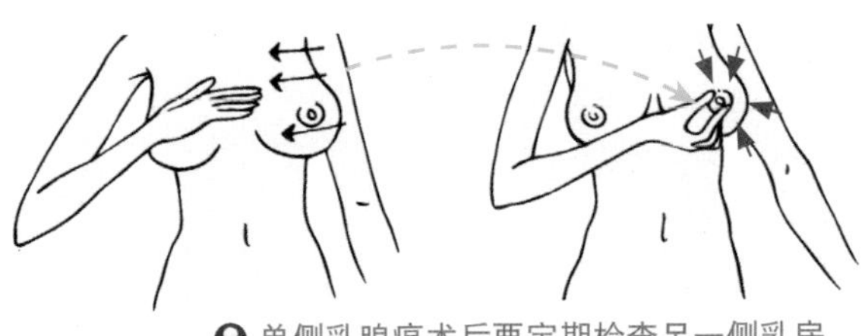

单侧乳腺癌术后要定期检查另一侧乳房

▶ 手术以后，有可能另一侧乳房也出现癌症。单侧乳房出现癌症，可以认为原本身体就带着易癌化的细胞，因此，手术以后，定期对另一侧的乳房做检查也很重要。

家人和朋友的支持很重要

▶ 在对复发病症进行治疗的时候，一定要考虑疾病的进展情况、患者的身体情况、以前接受过什么治疗等，最后选择治疗方法。一般来说，跟原先相比较，当疾病复发的时候，家属的状况、自己的生活方式、对疾病的看法等都会出现变化，重要的是要以长远的眼光来看待疾病，要和家人、医生商量，选择一种最适合的治疗方法。为此，有必要选择一个能长期信任的医生，得到家人的支持也很重要。

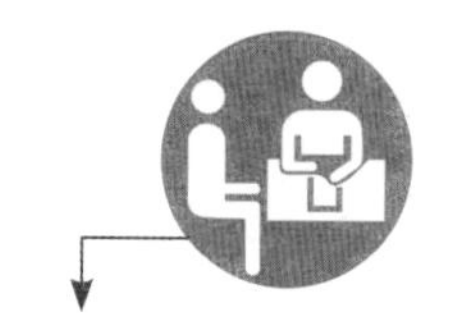

当疾病复发的时候，考虑选择一个对这方向很有研究的医生

双方都可以将自己的想法清楚地告诉对方，以消除误会和得到彼此的信任

▶ 很多患者会担心手术以后对丈夫或伴侣的影响，与此同时，伴侣也可能在担心伤口被看见或被触摸到之后患者会不会受刺激等。有的丈夫认为手术之后妻子一定会排斥性生活，而妻子可能认为丈夫会嫌弃自己，出现误会和多余的不安。其实，双方都可以将自己的想法清楚地告诉对方，以消除误会和得到彼此的信任。

▶ 母亲的疾病对孩子也会有影响，有的孩子在母亲住院期间会感到被遗弃，母亲出院以后的低落情绪也同样会影响孩子。为了解决这些问题，母亲应该将自己的疾病明确地告诉孩子，尽量认真回答孩子的提问。

母亲应该将自己的疾病明确地告诉孩子，得到孩子的支持

贴士

月经之前，由于雌激素的影响，乳房会出现胀大现象和疼痛感，只要在月经来临之后疼痛停止就没有问题。另外，平时压力过大的话，也可能使疼痛的时间变长。但是，乳腺炎也可能引起疼痛，如果有怀疑，可以去医院检查一下。虽然说是“痛经”，因为每个人对疼痛的感觉都不一样，如果感觉疼痛很严重，一定要去看医生。

吃女性身体需要的食物

保养
调理健康生活

再忙也要吃好，
抽出时间做运动，
再好的保健药也比不上食补健康；
常做运动气血才能通畅，
得病的概率就会降低。

常做运动，气血通畅

吃女性身体需要的食物

要吃身体需要的食物，吃对健康才重要，女人要懂得保养，尤其在生育孩子以后，如果不及时保养，很容易衰老。给大家介绍几款食谱，供参考。

饮食需讲究搭配

饮食搭配是中医最重要的饮食主张之一，“五谷为养，五果为助，五畜为益，五蔬为充，气味和而服之，以补益精气”。说明掌握科学的搭配原则非常重要。

五果为助

五畜为益

五蔬为充

谷物(主食)是人们赖以生存的根本，而水果、蔬菜和肉类等作为主食的辅助、补益和补充

“五谷为养，五果为助”

人体每天必须摄入一定量的主食和水果蔬菜，这是被历代养生家一直提倡的饮食之道。中医认为，五谷可以补肾，肾气盛则头发多。女性适度吃些五谷杂粮对保护秀发非常有益。例如，五谷中的玉米因其有护发、滋润肌肤、丰胸、减肥、保护眼睛等功效，深受青年女性的欢迎。中老年女性常食也能增强人体新陈代谢、调整神经系统功能，有很好的降血脂、降低血清和胆固醇的作用。

“五畜为益，五蔬为充”

饮食当有荤有素，合理搭配。《遵生八笺》说：“蔬食菜羹，欢然一饱，可以延年。”女性适度吃些肉类可丰肌体、泽皮肤；蔬菜可排肠毒、养气血。荤素搭配合理则更有益健康。所以，对于女性而言，食养一定要注意搭配，这才是健康饮食的关键。

饮食需讲究有节

▶ 饮食有节是指根据人体生命活动的需要以及脏腑功能，适度调节饮食，做到定时定量，以达到健康长寿的目的。饮食定时指每日进餐时间要基本固定，按时进餐。传统饮食养生学认为：只有定时进食，才可脾胃功能协调配合，气血运行通畅，维持阴阳平衡。女性才会有美丽容颜和健康身体。

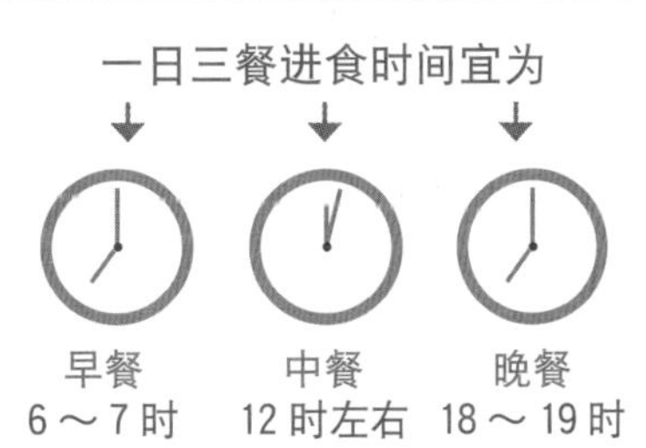

饮食搭配注意事项

食有五色五味，五行中各有所属。凡性质相反，如大寒与大热；或功能相反，如补气与破气，这些食物最好不要同烹或同食。如兔肉可避免肥胖，牛肉可补血，非常适宜女性食用，但前者属寒性，后者属温性，两者不宜同食。大寒与大寒、大热与大热食物，也不要同食。如黄瓜与柑橘都是对女性非常有益的食物，但是同属寒性食物，不宜同食。另外，某些食物不适合某类体质者食用，因其能助长某种病邪，须注意。

很多女性都有手脚冰凉的毛病，不宜吃寒性食物，而宜补温热性食物

女人宜多吃“黑”与“绿”

中医认为，黑色食物有补肾、养血、滋阴等作用。适宜女性食用的黑色食物，尤以黑芝麻营养功效最佳，属典型的“女性食品”。黑芝麻自古就被当作“仙家”食物。《神农本草经》中说，芝麻“补五脏，益气力，长肌肉，填脑髓，久服轻身不老”。另外，黑芝麻在润泽发质、乌黑秀发上的功效也深得女性朋友的青睐。

民间用适量黑芝麻与首乌混合研成细末，加蜂蜜制成丸剂，早晚各服9克，连服数月，对治愈因贫血、虚弱引起的脱发或须发早白，非常有效

中医还认为，青（绿）益肝气循环、代谢。青色食物可以起到养肝的作用，消除疲劳、明目的功效也非常显著。女性平时爱吃的青苹果、猕猴桃就属于不可多得的能滋养肝脏的青色水果。青苹果性平，有醒酒平肝、补心润肺、生津解毒、益气和胃等功效。青苹果不仅营养价值高，其丰富的天然花草、水果精华及天然甘油成分等营养成分，还可制成净化面膜、去角质面膜、去痘洗面奶、润肤霜等女性青睐的护肤品，让女性找到青春的动人光彩。

青色食物中最常见的就属**绿色蔬菜**，女性在春季可选用天然原味的绿色蔬菜，如**菠菜**、**芹菜**、**黄瓜**、**花椰菜**、**竹笋**、**海带**等，其**滋阴润燥**、**舒肝养血**的功效非常显著

杏仁芦笋虾 >>

功效 祛痰止咳，清热解毒。

主料

冻红虾500克，鲜芦笋300克，杏仁适量。

调料

姜、植物油、生抽各适量。

制作

1.将鲜芦笋洗净后，用刀削掉根部附近较老粗皮，切成段。冻红虾解冻后剪掉头部，去表皮剥成虾仁。

2.锅内加植物油加温至七成热，放入姜丝、芦笋段略炒一会儿。加入剥好的虾仁、杏仁翻炒，加入生抽，调味即可。

小知识

本道菜可以生津利水、润肠通便、补肾壮阳。但是请注意，此道菜不太适合有痛风的病人食用。

牛肉炖海带 >>

功效▶ 健脑补脑，延缓衰老。

主料

牛肉300克，海带200克。

调料

绍酒、酱油、高汤各2大匙，盐1小匙，植物油500克（实耗30克），花椒、大料、茴香、葱花各少许。

制作

1.海带泡发洗净，切成菱形片。牛肉切成见方的块，放入七成热的油中炸至变色，捞出沥油。

2.锅中留少许底油，下入葱花、花椒、大料、茴香爆香，加绍酒、酱油、盐调味，添高汤烧开，放入炸好的牛肉块，盖上盖，小火炖至牛肉八分熟时放入海带片，继续炖至牛肉熟烂入味即可。

小知识

患有甲亢的病人不要吃海带，因为海带中碘的含量较丰富，会加重病情。

五色养生汤 >>

功效▶ 加速体内酸毒排除，提高免疫力。

主料

1/4根白萝卜，1/4丛白萝卜叶，1/2根胡萝卜，1/4根大牛蒡，1枚香菇。

制作

1.蔬菜连皮切大块放入锅中。

2.加入菜量3倍的水，大火煮沸，转小火加盖煮1小时即可（勿掀锅盖）。

小知识

适用处于亚健康人群、高血压、糖尿病、肥胖、胃肠功能障碍、贫血、便秘、久坐电脑前及办公室的上班族。

经期饮食养生的三阶段

《素问 · 上古天真论》说："女子二七而天癸至，任脉通，太冲脉盛，月事以时下。"说明女子十四岁时，冲、任两脉发育健全，开始排卵按月行经。女性月事属七经八脉内的冲脉、带脉、任脉三经的循环，这种循环会经过数十个穴道。

"女性以血为本"，若阴血不足，必导致生理异常，引发种种病症。中医主张女性经期饮食养生应按经前、经期和经后3个阶段进行调经，即通过补益、解郁、活血化瘀等调理手段来补气血。

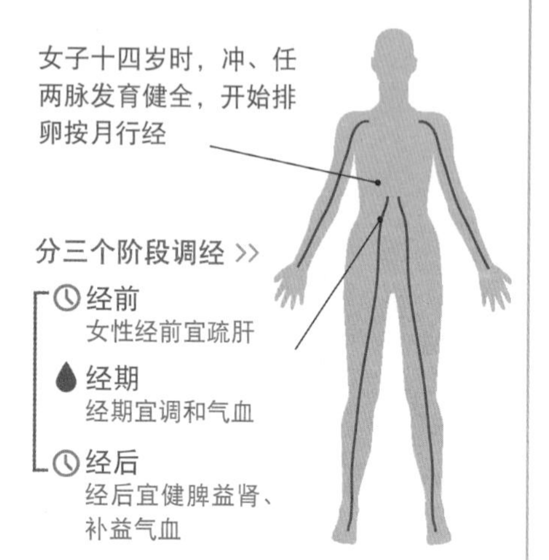

适合经期进补的食物

▶ 女性月经期避免不了出现情绪波动、烦躁、焦灼等烦恼，除了洁外阴、调情志、适劳逸、禁房事外，在饮食方面要注意按经期3个阶段进行进补。

▶ 按经期3个阶段进补

经期前

□经期前，女性常会出现如抑郁、忧虑、情绪紧张、失眠、易怒、烦躁不安、疲劳等不适。

这些症状与体内雌激素、孕激素的比例失调有关。

✔ 应选择能补气、疏肝、调节不良情绪的食品，如：

卷心菜	淮山药	胡萝卜
柚子	薏米	白萝卜
瘦猪肉	百合	胡桃仁
芹菜	金丝瓜	黑木耳
大米	冬瓜	蘑菇
鸭蛋	海带	
白术	海参	

经期时

□月经期间，抵抗力下降，情绪易波动，容易出现食欲差、腰酸、疲劳等症状。

女性月经期间是比较脆弱的时期，在饮食上需要更加注意。

✓ 应补有利于调和气血的食物，如：

羊肉	苹果	益母草
鸡肉	薏米	当归
红枣	牛奶	桂圆
豆腐皮	红糖	

✓ 有食欲差、腰痛等症时，宜选用健脾开胃、易消化的食品，如：

大枣	面条	薏米粥

经期后

□经期过后时常会感到身体出现一些状况，如抵抗力降低，情绪容易波动、烦躁、焦虑等。

失血过多，应补有利于调和气血的食物。

✓ 宜进食补血养血的食物，如：

牛奶	羊肉	桂圆肉	红花
鸡蛋	猪胰	荔枝肉	桃花
鸽蛋	芡实	胡萝卜	熟地
鹌鹑蛋	菠菜	苹果	黄精
牛肉	樱桃	当归	

食疗方案

三米养生粥 >>

功效▶ **健脾益胃，生津止渴，利小便。**

主料

薏米100克，高粱米50克，糯米50克。

制作

1.将薏米、高粱米、糯米分别淘洗净，放入清水浸泡约1小时。

2.将泡好的薏米、高粱米、糯米一起放入粥锅内，加足量清水，大火烧沸后小火煮30分钟，即可食用。

小知识

孕妇、滑精、小便多者、糖尿病、肥胖、高脂血症、肾脏病患者尽量少吃或不吃。

鸡肉白菜鲜汤 >>

小知识

用于病后体弱乏力、脾胃虚弱、食少反胃、腹泻、气血不足等。

功效 能温中补脾，益气养血，补肾益精。

主料

鸡肉500克，小白菜250克，牛奶80毫升。

调料

植物油、葱花、料酒、鸡汤、盐、水淀粉各适量。

制作

1.将小白菜洗净去根，切成10厘米长的段，备用。

2.鸡肉切成块，用沸水焯透，捞出用凉水过凉，沥干。

3.油锅烧热，下葱花，烹料酒，加入鸡汤和盐，放入鸡肉块和小白菜段。

4.大火烧沸之后，加入鸡汤、牛奶，并用水淀粉勾芡，盛入盘内即可。

香菇炒西葫芦 >>

小知识

西葫芦不宜生吃，且脾胃虚寒者应少吃。

功效 降压、降脂、降胆固醇，提高人体免疫力。

主料

西葫芦1根，香菇5朵，胡萝卜半根，松子仁适量。

调料

盐、胡椒粉、香油各1/2小匙，植物油1大匙，葱末、姜末各少许。

制作

1. 西葫芦洗净，切成条，用盐腌渍片刻。香菇、胡萝卜洗净，切成条。

2. 炒锅烧热，加植物油烧至六成热时下葱末、姜末爆香，下入胡萝卜条、香菇条、西葫芦条翻炒均匀，添适量清水焖2分钟，下入松仁、盐、胡椒粉，出锅前淋香油，即可食用。

美容与瘦身饮食

中医饮食非常重视脏腑、气血对美容所起的食补功效。女性保养容颜，要以肚腑气血平衡协调为基础。五脏通过人体经络，使气血运动散布到体表以滋补、滋养皮肤，让女性得以面色红润、肌肉丰满、皮肤毛发润泽。

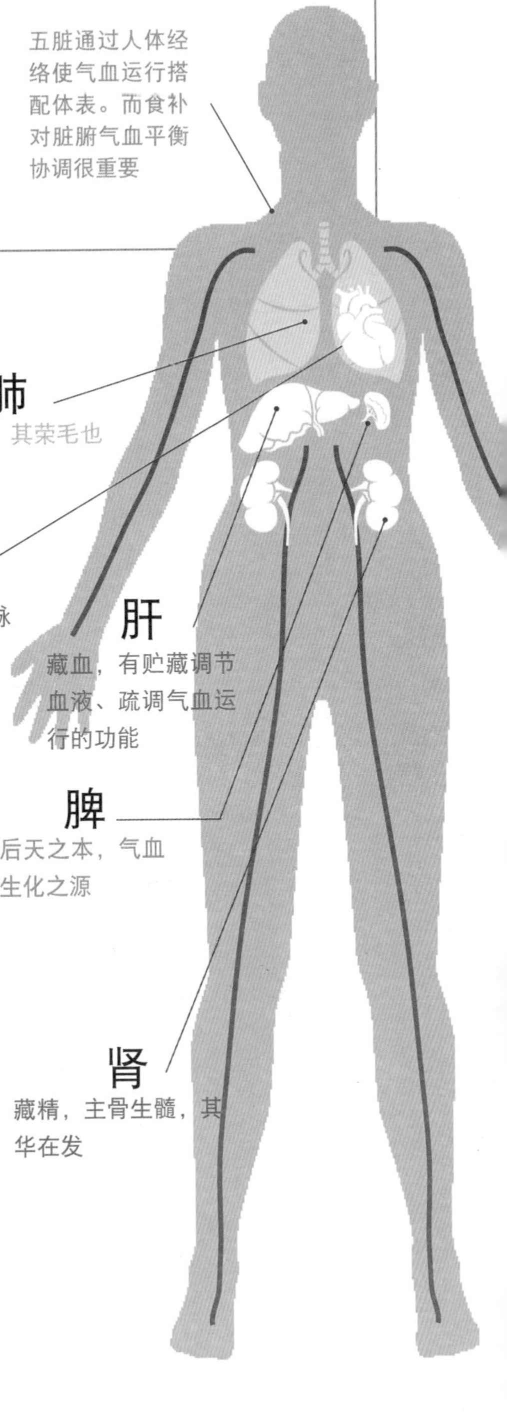

五脏通过人体经络使气血运行搭配体表。而食补对脏腑气血平衡协调很重要

美容饮食的重要性

脾为后天之本，气血生化之源。

▶ 适度食用大枣、樱桃、莲子肉、山药、粟米、高粱、花生、鸡肉、青鱼、鲢鱼、鳜鱼等补脾食物对女性非常有益。

女性一生以气血为本，气血充盛，运行畅达，才能使肌肤细腻柔润，令芳容如花似玉。“肺之合皮也，其荣毛也”，说明肺功能正常，则皮肤致密，毫毛润泽。

▶ 白木耳、百合、鲜藕、猪肺、海蜇、柿饼、枇杷、荸荠、无花果等都是有益补肺的食物。

肝藏血，有贮藏调节血液、疏调气血运行的功能。肾藏精，主骨生髓，其华在发。

▶ 有助于补肝益肾的食物，如枸杞子、核桃、大枣、桂圆、蜂蜜、虾、鱼、肉、蛋等。

“心主身之血脉”，心气血旺盛，则面部红润有光泽。

▶ 代表食物如胡萝卜、西红柿、西瓜、红辣椒、葡萄、银耳、驴肉、莲子等。

肺
之合皮也，其荣毛也

心
主身之血脉

肝
藏血，有贮藏调节血液、疏调气血运行的功能

脾
后天之本，气血生化之源

肾
藏精，主骨生髓，其华在发

瘦身饮食的重要性

▶ 中医认为，人的形体美和其自身的先天肾气强弱、后天的调理有很大关系。先天条件好，后天调补得宜，则健美长寿；反之常生病，也谈不上形体美。对于后天的情况，女性形体肥胖，多因进食甘肥之物，痰湿所聚，气虚所造成。

先天肾气弱 + 多进食甘肥之物、气虚 = 

先天肾气强 + 后天调补得宜 = 

▶ 中医饮食瘦身讲究顺乎自然规律，合理搭配膳食。“春夏养阳、秋冬养阴”，只要肺、脾、胃津充足，血液不滞，则气血周流顺畅形体自美。合理搭配食物的五味（酸、苦、甘、辛、咸）、五色（青、赤、黄、白、黑）、五性（寒、凉、平、温、热），多种饮食配合，彼此互相补充，方可达到饮食平衡、瘦身健美的目的。

形体美需要肺、脾、胃津充足，血液不滞，使气血周流顺畅

合理搭配膳食，保持人体阴阳平衡是健美体形的重要因素之一

银丝羹 >>

功效 ▶ 调和脾胃，有效预防缺铁性贫血。

主料

日本豆腐300克、干贝250克、木耳、香菜、上汤各适量。

调料

葱姜丝、盐各适量。

制作

1.把日本豆腐洗净，发好的黑木耳切丝，用冷水泡着。

2.干贝蒸软，凉后搓碎，用上汤烧开后下入日本豆腐、木耳丝、葱姜丝。

3.烧开放盐调味，最后撒入香菜末即可。

小知识

此道菜适合心脑血管疾病、结石症患者食用，还可以预防和抵制更年期疾病，使更年期症状减轻。

香菇炒菜花 >>

小知识

可预防因缺乏维生素D引起的血钙代谢障碍导致的佝偻病。

功效▶ **助消化，增食欲，生津止渴。**

主料

菜花250克，香菇15克。

调料

花生油15克，鸡油10克，盐3克，鸡精2克，葱花2克，姜片2克，水淀粉10克，鸡汤200毫升。

制作

1.菜花摘洗干净，切小块，用沸水焯一下捞出；香菇用温水泡发、去蒂、洗净。

2.炒锅上火，放油烧热，下葱花、姜片煸出香味，加鸡汤、盐、鸡精，烧开后捞出葱花、姜片不要，放入香菇、菜花，用小火稍煨入味后，用水淀粉勾芡，淋鸡油，盛入盘内即成。

果蔬腰果沙拉 >>

小知识

有益于产后乳汁分泌不足的产妇，还可以有效缓解便秘。

功效▶ **美容养颜，有效消除疲劳。**

主料

苹果2个，芹菜100克，生菜150克，腰果50克。

调料

盐1小匙，沙拉酱2小匙，柠檬汁少许，橄榄油适量。

制作

1.苹果洗净，去皮、去核，切成块。芹菜择净，切成大小相仿的块。生菜洗净，掰成大瓣。

2.腰果用油稍炸一下，捞出沥干油后，用刀拍碎。

3.把生菜叶铺在盘底，摆上苹果块、芹菜块，将沙拉酱、柠檬汁、盐调匀，浇在盘上，最后撒上碎腰果，即可食用。

孜然鱿鱼须 >>

小知识

鱿鱼不适合高脂血症、高胆固醇血症、动脉硬化等心血管病及肝病患者。

功效 补充营养，促进食欲。

主料

鲜鱿鱼须250克，青椒丝。

调料

孜然、葱末、姜丝、白醋、胡椒粉、盐、料酒、植物油各适量。

制作

1.将鱿鱼剪开把墨囊取出剥下皮剪去内脏并冲洗干净。

2.将鱿鱼切花刀放沸水焯一下捞出沥干。

3.锅中放油烧热后放入葱末、姜丝。

4.炝锅后倒入鱿鱼快速翻炒，再放入青椒丝、白醋、料酒、孜然将鱿鱼炒熟透，加盐、胡椒即可。

鸡丁炒黄豆芽 >>

小知识

请注意，鸡肉不适宜与芥末、李子、大蒜、鲤鱼、鳖肉、虾、兔肉同食。

功效 清热明目，益气养血，补肾益精。

主料

黄豆芽200克，鸡脯肉100克，红辣椒、青辣椒各1个。

调料

盐、胡椒粉各1小匙，葱花、水淀粉各适量，植物油1大匙，香油少许。

制作

1.将鸡脯肉切成大小相仿的丁。黄豆芽洗净，用沸水焯一下，捞出过凉。红辣椒、青辣椒洗净，去蒂，切成丁。

2.炒锅烧热，加植物油，六成热时下入葱花爆香，再下入鸡丁炒熟，然后放入黄豆芽，翻炒均匀，加入盐、胡椒粉翻炒均匀，出锅前用水淀粉勾芡，淋香油即可。

四季饮食禁忌

春季饮食需注意

▶ 春季万物萌生，是调养身体五脏的大好时机。不过，春季饮食不可忽视以下禁忌：

忌凉性食物

▶ **春天应养阳气，要少吃些凉性蔬果，否则易上火，伤阳气。**

如西瓜、甜瓜、梨、香蕉、桑葚、柿子、荸荠等凉性水果。冬瓜、丝瓜、油菜、菠菜、白菜、金针菇、莲藕、茭白、笋、菜心等凉性蔬菜。

忌油腻辛辣

▶ **油腻食物会使人饭后体温、血糖、情绪发生变化，产生疲乏现象。**

如羊肉、狗肉、雀肉、红参、洋葱、白酒、炒花生等。

忌吃酸

▶ **多食酸味食品会使肝气过盛而损害脾胃，违背春季饮食宜养肝的规律，所以应少食酸味食品。**

青瓜拌玉米笋 >>

功效 ▶ 生津止渴，促进食欲，清热解毒。

小知识

玉米笋含有丰富的维生素、蛋白质、矿物质，营养含量丰富。

主料

玉米笋罐头1罐，黄瓜1根。

调料

葱油2小匙，盐1小匙。

制作

1.将罐装玉米笋倒出，用清水冲净，用沸水焯熟，捞出控水。黄瓜洗净，去皮，切粗条。

2.将玉米笋、黄瓜条、盐、葱油拌匀入味，即可食用。

冬瓜鸡汤 >>

功效▶ 清热解毒、利水消痰、除烦止渴。

小知识

请注意胃酸过多、胆道疾病、高血压症、肾功能不全者不宜喝鸡汤。

主料

白条鸡半只，冬瓜250克。

调料

盐、料酒各1小匙，葱花、姜末各适量。

制作

1. 冬瓜去皮、洗净，切大片。白条鸡洗净，用刀剁成大块，用沸水焯一下，去血水，捞出控水。
2. 汤锅中加入足量清水，大火烧开后放入鸡块，再加入料酒、姜末烧沸，然后转小火炖至鸡肉酥烂，放入冬瓜片炖至透明，出锅前加入葱花、姜末、盐调味，即可食用。

夏季饮食需注意

▶ 夏季饮食应以清补、健脾、祛暑化湿为原则，选择具有清淡滋阴功效的食物。

忌冷食

▶ 夏日须忌冷食，每到夏天不少女性都喜欢早餐吃冰豆浆、冰牛奶、冰绿豆汤、冰果汁。其实，这样的饮食习惯，极易伤“胃气”。中医认为，胃气壮则五脏六腑皆壮；胃气衰则皆衰。饮食一旦过冷，会使体内各个系统出现血流不畅的现象，天长日久，会导致肠胃吸收能力下降，易患感冒，免疫力降低。所以，忌冷食保胃气是女性饮食养生的重要原则之一。

忌油腻辛辣

▶ 不少女孩认为，夏季吃辛辣食物可以瘦身。事实上，多吃辛辣食物反而对胃肠道不好，易引起胃出血。而且吃太多刺激性食物还会使皮肤变得粗糙，容易长暗疮，女性不可多食。辛辣食物还会造成火气上升，排便不顺。

果蔬拌鸡肉 >>

小知识

外感发热、热毒未清或内热亢盛者、痢疾患者等不宜多食。

功效▶ 清热解毒，生津止渴，利于减肥。

主料

鸡胸脯肉300克，苹果1个，土豆、豌豆各100克，胡萝卜50克。

调料

盐1小匙，沙拉酱2大匙，芥末酱1大匙。

制作

1.将鸡胸脯肉、土豆、胡萝卜、苹果分别切成大小相仿的丁。

2.锅中加水烧开，将各种丁和豌豆分别倒入，焯熟后捞出控水。

3.将焯好的鸡丁和蔬菜丁和豌豆拌在一起，加入盐、沙拉酱、芥末酱，搅拌均匀即可食用。

香葱拌豆腐干 >>

小知识

豆腐干含钠较高，糖尿病、肥胖、肾脏病、高脂血症者慎食。

功效▶ 防止骨质疏松，可降低胆固醇。

主料

五香豆腐干3块，香葱50克，辣椒丝10克，花生、香菜各适量。

调料

蚝油1/2大匙，盐、醋、香油各少许。

制作

1.五香豆腐干切成条，放入沸水中汆烫一下，捞起沥干。香葱洗净切段。

2.将五香豆腐干丝、香菜、花生、辣椒丝、香葱段一起放在大碗中，淋上蚝油、醋、香油，撒上盐，拌匀，即可食用。

秋季饮食需注意

▶ 秋季是收获的季节，蔬菜瓜果种类齐全，是饮食养生的最好季节。饮食安排要注意以下几个方面：

忌辛辣

▶ **要少吃刺激性强、辛辣、燥热食物，如辣椒、花椒、桂皮、生姜、葱及酒等，尤其是生姜。因这些食物属热性，食后易上火。再加上秋天气候干燥，燥气伤肺，若再吃辛辣食物，更易伤害肺部，加剧人体失水、干燥。**

忌生冷

▶ 秋季天气由热转凉，人体阳气内藏，脾胃功能相对虚弱。在饮食方面，如果再吃寒性食物，必会损伤脾胃阳气，引起身体各种疾病。中医有“秋宜温”的饮食主张，一旦过于生冷，则会造成肠胃消化不良，引发各种消化道疾病。

海带豆腐汤 >>

小知识

适宜缺碘、甲状腺肿大、营养不良性贫血以及头发稀疏者。

功效 ▶ 清洁肠胃，清热润燥，生津止渴。

主料

豆腐1块，圆白菜80克，海带30克。

调料

盐、酱油各1小匙，料酒1大匙，高汤2杯，植物油适量。

制作

1.豆腐切厚片，用沸水焯一下，捞出控水。圆白菜洗净，切成丝。海带切成丝。

2.炒锅烧热，加入植物油，烧至七成热时，下豆腐片。

3.汤锅中加高汤大火煮沸，放入海带、盐、酱油、料酒，煮至入味，加入豆腐丝、圆白菜丝，再煮5分钟，即可食用。

笋焖排骨 >>

功效▶ 具有滋阴壮阳、益精补血的功效。

小知识

笋含脂肪、淀粉很少，属天然低脂、低热量食品，是肥胖者减肥的佳品。

主料

排骨300克，笋100克，莲子30克。

调料

盐1小匙，胡椒粉、料酒各1/2大匙，植物油2大匙，姜片少许。

制作

1.排骨洗净，用刀剁成寸段，加盐、料酒、姜片腌渍片刻。笋剥去外壳，洗净，切滚刀块。

2.莲子用水浸泡约2小时，然后用牙签捅去莲子心。

3.炒锅烧热，加植物油，四成热时下入排骨煸炒，放入竹笋、莲子、料酒、适量开水，盖上盖儿中火焖20分钟，加入盐、胡椒粉调味即可。

冬季饮食需注意

▶ 在寒冷而又干燥的冬季，饮食的原则是以“甘平为主”，即多吃有清肝作用的食物。

少食咸

▶ **冬季是肾主令之时，肾主咸味，心主苦味，咸能胜苦。《内经》里有“心为君主之官”，为“五脏六腑之大主”，说明心脏在人体生命活动中具有重要意义。反之多咸，则会出现心肾不交，心与肾生理协调失常的现象。**

忌生冷食物

▶ 冬天气候寒冷，只有肾脏机能正常，才可调节机体适应严冬的变化。否则，极易引起新陈代谢失调、损伤脾胃而引发各种妇科疾病。女性一定要注意少吃生冷食物，应食熟食，尤其是老人、小孩，更应吃熟食热食。

口蘑牛肉汤 >>

小知识

适合癌症、心血管系统疾病、糖尿病、肝炎、肺结核患者食用。

功效 味甘温，有强身补虚之功效。

主料

牛肉200克，口蘑100克，新鲜蚕豆80克。

调料

盐1小匙，胡椒粉1/2小匙，葱花适量，大蒜2瓣。

制作

1.将牛肉洗净，切成块，用沸水焯去血水，捞出控水。口蘑洗净，切成片。蚕豆洗净，用沸水焯熟，捞出控水。

2.汤锅中加入清水烧沸，放入牛肉块、口蘑、蚕豆、盐、胡椒粉，煮至牛肉熟烂，然后放入葱花、蒜瓣继续煮5分钟，即可食用。

香菇炒栗子 >>

小知识

栗子最好在两餐之间或做在饭菜里吃，而不要饭后大量吃。

功效 降血脂、降低胆固醇、益气健脾。

主料

香菇10朵，生栗子6个，青辣椒、红辣椒各1个。

调料

盐1/2小匙，蚝油1小匙，植物油1大匙，葱末、姜末、蒜末各适量。

制作

1.香菇洗净、切块。栗子蒸熟，去外皮，栗子肉用刀切成两半。青辣椒、红辣椒洗净，去蒂、去瓤，切成丝。将香菇和栗子分别用沸水焯一下，捞出控水。

2.炒锅烧热，加植物油，六七成热时放入葱末、姜末、蒜末爆香，放入香菇、栗子，再放入青辣椒丝、红辣椒丝、盐、蚝油翻炒均匀入味，即可食用。

常做运动，气血通畅

很多女性气血不通畅，往往是由于生活方式或饮食习惯不良等引起的。运动能使气血通畅，血液流通，所以运动是使气血流动起来的最好途径。散步、慢跑、游泳等都是日常可以简单进行的好方法。

气、血调养对女性非常重要

中医认为：气血流通是人体的正常生理功能。人体为一小天地，有一小循环，五脏六腑，三焦经络，气血流通，循环不息。气、血是构成人体生命、生理活动的基本物质。由于女性的生理特点，月经时血液会有一定量的消耗和流失，加之经期情绪、心理的变化，随之而来的是身体上、心理上出现各种问题。补气养血可以从根本上调经理血，通过调理气血、益气补血、通便等排除身体内的毒素。而气血通畅就会身体健康，容颜永驻，身材也会更好。

胃

为五脏之本

脾

后天之本，气血生化之源

食养脾胃为后天之本，为气血生化之源

▶ 脾胃是人体消化吸收的重要器官，是血液生成的物质来源，补脾是养血关键。所以，除了外在调节、药物治疗外，饮食调养也不可忽视。平时要适当多吃富含优质蛋白质、微量元素、叶酸和维生素的营养食物，如豆制品、鱼虾、牛肉、鸡肉、蛋类、大枣、红糖、黑木耳、花生、黑芝麻等。

手脚冰凉则血行不畅

▶ 血液循环不良的问题在女性中相当普遍，就是中医说的“气虚血虚，气血不通”。女性一旦体质过冷，下腹部很容易堆积脂肪。所以温暖是对女性最好的呵护，可以使气血充足，而气血充足能使肌肤保持健康，身材更加匀称。最好的保温方法是泡热水澡。平时练习慢跑、游泳等运动，再加上睡眠充足，就可以使身体机能更有活力。

走路，是女人的“补药”

走路具有强身健体的作用。平时腰、肩、头部经常出现疼痛感的人，每天如果坚持刻意地走一段时间的路，走路时保持挺胸抬头，双臂大幅度摆动，大跨步向前，拉伸背部和肩部肌肉，对于治疗这些症状会有相当明显的疗效。

挺胸抬头

双臂大幅度摆动

大跨步向前

走路对人体的益处

▶ 现代社会，汽车已进入了寻常百姓家。即使家里没有车，出门在外，还可以坐公交，可以打出租，车无处不在，它的方便快捷，大有彻底取代步行的趋势。然而现代社会，人们的身体素质却大不如前，许多人年纪轻轻，身体素质却非常差，走一段路便喘不休，短短的路程也要靠坐车来完成。

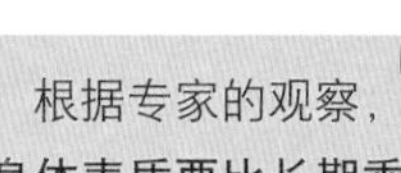

根据专家的观察，

长期走路的人，身体素质要比长期乘车的人好上几倍，
在心血管、神经系统和运动系统等方面都要比长期乘车的人健康。
所以专家提出，走路对人体的益处，要远远胜于乘车。

□ 预防疾病

走路是一种比较安全的有氧运动，适合面广。走路，首先能预防疾病。每周步行超过 3 个小时，患心脏病的机会就会减少 40%。走路还可以降低血压，甚至能降低女性乳腺癌的发病率。每周走路多于 7 个小时，患乳腺癌的机会就会降低 20%。所以说，走路是最能起到预防疾病作用的运动方式。

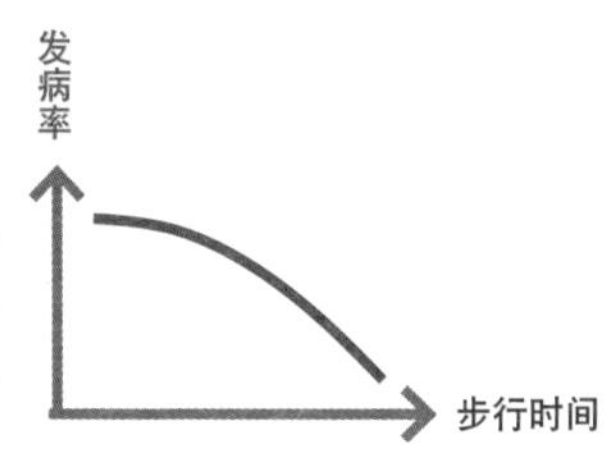

□ 改善体内神经系统，消除压力，改善睡眠状态

平时心情忧郁、失眠的人，如果每天多走些路，也能改善体内神经系统，消除压力，改善睡眠状态。随着年龄的增长，尤其是女人，很容易出现骨质疏松的症状，除补钙之外，如果每天能坚持步行，对于治疗骨质疏松症也会起到非常明显的辅助作用。

走路也能塑身

▶ 进行步行运动的时候，上身要平稳，走路时脚跟必须离地，一般情况下胳膊要保持直角弯曲，双眼要目视前方。下面向女性朋友推荐一套靠走路来塑身的计划。首先，做一些简单的动作来活动一下全身，然后，我们要练习走直线。

每天走路超过 1 小时，对于女人来说，是非常有好处的。 每天进行一次走路运动，再配合每天因为工作和生活所不得不走的路程，每天走路时间超过 1 小时一般不会有问题

□ 走直线

在比较宽阔的地点向前直走，这条线可以是现实存在的，也可以是在想象中存在的。走一段时间之后，转为交叉双足向前走，仍然沿着这条直线，双脚交叉着前行。再走一段时间后，转为用脚后跟走路，将脚趾离开地面，用脚后跟沿着直线前行。然后，恢复到正常走路的姿势，边走边环绕手臂，幅度由小到大。

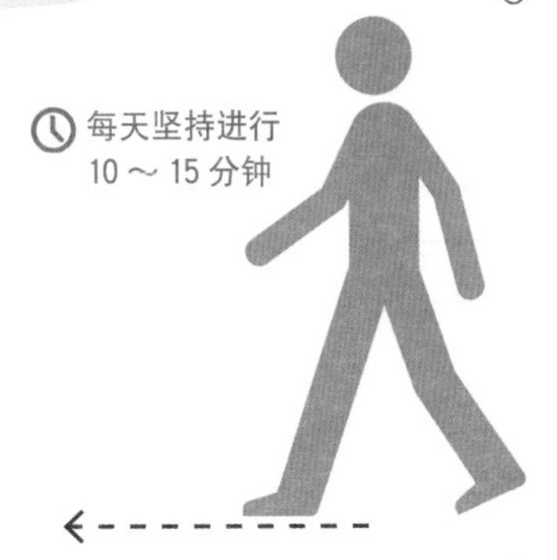

□ 快速步行到目标

每天进行 10 ～ 15 分钟的上述走路运动，过一段时间以后，就可以加些内容了。如做好热身以后，可以做上述的直线运动，然后，就可以选择一个不算太远的目标物，以最快的速度步行到这个目标物。停下来休息到心跳正常以后，再选择一个稍远一些的目标物，以最快的速度到达。心跳恢复正常以后，转回头，以最快的速度返回第二次的起点；稍事休息，再以最快的速度返回第一次的起点。这组动作可以反复做，用时不应超过半小时。

加上前面做的热身运动和直线行走，总时间在 35 ～ 45 分钟。

选择一个目标物，以最快的速度步行到这个目标物

贴士

上面介绍的是刻意进行的一种有氧走路运动，同时配合的肩背部动作，会使走路对于身体的各部分都能起到锻炼的作用。但需要注意的是，走路时，应保持抬头收腹，手臂自然摆动，步伐自然，以脚跟着地，力量通过脚掌，然后以脚趾推离地面。

经常游泳，让你气血通畅

游泳是一种有助于改善身材的运动项目，经常游泳的人身材都十分健美，即使是没有水性的人，能常在水里泡一泡，也会有助于改善不完美的体形。

不会游泳也可以去游泳池泡一泡

▶ 水的阻力远大于空气的阻力。游泳的时候，当人体遇到更大的阻力时，就会消耗更大的能量，而水的导热性又比空气大，更有利于能量的消耗，所以游泳的作用首先就是减肥。游泳时，由于浮力的作用，使得关节和骨骼受损的危险性很小。而水的浮力、阻力和压力会对人体进行一种全面的按摩，有助于美容，润泽肌肤，并可以缓解机体的紧张和精神的压力。另外，在水中步行，借助水的阻力增加能量消耗，同样时间，可以消耗更多热量。

贴士

必须注意的是，游泳的时候一定要注意安全，下水之前要做些准备活动，下水后要逐渐地让身体适应水温，不要急于做大幅度动作，最好不要单独游泳，以免发生腿抽筋等意外，导致发生危险。所以，最好到正规的游泳场馆进行这项运动，不但有安全保障，还有卫生保障。

不适合游泳的人

▶ 并不是所有的人都适合进行游泳运动。患有肺部疾病的人游泳，会加重呼吸困难，导致头晕；患有心脏疾病的人游泳，会加重心脏负担，造成心律不齐或者心力衰竭；耳部有炎症的人游泳，容易将细菌带入耳道，引起中耳炎；女性经期游泳，也容易被细菌感染，还容易因冷水的刺激导致血管收缩，引起痛经和月经不调；畏寒的人游泳，会出现冷刺激过敏，造成皮肤红、痒，甚至头晕、心悸，严重的可导致昏迷；患有传染性疾病的人游泳，还容易将细菌带入水内，影响其他人的健康。这些都要特别注意。

不适宜游泳的情况：

- 有肺部疾病
- 有心脏疾病
- 耳部有炎症
- 女性经期
- 畏寒体质
- 有传染性疾病

骑车，非常好的健身运动

想要通过骑车健身，只是随便地对待它可不行，还要有一些注意事项。比如，在姿势上，绝对不能双腿外撇、点头哈腰。正确的方法应该是身体稍前倾，两臂伸直，腹部收紧，两腿抬高时与地面平行，不要用口呼吸，尽量采用腹式呼吸法。

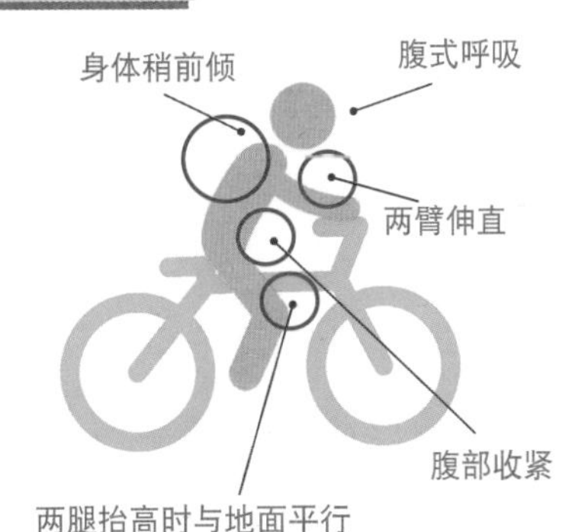

动作的频率要循序渐进，不要用爆发力去骑车，也不要贪图路远量多，速度要一点一点加快，不要突然就加快，否则会对身体造成伤害

骑车时要充分利用手脚与自行车的接触，因为手脚上有许多和人体相应的穴位，如果对手脚上的穴位进行按摩，就等于是对身体的各部分进行了按摩。比如握紧车把时，刻意对手指进行多部位的伸抓，蹬踏板时也可以对脚趾进行伸屈，还可以刻意地用手和脚在握车把或者踩脚蹬时暗暗地对不同的部位进行点压，这样相当于对全身做了按摩一样。

目前比较公认的有效的骑车方法主要有下面的几种。这些方法各有作用，最好的办法是穿插进行，不要只用一种方式。

自由骑行

- 不限时间与强度，只需要随意地骑车，就可以放松肌肉，缓解压力，减轻疲劳。

间歇骑车

- 速度时快时慢，但要合理安排。可以先慢骑几分钟，再快骑几分钟，这种方式能锻炼心肺功能。

有氧骑行

- 保持骑行速度，加深呼吸，每次坚持半小时左右，有助于减肥和提高心肺功能。

力量骑行

- 刻意地选择上坡、下坡等有难度的骑车方式，对于锻炼双腿的力量和耐力、防止腿部骨骼疾患非常有效。

手指运动健脑防衰老

每天坚持做手指运动，改善手的血行，有助于大脑的血流通畅。

经常活动手指关节或刺激手掌有助于预防老年痴呆症的发生。原因是这样可以促进大脑血液循环功能，减缓大脑机能的衰退。

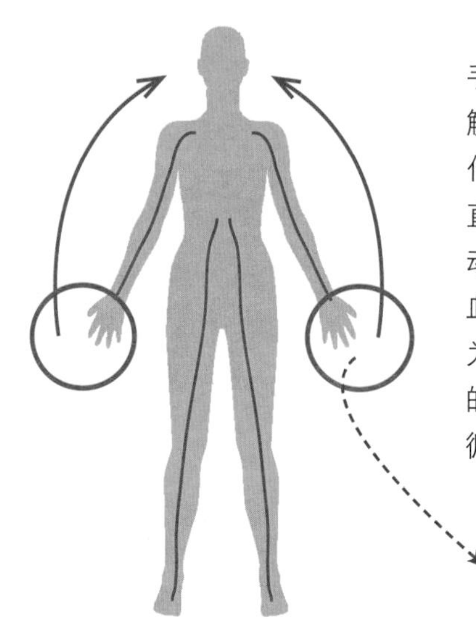

改善大脑血液循环的秘诀在于手，因为手和大脑关系密切。比如，当你闭起双眼，触摸一下某东西，你大致都可以判断出它是什么东西，这是因为手指的触觉神经和大脑直接联系，用手摸到的东西形象就会原封不动地传到大脑。当手或脚等身体末梢部分的血液循环不好，大脑的血流也会受影响。因为末梢部分的血行一旦出现障碍，心脏送出的血液不能顺利回流，包括大脑在内的全身循环都会受到影响。

手或脚等部位血液循环不好，大脑血流、全身循环都会受影响

跟着做

旋转拇指

▶ 感到体力不足，不妨试着转转拇指，心情会舒畅。

▶ 拇指作 360°旋转。旋转时必须让拇指的指尖尽量画圆形。起初也许会感到不顺，但反复进行几次后，拇指就会有节奏地旋转。

▶ 顺时针的方向及逆时针的方向各旋转 1～2 分钟。

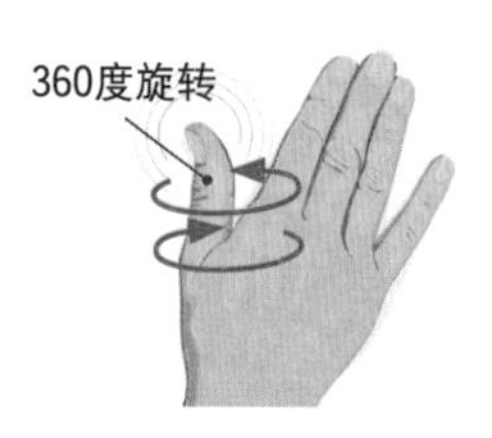

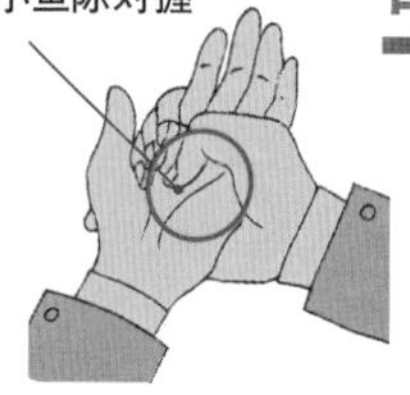

自我握手

▶ 作为养生方法加以利用，最简单的方法就是自我握手。

▶ 左、右手掌靠拢在一起交替对握，关键在于右手拇指要有意识地用劲抓住左手的小鱼际，左手拇指抓住右手的小鱼际。

▶ 紧握 3 秒钟后双手分开。左右相互紧握 5～6 次。

手指交叉

▶ 当感到大脑反应迟钝、注意力不集中时可以活动手指。

▶ 双手手指交叉地扭在一起。某只手拇指在上交叉一会儿后，再换成另一只手拇指在上。然后将手指尖朝向自己，并使双手腕的内侧尽量紧靠在一起。

▶ 反复进行几次。

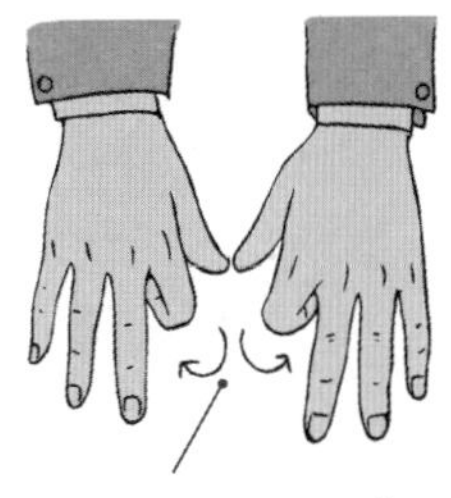

双手同时练习，手指用力弯曲、伸展

弯曲十指

▶ 可调节五脏六腑，对心脏有良好的反射刺激作用。

▶ 两手同时张开，手指自然伸直，从拇指开始，依次按示指、中指、无名指、小指的顺序，用力弯曲、伸展，循环往复地进行。

▶ 每次练习不受时间和次数限制，可根据自身情况量力而行，以产生酸痛感为佳。顺时针及逆时针方向各旋转 1～2 分钟。

刺激手掌

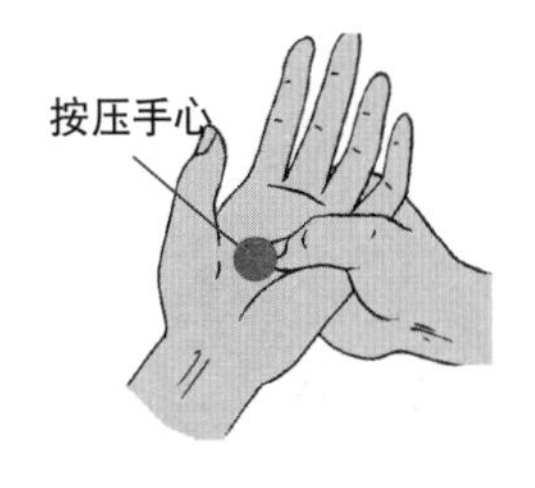

▶ 既有助于血液循环又对安定自主神经有效。

▶ 刺激手掌中央（手心）：即从中指根至手腕的横纹正中引一条线，刺激其正中点。

▶ 每次捏掐 20 次。

捏拽十指

▶ 给予肌肉必要的刺激。

▶ 将小指向内折弯，再向后拔，反复做屈伸运动 10 次。用拇指及示指抓住小指基部正中，早、晚揉捏刺激这个穴位 10 次。两手十指交叉，用力相握，然后突然猛力拉开。

▶ 每天早、晚反复做 10 次。

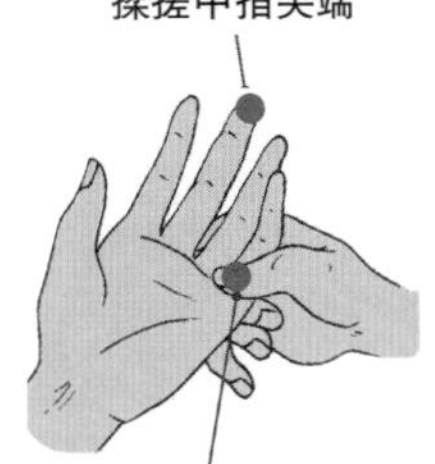

揉擦指尖

▶ 对大脑的血行很有好处。

▶ 经常揉搓中指尖端。

▶ 每次 3 分钟。

睡前按摩，轻松入睡

现代人的生活、工作都非常繁忙，而且压力大，常常会影响睡眠质量。睡眠不好，会造成第二天工作效率降低，甚至会形成恶性循环。所以，睡眠非常重要。好的睡眠不仅可以保证第二天的工作效率，还可以美容。而要想得到好的睡眠必须掌握正确的方法，科学睡眠。

如果在睡前能够做一些按摩动作，就可以缓解一天的工作疲劳，使身体能够更快地进入睡眠状态，以帮助睡眠质量的提高。对中老年人来说，睡前运动比清晨或傍晚运动可能更具健身之效。

睡前做一些简单的按摩，可以缓解一天的身心疲劳，使身体能更快地进入睡眠状态，提高睡眠质量

跟着做

全身淋巴按摩消除疲劳

▶ 淋巴具有净化体内毒素的作用。按淋巴液的流向来进行按摩。可以促进淋巴液的流动，起到排毒、缓解疲劳的效果。

按照脚踝、膝盖、手腕、腋下、腹部、胸部的顺序，从身体的下侧开始按摩

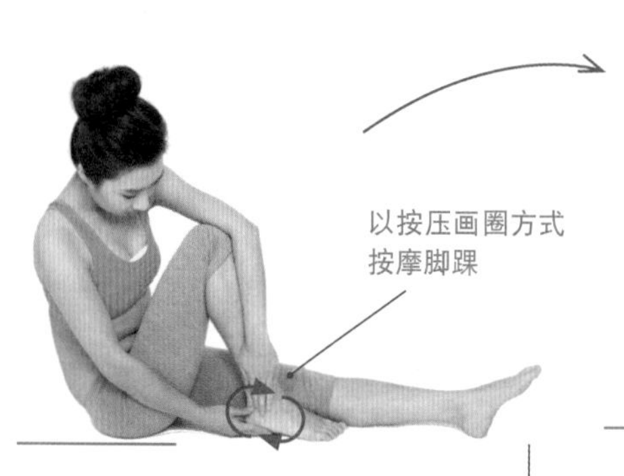

1. 双手拇指按顺时针方向转圈按摩脚踝处。

2. 从脚踝上部开始到鼠蹊部，用双手交替向上推压按摩。

双手交替向上推压整个腿部

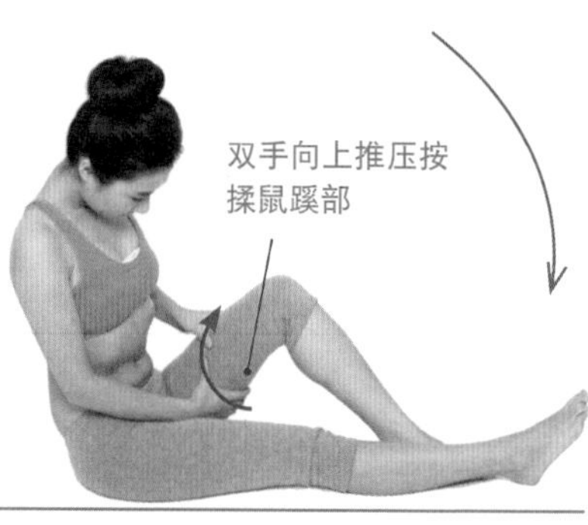

3. 向上推压大腿，压住鼠蹊部进行按揉。可以用双手交替由内向外推压。

1. 用一只手的拇指按压另外一只手的手指根部、手背、手腕等处，可以使血液循环更加通畅，还可以消除疲劳。

2. 从手腕处开始沿胳膊至肩部，边向上滑动边抓捏按摩。

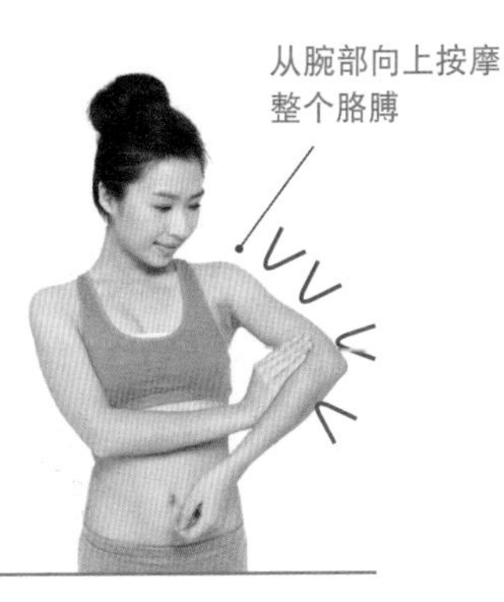

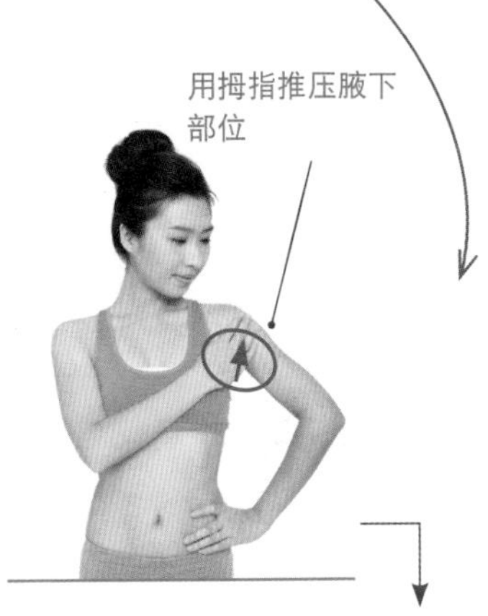

3. 轻按腋下中央处有些疼痛的部位，用拇指用力按压，刺激穴位。

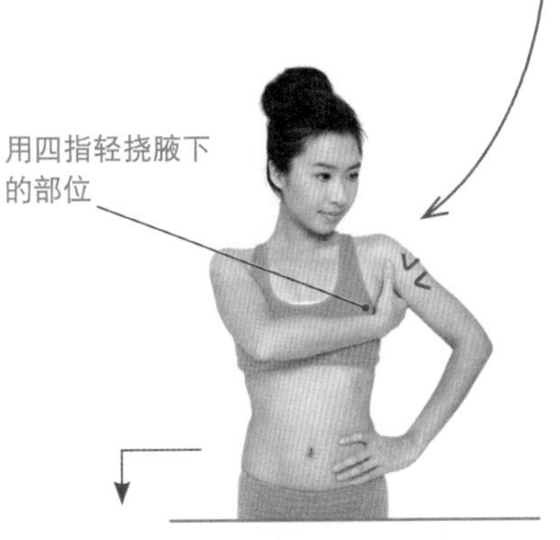

4. 用四个手指抓挠腋下部位。按揉约 5 秒钟。重复做 5 次。换另一侧做同样按摩。

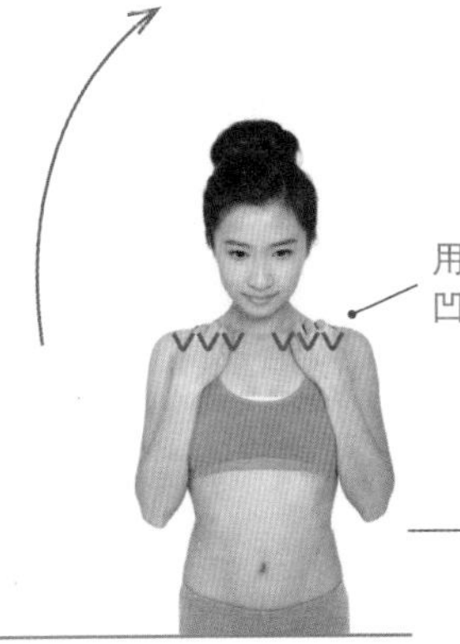

5. 用示指、中指、无名指三根手指抓挠锁骨凹陷处，按揉约 5 秒钟。重复做 5 次。

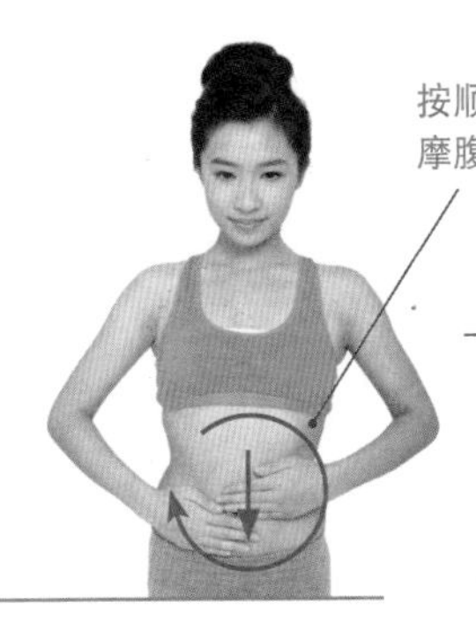

6. 以肚脐为中心，用双手按顺时针方向转圈按揉。然后由肚脐向下，双手呈直线下滑。这样的动作为 1 组，重复做 3 组。

舒缓穴位按摩放松助眠

▶ 睡前的穴位按摩，可以改善紧张情绪，令身心获得释放，提高睡眠质量。

1. 闭目，用双手手指的指腹，有节奏地弹击整个头部。

2. 闭目，用双手捏住耳垂部位，轻轻向外侧拉伸耳部，保持5秒钟。重复做3次。

3. 双手交错，从胸部上方向下腹部进行推压按摩。也可以双手交替向下推压。

4. 双手手掌分别从内侧向外侧沿胸部下方进行推压按摩。胸部上方采取同样方法按摩。

5. 边吐气边用双手四指按压两乳头连线正中的“膻中穴”，按7秒，边吸气边松开手指，重复按5次。

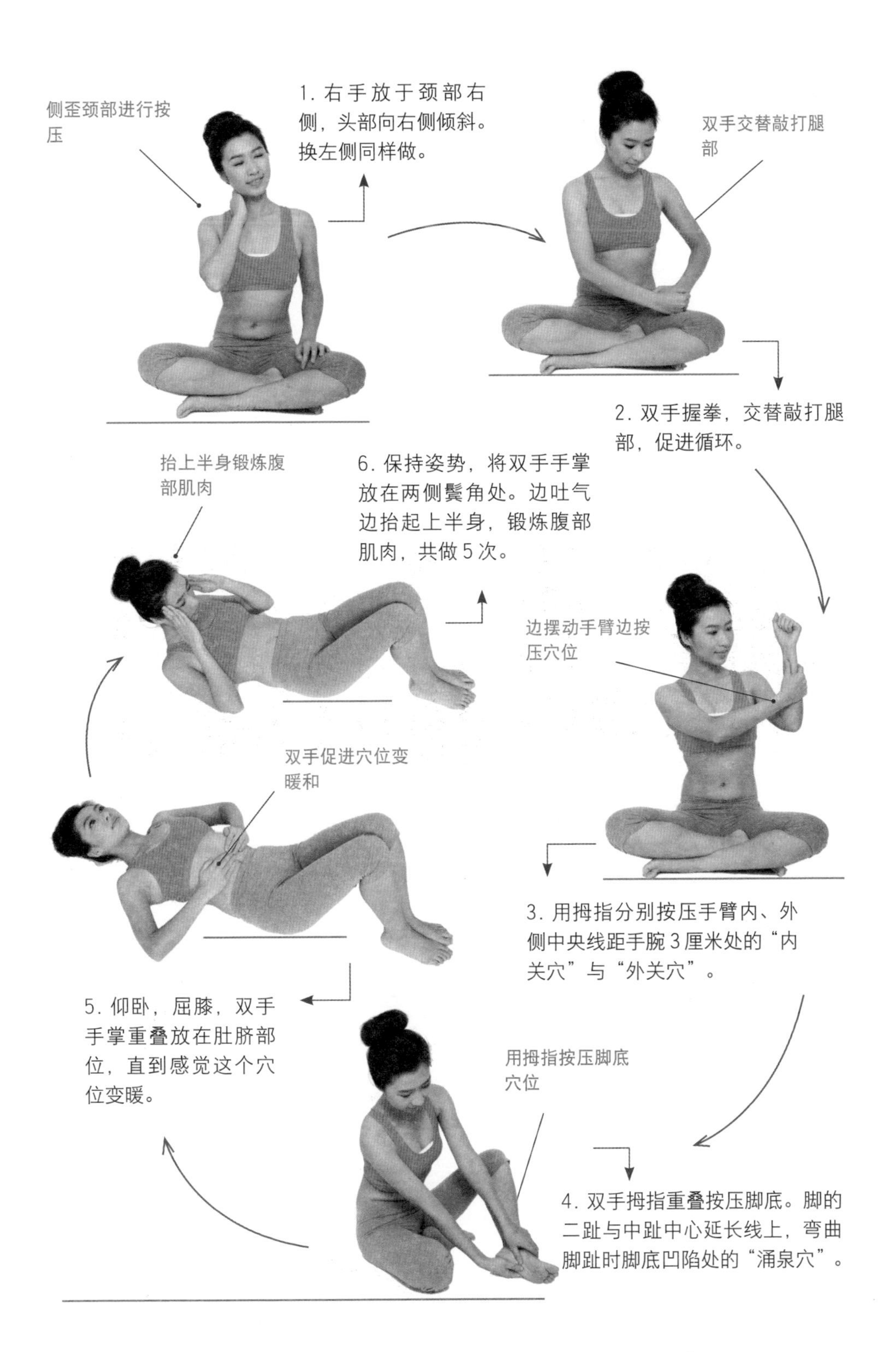
侧歪颈部进行按压
1. 右手放于颈部右侧，头部向右侧倾斜。换左侧同样做。
双手交替敲打腿部
2. 双手握拳，交替敲打腿部，促进循环。
边摆动手臂边按压穴位
3. 用拇指分别按压手臂内、外侧中央线距手腕3厘米处的“内关穴”与“外关穴”。
用拇指按压脚底穴位
4. 双手拇指重叠按压脚底。脚的二趾与中趾中心延长线上，弯曲脚趾时脚底凹陷处的“涌泉穴”。
双手促进穴位变暖和
5. 仰卧，屈膝，双手手掌重叠放在肚脐部位，直到感觉这个穴位变暖。
抬上半身锻炼腹部肌肉
6. 保持姿势，将双手手掌放在两侧鬓角处。边吐气边抬起上半身，锻炼腹部肌肉，共做5次。

做家务劳动，省钱又健身

做家务能消耗热量，但无法和运动相比，虽然不能取代健身，但是利用家务劳动将一些健身动作融合进来，活动一下身体，不仅省时，对健康也有一定功效。

打扫房间

▶ 拖地时：两腿前后交叉，摆出弓步，前腿弓，后腿蹬，用手臂的力量将拖把前后推移，像在击剑。左、右腿交换进行。

▶ 擦桌子时：站在桌边，双手按住抹布，身体不要动，靠手臂的力量将抹布来回推擦。

▶ 搬动杂物时：先蹲下拿后再慢慢站起，动作要尽量缓慢，做规范。

做饭

▶ 洗碗时：边洗碗边左右轮流做抬腿动作，每次动作维持 10 秒钟。单腿站立时微微踮一下脚跟。全身重力集中在一条腿上。也可以将身体侧对水槽，扭转腰部让身体略向水槽方向倾斜。

▶ 炒菜时：利用片刻时间，把手掌置于脑后枕骨处，肘部尽量后展；在煲汤等需长时间等待的空闲中，做一下侧弯腰。长时间切菜会感到双手酸胀，可将双臂下垂，放松肌肉，双手快速抖动。

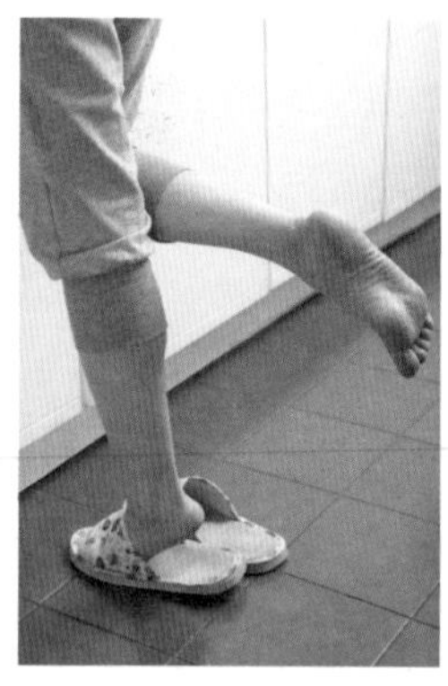

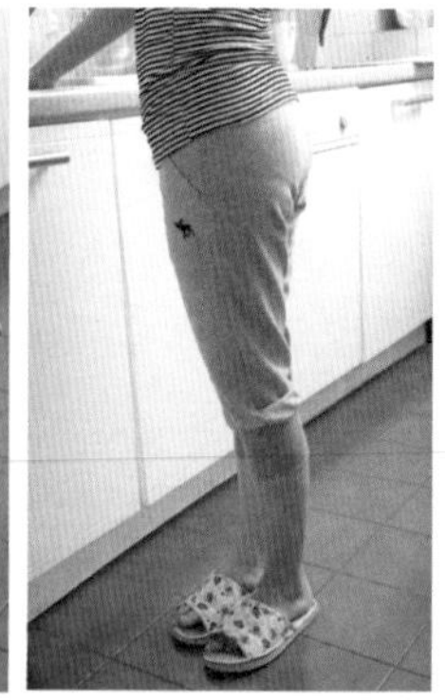

图书在版编目（CIP）数据

子宫就是女人的根 / 马良坤编著. -- 长春：吉林科学技术出版社，2014.8

ISBN 978-7-5384-8066-5

Ⅰ. ①子… Ⅱ. ①马… Ⅲ. ①子宫－保健 Ⅳ. ①R711.74

中国版本图书馆CIP数据核字(2014)第195143号

子宫就是女人的根

编　著　马良坤

编　委　张　旭　杨　柳　朴怡妮　张子璇　叶灵芳　崔　哲　杨　雨　赵　琳
李雅楠　党　燕　张信萍　韩杨子　李春燕　刘　丹　王　斌　王治平
高　甄　刘　波　刘辰阳　江理华　陈　晨　赵嘉怡　王超男　李　娟
赵伟宁　王萃萍　何瑛琳　张　颖　刘思琪　汪小梅　吴雅静　许　佳
周　雨　郑伟娟　康占菊　宋　磊

插　图　张　旭　程　峥　蔡聪颖　王　清　王　欣　肖雅兰　张　健　高　原
安孟稼　黄铁政　杨　嘉　姜　毅　王　杨

出 版 人　李　梁

选题策划　美型社•天顶矩图书工作室（**Z.STUDIO**）张　旭

责任编辑　孟　波　端金香

封面设计　长春市一行平面设计有限公司

内文设计　美型社•天顶矩图书工作室（**Z.STUDIO**）

开　本　710mm×1000mm　1/16

字　数　260千字

印　张　16.5

版　次　2016年5月第1版

印　次　2016年5月第1次印刷

出　版　吉林科学技术出版社

发　行　吉林科学技术出版社

地　址　长春市人民大街4646号

邮　编　130021

发行部电话/传真　0431-85635176　85651759　85635177
85651628　85652585

储运部电话　0431-86059116

编辑部电话　0431-86037576

网　址　www.jlstp.net

印　刷　长春人民印业有限公司

书　号　ISBN 978-7-5384-8066-5

定　价　39.90元